숙영낭자전의 작품세계 3

숙영낭자전의 작품세계 3

김선현·최혜진·이문성·이유경·서유석

보고사

이 저서는 2012년 정부(교육과학기술부)의 재원으로 한국연구재단의 지원을
받아 수행된 연구임(NRF-2012-S1A5A2A03-034080)

머리말

　〈숙영낭자전〉은 적강한 두 남녀의 애절한 사랑과 결연, 정절 모해로 인한 낭자의 죽음과 재생의 서사를 담고 있는 조선 후기 고소설로서, 19세기 초중반에는 판소리로 불리기도 했다. 소설 〈숙영낭자전〉의 정확한 창작 연대를 알 수는 없으나, 경판28장본의 간기가 함풍경신(咸豊庚申, 1860년)인 것으로 보아 대략 18세기 후반에서 19세기 초반 무렵에 창작되었을 것으로 추정된다. 현재 한글로 필사된 다수의 이본이 남겨져 있는데 이본의 표기 형태로 볼 때 주된 독자는 평민가 여성이나 양반가의 부녀자들로 추정되며, 〈숙영낭자전〉이 구활자본으로 유통되던 20세기 초반까지 작품을 필사하며 소설을 향유했던 것으로 보인다.

　이러한 소설의 인기에 힘입어 소설 〈숙영낭자전〉은 판소리화 되어 불려졌다. 판소리 〈숙영낭자전〉은 송만재의 『관우희』(1843년)에서는 열두 마당에 포함되지 않았지만, 정노식의 『조선창극사』(1940년)에는 열두 마당의 하나로 거론되고 있다. 정노식은 헌종에서 고종 연간에 활동했던 전해종 명창이 〈숙영낭자전〉을 잘 불렀다고 기록하고 있는데, 이로 보아 19세기 초중반 무렵에 〈숙경낭자전〉이 판소리로 불렸을 것으로 추정된다. 이후 20세기에 들어 정정렬 명창에 의해 불렸으며, 그의 소리는 박녹주 명창을 거쳐 박송희 명창에게 이어졌다. 박녹주 명창의 말에 따르면, 정정렬 명창은 〈숙영낭자전〉을 스승으로부터 배우지 않고 스스로 재편곡해서 불렀다고 한다. 현재 정정렬 명창이 부른 〈숙영낭자전〉은 토막소리만이 CD로 남아 있어 창본의 전모를 확인할 수 없고, 그 역시 스승에게 배운 것이 아니기에 전해종 명창이 부른 판소리 〈숙영낭자전〉의 실체는 파악하기가 어렵다.

현재 〈숙영낭자전〉의 이본은 소설본의 경우, 필사본 150여종과 경판본 3종, 활자본 4종(면수에 따른 분류)이 확인되며, 창본은 사설이 온전하게 남겨져 있는 것만 포함할 경우 4종이 이본을 찾아볼 수 있다. 정정렬의 창본은 구약여행 대목만이 토막소리로 남겨져 있기 때문에 창본의 전모를 확인할 수 없어 이본 수에 포함하지 않았다. 이 가운데 이 책에서는 필사본 24편, 경판본 3편, 활자본 4편, 창본 3편 등 총 34편의 이본을 정리하였다. 필사본의 경우, 이본의 범위가 방대할 뿐만 아니라 개인 소장본이 40여 편이고 기관에 소속되어 확인이 어려운 경우가 많았다. 따라서 영인으로 출간되거나 도서관에서 공개하여 수합이 가능한 자료 가운데 필사기가 적혀있거나 결말의 차이가 분명이 드러나는 이본들을 중심으로 선본(善本)을 모아 엮었다. 이본에 따라 작품의 제목이 '수경낭자전', '낭자전', '옥낭자전', '숙영낭자전' 등으로 다양한데, '숙영낭자전'이 소설본과 창본을 두루 포괄할 수 있는 제목이라고 판단하여 이 자료집에서는 '숙영낭자전'을 대표 제목으로 삼았으며, 이본의 명칭을 '소장자 이름과 장수' 혹은 '소장처와 장수'를 기준으로 병기하였다.

〈숙영낭자전〉은 두 남녀의 꿈을 통한 소통과 만남, 낭자의 비극적인 죽음과 재생을 그린 조선 시대 판타지이다. 이 작품 속에 담긴, 사랑을 향한 열정과 욕망 그리고 이를 가로막는 규범과 이념의 문제는 당대 사회뿐 아니라 오늘날에도 여전히 유효한 의미를 지닌다. 이에 〈숙영낭자전〉은 1928년과 1956년에는 영화로 상영되었고, 1936년에는 창극으로 공연되었을 뿐 아니라 최근에는 연극과 창극으로 공연되어 다양한 방식으로 현대인들과 소통하고 있다. 또한 〈숙영낭자전〉은 이념적 억압 상황 속에서 19~20세기 부녀자들에게 위안의 문학이 되었을 것이다. 필사 행위를 적극적인 독서 행위라고 파악할 때, 이본별 다양한 결말은 숙영낭자를 통해 세계와 공명(共鳴)하고자 했던 여성 독자들의 의식이 반영된 것이라 짐작해 볼 수 있기 때문이다. 그리고 이러한 의미에서 〈숙영낭자전〉은 위안과 해원의 문학으로서 현대에도 의미 있게 읽힐 수 있을 것이다.

　그동안 자료를 찾아 함께 공부하며 든든한 버팀목이 되어 주신 덕산고전연구회 선생님들께 사랑과 감사의 마음을 전한다. 그리고 책을 엮을 수 있도록 애써 주신 보고사에도 감사 인사를 드린다.

2014년 새해를 맞이하며
수락산 아래에서,
필자들을 대표하여 김선현 씀.

차례

▌창본

숙영낭자전의 작품세계 1

▌소설본

[필사본]

낭ᄌ젼 단(김동욱 58장본)

낭자전이라(단국대 42장본)

수겡옥낭좌전 권지단이라(경남대 48장본)

수경낭ᄌ전이라(조동일 28장본)

수경낭ᄌ젼이라(박순호 30장본)

수경낭자전(박순호 33장본)

수경낭자전(김동욱 66장본)

수경옥낭ᄌ젼니라(조동일 47장본)

숙항낭자젼 권지일이라(단국대 40장본)

슈경낭ᄌ젼(김광순 24장본)

슈경낭ᄌ전(김광순 46장본)

슈경낭ᄌ전 권지단(단국대 44장본)

숙영낭자전의 작품세계 2

[필사본]

슈경낭ᄌ전 단(김동욱 22장본)

슈경낭ᄌ전이라(김광순 33장본)

슈경낭자전이라(박순호 43장본)

슈경낭전이라(김광순 28장본)

슈경옥낭자전니라(단국대 55장본)

슉영낭ᄌ전(김광순 44장본)

슉영낭자전이라(단국대 34장본)

옹낭ᄌ전 상이라(박순호 46장본)

옥낭ᄌ전이라(단국대 31장본)

옥낭자전(박순호 40장본)

옥낭자전이라(박순호 32장본)

특별 숙영낭ᄌ전(충남대 16장본)

작품일람표

작품명	필사(발간) 년도	장수 (면수)	출처
낭즈젼 단	연대미상	58장 (116면)	박종수편, 『(나손본)필사본고소설자료총서』26, 보경문화사, 1991, 216~334쪽.
낭자젼이라	연대미상	42장 (81면)	단국대 율곡기념도서관, 『漢籍目錄』, 1994. (古 853.5/슉2478ㄱ)
수겡옥낭좌젼 권지단이라	연대미상	48장 (96면)	『加羅文化』9, 경남대 가라문화연구소, 1992. 7, 영인 1~97쪽.
수경낭즈젼 이라	연대미상	28장 (56면)	조동일편, 『조동일소장 국문학 연구자료』10, 박이정, 1999, 103~158쪽.
수경낭즈젼 이라	임신년	30장 (59면)	월촌문헌연구소편, 『한글필사본고소설자료총서』70, 오성사, 1986, 73~131쪽.
수경낭자젼 이라	단기 四一九一年	33장 (66면)	월촌문헌연구소편, 『한글필사본고소설자료총서』69, 오성사, 1986, 349~414쪽.
수경낭자젼	연대미상	66장 (132면)	박종수편, 『(나손본)필사본고소설자료총서』26, 보경문화사, 1991, 337~468쪽.
수경옥낭즈젼 니라	계묘년	47장 (94면)	조동일편, 『조동일소장 국문학 연구자료』10, 박이정, 1999, 1~96쪽.
숙향낭자젼 권지일이라	갑인년	40장 (79면)	단국대 율곡기념도서관, 『漢籍目錄』, 1994. (古 853.5/슉2477거)
슈경낭즈젼	갑진년	24장 (48면)	김광순편, 『(필사본) 한국고소설전집』19권, 경인문화사, 1993, 385~432쪽.

작품명	필사(발간) 년도	장수 (면수)	출처
슈경낭ᄌ젼	연대미상	46장 (91면)	김광순편, 『(필사본)한국고소설전집』48, 경인문화사, 1993. 161~251쪽.
슈경낭ᄌ젼 권지단	을사년	44장 (88면)	단국대 율곡기념도서관, 『漢籍目錄』, 1994.(古 853.5/슉2478가)
슈경낭ᄌ젼 단	연대미상	22장 (44면)	박종수편, 『(나손본)필사본고소설자료총서』27, 보경문화사, 1991. 3~46쪽.
슈경낭ᄌ젼 이라	무신년	33장 (66면)	김광순편, 『(필사본)한국고소설전집』44, 경인문화사, 1993. 1~70쪽.
슈경낭자젼 이라	연대미상	43장 (85면)	월촌문헌연구소편, 『한글필사본고소설자료총서』70, 오성사, 1986. 671~757쪽.
슈경낭젼이라	연대미상	28장 (56면)	김광순편, 『(필사본)한국고소설전집』19, 경인문화사, 1993. 154~210쪽.
슈경옥낭자젼 니라	연대미상	55장 (109면)	단국대 율곡기념도서관, 『漢籍目錄』, 1994.(古 853.5/슉2477구)
슉영낭ᄌ젼	계사년	44장 (87면)	김광순편, 『(필사본)한국고소설전집』19, 경인문화사, 1993. 67~153쪽.
슉영낭자젼 이라	갑신년	34장 (67면)	단국대 율곡기념도서관, 『漢籍目錄』, 1994.(古 853.5/슉2477교)
옹낭ᄌ젼 상이라	연대미상	46장 (92면)	월촌문헌연구소편, 『한글필사본고소설자료총서』79, 오성사, 1986. 132~223쪽.
옥낭ᄌ젼이라	연대미상	31장 (62면)	단국대 율곡기념도서관 (율곡 고853.5 옥953)
옥낭자전	기묘년	40장 (80면)	월촌문헌연구소편, 『한글필사본고소설자료총서』75, 오성사, 1986. 652~731쪽.
옥낭자전이라	연대미상	32장 (63면)	월촌문헌연구소편, 『한글필사본고소설자료총서』75, 오성사, 1986. 732~793쪽.
특별 슉영낭ᄌ젼	병진년	16장 (32면)	충남대학교 학산문고 (고서학산 集 小說類 1988.)

작품명	필사(발간) 년도	장수 (면수)	출처
슉영낭ᄌ젼 단	1860년	28장 (57면)	김동욱· W. E. Skillend · D. Bouchez 공편, 『古小說 板刻本 全集』4, 羅孫書屋, 1975, 445~459쪽
슉영낭ᄌ젼 단	연대미상	20장 (39면)	김동욱, 연세대학교, 『영인 고소설 판각본 전집』2, 연세대학교인문과학연구소, 1973, 9~18쪽.
슉영낭ᄌ젼 단	1920년	16장 (32면)	국립중앙도서관, 『고서목록』1, 1970. (古朝 48-59)
(특별) 슉영낭ᄌ뎐	1915년	22장 (43면)	국립중앙도서관(3634-2-82(1)
슉영낭ᄌ젼 권단	1916년	32장 (63면)	국립중앙도서관(3634-2-82(7)
(특별) 슉영낭ᄌ젼	1917년	19장 (37면)	국립중앙도서관(3634-2-82(6)
(특별) 슉영낭ᄌ젼	1918년	15장 (30면)	국립중앙도서관(3634-2-82(10)
박녹주 창본	1971년		문화재관리국편, 『무형문화재조사보고서』12집, 한국인문과학원, 1998, 423~430쪽.
박송희 창본	2004년		채수정 엮음, 『박록주 박송희 창본집』, 민속 원, 2010, 233~250쪽.
박동진 창본	1980년대		이국자, 『판소리연구』, 정음사, 1987.

일러두기

- 영인본의 글자는 원문대로 옮기는 것을 원칙으로 하였다.

- 띄어쓰기는 현대 맞춤법을 기준으로 하여 의미 파악이 가능한 정도로 다시 정리했다.

- 소설본의 장(면)수 표시는 〈1-앞〉과 같이 표기하였고, 작품 원문에 장(면)수가 적혀 있는 경우에는 원문에 따라 표기하였다. 창본은 장(면)수로 하지 않고 장단으로 표기하였다.

- 판독 불가 글자는 □로 표시하였다.

- 원문의 줄 밖에 가필이 되어 있는 경우, 글자 옆에 ( ) 표시를 하고 그 내용을 적었다.

- 한문이 병기되어 있는 경우 모두 ( )에 표기하였다.

- 표제와 내제가 다른 경우, 내제를 작품 제목으로 삼고 표제는 해제에 밝혔다.

셰룡냥ㅈ쳔 단

화셜 ㅇ쳥죠션 ㅈ 의 경샹도 안동짜히 한 션비 이스되
빅이오며셩은 이라 부인 졍시로 더부러 동쥬 이십여
년의 일졈혈육이 업셔 쥬야슬허 슬퍼더니 평싱 덕힝의 기
오 부후 긔몽을 엇어 ㅇ싱ㅅㅇ으로 졍쇼ㅇ ㅅ셔 졈졈 주라 미오되
쥬ㅅ 부뉘 셩되 온ㅇ기 ㅇ됴본딜 아오 여 훌싱이라 긔독 되
ㅈㄱ 치 인지 가지 셰ㅅ ㅂ 그 ㅎㅎ으로 션ㄱ이라 쳐ㅅ고와 갓튼 빈
 ㄹㄹ 어긔슬하의 ㅈ 티ㄹ다 � 젼셔 ㄹ나 구셰되 의 ㅂㅁ호
꼿이 엄셔 미힝 ㅂ션ㅎㄷㄹ 이 ㅇ ㅇㅅ 의 나히 이팔이라
 튱ㅅㅎㅎㄷㄹ 당셔 어 ㅈ ㅇ의 쳐 ㄹ 그 ㄹㅁ ㄹㄷ ㅈㅎ 권지 ㅎㅇ
졔 ㄹㅁㄷㅈㅇ ㄴ ㅇ ㄹㄹ 모ㄴ 특 곳의 ㅎㅎㅅㅇ ㅎㅎㅇ회 ㅈㅁ ㄹㅁㄹ ㄷ ㅁ며
와 젼ㅂㅅ ㄴ 엇 희 안 ㄹ 잠 오져 ㄹ ㅎㅎㅎㅎㄷ ㄷ ㅂㅈㄴㅇ
가비이 졔 온ㄷㅂ ㅎㅁ ㅇ ㄴ 라 연 ㄷ리 녕샹 ㄹㅁㅇ ㄱ ㄴ고

슉영낭즈젼 단(대영박물관 28장본)

　　〈슉영낭자젼 단〉은 일명 경판 28장본으로, 1장 앞면부터 28장 앞면까지 전체 57면이다. 한 면에 13줄, 한 줄에 22~23자 내외로 글자가 새겨져 있다. 경판 20장본과 그 첫 장부터 판형이 다르다. 또한 경판 16장본, 경판 20장본과 비교하여 경판 28장본은 상대적으로 문면의 어휘와 문장이 충실히 이루어져 있다. 이 이본의 시간적 배경은 세종조이며, 상공의 이름이 빅상곤으로 제시되며, 상공의 소개가 서술되어 있지 않다. 또한 선군이 과거에 급제하여 승정원 주서에 오른다. 매월의 모함과 시아버지의 질책을 받고 자살한 숙영은 옥황상제의 도움으로 재생하는데, 재생 후에 숙영은 선군에게 권하여 임소저를 받아들이게 한다. 숙영과 선군, 임소저는 다복한 가정을 이루고 마침내, 옥황상제의 예언처럼 삼인승천(三人昇天)한다. 이 이본은 1860년도에 판각된 것으로, 현전하는 목판본 가운데 판각 시기에 있어서 선본(先本)이며, 문면의 질량에 있어서 선본(善本)으로 평가된다.

출처: 김동욱, W.E. Skillend, D. Bouchez 공편, 『영인 고소설 판각본 전집』
　　4, 나손서실, 1975, 445~459쪽.

숙영낭즈젼 단

화셜 셰종조 씨의 경상도 안동 ᄯᅡ히 한 션비 잇스되 셩은 빅이요 명은 샹곤이라 부인 졍씨로 더부러 동쥬 이십여 년의 일기 ᄉᆞ속이 업셔 쥬야 슬허ᄒᆞ더니 명산ᄃᆡ찰의 기도ᄒᆞᆫ 후 긔몽을 엇고 일ᄌᆞᄅᆞᆯ 싱ᄒᆞ여 졈졈 ᄌᆞ라미 용뫼 쥰슈ᄒᆞ고 셩되 온유ᄒᆞ며 문필이 유여ᄒᆞᆫ지라 그 부뫼 쳔금갓치 이지즁지ᄒᆞ여 일홈을 션군이라 ᄒᆞ고 그와 갓튼 비필를 어더 슬하의 ᄌᆞ미를 보고져 ᄒᆞ여 널니 구ᄒᆞ되 의합ᄒᆞᆫ 곳이 업셔 미양 근심ᄒᆞ더라 이ᄱᅢ는 션군의 나히 이팔이라 츈일를 당ᄒᆞ여 셔당의셔 글 니러더니 ᄌᆞ연 몸이 곤뇌ᄒᆞ여 궤를 지여 조을 ᄉᆡ 문득 녹의홍샹ᄒᆞᆫ 낭지 문을 열고 드러와 지비ᄒᆞ고 겻히 안지며 갈오듸 그듸는 나를 몰나보시ᄂᆞᆫ잇가 내 이졔 오믄 다름 아니라 과연 두리 텬샹연분이 닛기로

ᄎᆞᄌᆞ 왓ᄂᆞ이다 션군이 갈오듸 나는 진간 속긱이오 그듸는 텬샹 션녀여늘 엇지 연분 닛다 ᄒᆞᄂᆞ뇨 낭지 갈오듸 낭군이 본듸 하늘의 비 맛튼 션관으로셔 비 그릇 준 죄로 인간의 ᄂᆞ려 왓ᄉᆞ오니 이 압히 ᄌᆞ연 샹봉홀 ᄯᆡ 이스리이다 ᄒᆞ고 문득 간듸업거늘 션군이 긔이 녀겨 ᄭᆡ다ᄅᆞ니 남가일몽이오 이향이 방즁의 옹위ᄒᆞᆫ지라 그늘붓터 낭ᄌᆞ의 고은 양지 눈의 분명ᄒᆞ고 맑은 소ᄅᆡ 귀의 졍녕ᄒᆞ여 욕망이난망이요 불ᄉᆞ이자시라 무어슬 닐혼 듯 여치여광ᄒᆞ여 인ᄒᆞ여 용뫼 초췌ᄒᆞ고 긔식이 엄엄ᄒᆞ거늘 부뫼 우려ᄒᆞ여 문왈 네 병근이 심샹치 아니ᄒᆞ니 무슨 소회 닛거든 ᄇᆞ로 닐으라 션군 왈 별노 소회 업ᄉᆞ오ᄂᆞ ᄌᆞ연 심긔 불평ᄒᆞᄆᆞ로 그러ᄒᆞ오니 부모는 과려 마오소셔 ᄒᆞ고 셔당으로 물너와 고요히 누어 낭ᄌᆞ만 싱각ᄒᆞ고 만ᄉᆞ 무심이러니 문득 낭지 압히 와 안즈며 위로 왈 낭군이 날노 말

미아마 져럿툿 셩병ᄒ여스니 첩의 마음이 미안ᄒ고 가셰 쏘흔 빈한ᄒ미 근심되는 고로 첩의 화상과 금동자 한 쌍을 가져왓사오니 이 화상은 낭군 침실의 두어 밤이면 안고 ᄌ고 낫지면 병풍의 거러 두시고 심회을 풀게 ᄒ소셔 ᄒ거늘 션군이 반겨 그 손을 잡고 말ᄒ고져 할 즈음의 문득 간ᄃ업고 씨여 본즉 화상과 동ᄌ 겻히 노여거늘 션군이 긔이 녀기며 금동ᄌ는 샹 우희 안치고 화상은 병풍의 거러두고 쥬야 십이시로 샹ᄃᄒ는지라 각도 각읍 스룸이 이 소문을 듯고 닐으되 빅션군의 집의 긔이흔 보비 잇다 ᄒ고 각각 치단을 갓초와 가지고 닷토와 구경ᄒ니 그러ᄒ므로 가셰 졈졈 요부ᄒ ᄂ 션군은 일거월져의 싱각ᄂ니 오직 낭지라 가련타 병입골수ᄒ여스니 뉘 라셔 살녀닐고 이젹의 낭지 싱각ᄒ미 져 션군이 져 갓치 심녀ᄒ니 안연 부동 홀길 업다 ᄒ고 션군의게 현

몽ᄒ여 왈 낭군이 첩을 싱각ᄒ여 영병ᄒ여스니 첩이 가장 감격ᄒ온지라 낭군 딕 시녀 미월이 가히 건즐 소임을 감당홀 거시미 아직 방슈를 졍ᄒ여 젹막흔 심회를 위로ᄒ소셔 ᄒ거늘 션군이 씨다른니 침상 일몽이라 마지못 ᄒ여 미월를 불너 잉첩을 삼아 져기 울회를 소창ᄒᄂ 일편단심이 낭ᄌ의게 만 닛는지라 월명 공산의 잔나비 수파람ᄒ고 두견이 불여귀라 슬피울 졔 장부의 샹수ᄒ는 간장 구븨구븨 다 스는도다 니럿툿 달이 가고 날이 오미 쥬야 스모ᄒ는 병이 이항의 든지라 그 부뫼 션군의 병셰 졈졈 깁허 가물 보고 우황 초조ᄒ여 빅 가지 문복과 쳔 가지의 약의 아니 밋츤 곳이 업스나 맛춤니 츤회 업스미 다만 눈물노 소일 ᄒ더라 츠시 낭지 싱각ᄒ미 낭군의 병이 빅약이 무효ᄒ니 아무리 젼싱 연분이 즁ᄒ나 속졀업시 되리로다 ᄒ고 이의 션

〈3-앞〉

군의게 현몽ㅎ여 왈 우리 단취홀 긔약이 머럿기로 아직 각쳐ㅎ엿더니 낭군이 긔럿틋 노심초스ㅎ민 쳡 심이 편치 못 ㅎ지라 낭군이 쳡을 경히 보고져 ㅎ거든 옥년동으로 ᄎᄌ오소셔 ㅎ고 가거늘 션군이 ᄭᆡ여 싱각ㅎ민 졍신이 황홀ㅎ여 향홀 ᄇᆞ를 아지 못홀지라 이의 부모긔 엿ᄌ오ᄃᆡ 근일 ᄒᆡ이 심긔 울젹ㅎ와 침식이 불감ㅎ오민 명산ᄃᆡ쳔의 뉴람ㅎ와 슈회를 소창코져 ㅎ온지라 옥동은 산쳔 경긔 졀승ㅎ다 ㅎ오니 슈삼일 허비ㅎ여 한번 구경ㅎ고 도라오고져 ㅎ나이다 부뫼 ᄃᆡ경 왈 네가 실셩ㅎ엿도다 져럿틋 셩치 못ᄒᆞᆫ 스름이 엇지 문박글 나리오 ㅎ며 붓들고 노치 아니ㅎ거늘 션군이 ᄉᆞ믜를 썰치고 ᄂᆡ닷거늘 부뫼 ㅎ일업셔 ᄂᆡ여보ᄂᆡ는지라 션군이 완보ㅎ여 동으로 향ㅎ여 갈 ᄉᆡ 종일도록 옥년동을 찻지 못ㅎ민 민울ㅎᆫ 마음을 ᄂᆡ기지 못ㅎ

〈3-뒤〉

여 하늘긔 츅원하여 왈 소소ㅎ 명텬은 이 경샹을 구버ᄉᆞᆯ피스 옥년동 닛는 곳을 인도ㅎ여 쥬소셔 ㅎ고 졈졈 나아가더니 한 곳의 다다라는 사양이 직산ㅎ고 셕죠투림이라 산은 쳡쳡 쳔봉이오 슈는 진진 빅곡이라 ᄃᆡ당의 년ᄒᆡ 만발ㅎ고 심곡의 모란이 셩개라 화간졉무는 분분셜이오 뉴샹잉비는 편편금이라 층암졀벽간의 폭포슈는 은하슈를 휘여ᄃᆡᆫ 듯 명스 쳥계샹의 돌다리는 오작교와 방불ㅎ다 좌우고면ㅎ며 들어가니 별유텬지 비인간이라 션군이 이 갓튼 풍경을 보민 심신이 샹쾌ㅎ여 우화이등션 ㅎᆫ 듯 희긔 자연 산용 슈츌ㅎ여 횡심일경 드러가니 쥬란화각이 외의표 못ㅎ고 분벽스창은 환연 조요ㅎᆫ 곳의 금ᄌ로 현판의 쓰되 옥년동이라 ㅎ엿거늘 션군이 불승ᄃᆡ희ㅎ여 ᄇᆞ로 당샹의 올나가니 한 낭지 피셕 왈 그ᄃᆡ는 엇언 속긱이 완ᄃᆡ 감히

선경을 범ᄒᆞ엿ᄂᆞ뇨 션군이 공슌이 답왈 나는 유산긱으로셔 산쳔풍광을 탐
ᄒᆞ여 길를 닐코 그릇 션경을 범ᄒᆞ여스니 션낭은 용셔ᄒᆞ소셔 낭직 졍식 왈
그딕는 몸을 앗기거든 신속히 나가고 더듸지 말나 션군이 이 말를 드르미
의ᄉᆞ 삭막ᄒᆞ여 혜오듸 이ᄯᅢ를 어긔오면 다시 만ᄂᆞ기 어려오미 다시 슈작ᄒᆞ
여 그 ᄉᆞ긔을 탐지ᄒᆞ여 보리라 ᄒᆞ고 졈졈 나아가 안지며 갈오듸 낭ᄌᆞ는
엇지 나를 보고 이딕지 괄시ᄒᆞᄂᆞ뇨 낭직 쳥이불문ᄒᆞ고 방으로 드러가며
문을 닷거늘 션군이 무연 쥬져ᄒᆞ다가 홀길업셔 하직ᄒᆞ고 층계의 ᄂᆞ려셔
늘 낭직 그졔야 운빈화안을 화히ᄒᆞ고 화란을 빗겨셔셔 단슌호치를 반기ᄒᆞ
고 종용히 불너 왈 낭군은 가지 말고 내 말슴 드르소셔 낭군은 종시 지식이
업도다 아모리 텬졍연분이 이슨들 엇지 일언의 허락ᄒᆞ리오 ᄒᆞ고 오르기를
쳥ᄒᆞ거늘 션군이 그

말를 드르미 깃브믈 니긔지 못ᄒᆞ여 급히 당상의 올나 좌졍ᄒᆞᆫ 후 ᄒᆞᆫ 번 ᄇᆞ라
보미 용모는 부상명월이 두러시 벽공의 걸녓는 듯 틱도는 금분 모란이 흡연
히 조로를 씌엿는 듯 일상 아미는 츈산의 빗겻는 듯 냥긔 셩모는 츄화의
잠겻는 듯 셤셤 셰요는 츈풍의 양뉴 휘듯는 듯 쳡쳡 츄슌은 잉뫼단ᄉᆞ를
먹음은 듯ᄒᆞ니 쳔고무빵이오 ᄎᆞ셰의 독보홀지라 마음의 황홀난측ᄒᆞ여 혜
오듸 오늘 이 갓튼 션아을 딕ᄒᆞ미 이졔 죽어도 다시 한이 업스리로다 ᄒᆞ고
그리던 졍회를 셜회ᄒᆞ니 낭직 갈오듸 쳡 갓튼 아녀ᄌᆞ를 ᄉᆞ렴ᄒᆞ여 병을 닐우
니 엇지 쟝뷔라 칭ᄒᆞ리오 그러나 우리 맛늘 긔한이 삼년이 격ᄒᆞ여스니 그ᄯᅢ
쳥조로 미파를 삼고 샹봉으로 뉵녜를 미즈 빅년동락ᄒᆞ려니와 만일 이졔
몸을 허ᄒᆞᆫ즉 텬긔누셜ᄒᆞ미 되리니 낭군은 아직 안심ᄒᆞ

⟨5-앞⟩

여 쎄를 기디리소셔 션군이 갈오디 일각이 여삼취라 ᄒᆞ니 삼년을 엇지 고디
ᄒᆞ리오 내 이제 그져 도라가면 일누 잔병이 조셕의 이스리니 내 몸이 죽어
황쳔긱이 되면 낭ᄌᆞ의 일신인들 엇지 온젼ᄒᆞ리오 낭ᄌᆞ는 나의 졍셰를 싱각
ᄒᆞ여 불의 든 나비와 그물의 걸닌 고기를 구ᄒᆞ라 ᄒᆞ며 만단이걸ᄒᆞ니 낭ᄌᆞ
그 형상을 보미 오히려 가긍ᄒᆞᆫ지라 홀일업셔 마음을 누루혀미 옥안의 화식
이 무루 녹은지라 션군이 그 옥슈를 잡고 침니의 나아가 운우지낙을 닐우니
그 션젼지졍을 이로 측양치 못ᄒᆞᆯ너라 이의 낭ᄌᆞ 갈오디 이제는 쳡의 몸의
부졍ᄒᆞ여스미 이곳의 머므지 못ᄒᆞᆯ지니 낭군과 ᄒᆞᆫ 가지로 가리라 ᄒᆞ고 쳥노
시를 닛그러니여 옥년곳의 올나 안고 션군이 빅힝하여 집의 도라올시 ᄌᆞ연
츄죵이 만터라 이젹의 빅공 부뷔 션군을 니여보니고 념녀 노이지 아니 하여
ᄉᆞ름을 노혀

⟨5-뒤⟩

그 죵젹을 ᄎᆞᄌᆞ나 옥년동 닛는 션군을 엇지 알니오 늘이 밝으미 션군이
일 미인을 다리고 니ᄅᆞ러 부모 젼의 현알 ᄒᆞ거늘 그 부뫼 곡졀를 몰나 ᄌᆞ시
무ᄅᆞ니 션군이 젼후 ᄉᆞ연을 고ᄒᆞ는지라 그 부뫼 깃거 ᄒᆞ여 낭ᄌᆞ를 ᄉᆞᆲ펴본즉
화려ᄒᆞᆫ 용뫼와 아릿싸온 지질이 다시 인간의는 업는 뵈라 겨유 공경긔디
ᄒᆞ고 쳐소를 동별당의 졍ᄒᆞ여 금슬지락을 일울시 션군이 낭ᄌᆞ로 더부러
슈유불니 ᄒᆞ고 학업을 젼폐ᄒᆞ니 빅공이 민망히 녀기ᄂᆞ 본디 귀ᄒᆞᆫ ᄌᆞ식인
고로 지이부지ᄒᆞ고 ᄇᆞ려 두니라 니럿툿 셰월이 여류ᄒᆞ여 이믜 팔년이 된지
라 ᄌᆞ식 남미를 두어스되 ᄯᆞᆯ의 닐홈은 츈힝이니 나히 팔셰라 위인이 영오총
민ᄒᆞ고 ᄋᆞ들 닐홈은 동춘이니 나히 삼셰라 년ᄒᆞ여 긔비 요죽ᄒᆞ미 가ᄂᆡ 화낙
ᄒᆞ여 다시 그릴 것 업는지라 이의 동산의 졍ᄌᆞ를 짓고 화조월셕의

〈6-앞〉

냥인이 산성의 왕뇌ᄒ며 칠현금을 희롱ᄒ고 노ᄅ로 화답ᄒ여 셔로 질기며 비회고면ᄒ여 쳥홍이 도도홀ᄉ 그 부뫼 보고 두굿겨 왈 너의 두 ᄉ롬은 텬상연분이 젹실ᄒ도다 ᄒ고 션군을 불너 닐오ᄃ 이번의 알셩과 뵌다ᄒ니 너도 올나가 과거를 보아 요힝 참방ᄒ면 네 부모 영화롭고 조상을 빗뇌미 아니 되랴 ᄒ며 길를 직쵹ᄒ니 션군 왈 우리 젼답이 슈쳔 셕직이오 노비쳔여 귀라 심지지소락과 이목지소호를 임의ᄃ로 홀 터이여늘 무슴 부족ᄒ미 이셔 쏘 급졔를 ᄇ라리잇고 만일 집을 쩌나온즉 낭ᄌ로 더브러 슈삭 니별이 되갓ᄉ오니 ᄉ경이 졀박ᄒ여이다 ᄒ고 동별당의 니ᄅ러 낭ᄌ더러 부친과 문답ᄒ던 말를 젼ᄒ니 낭지 념용 ᄃ왈 낭군의 말이 그ᄅ도다 셰상의 나미 닙신양명ᄒ여 부뫼긔 영화 뵈미 장부의 덧덧ᄒ 비여늘 이졔 낭군이

〈6-뒤〉

규즁 쳐ᄌ를 젼닌ᄒ여 남으의 당당ᄒ 일를 폐코져 ᄒ면 부모의게 불회될 ᄲᆫ더러 과인의 쑤지람이 종시 쳡의게 도라올지니 ᄇ라건ᄃ 낭군은 지삼 싱각ᄒ여 과힝을 밧비 ᄒ려 남의 우음을 취치 마ᄅ소셔 ᄒ고 반젼을 쥰비ᄒ여 쥬며 왈 낭군이 금번 과거를 못ᄒ고 도라오면 쳡이 ᄉ지 못ᄒ리니 낭군은 조곰도 괘렴 말고 발힝ᄒ소셔 ᄒ거늘 션군이 그 말를 드ᄅ미 언언이 졀당ᄒ 지라 마지못ᄒ여 부모긔 하직ᄒ여 낭ᄌ를 도라보아 왈 그ᄃ는 부모를 극진히 봉양ᄒ며 어린 ᄌ녀를 잘 보호ᄒ여 나 도라오기를 기다리라 ᄒ고 쩌날 ᄉ 흔 거름의 도라셔고 두 거름의 도라보니 낭지 즁문의 나와 원노의 보즁하 믈 지삼 당부ᄒ며 비회를 금치 못ᄒ거늘 션군이 쏘한 슈식이 면면안ᄒ여 겨우 길의 올나 종일도록 다만 삼십 니를 갓는지라 슉소를

〈7-앞〉

정ᄒ고 셕반을 ᄇ드ᄆ 오직 낭ᄌ를 싱각ᄒ여 음식이 다지 아니 ᄒ니 부득이 상을 물니거늘 하인이 민망히 여겨 갈오ᄃ 식ᄉ를 져럿툿 녕냑ᄒ시고 쳔니 원졍을 득달ᄒ시려 ᄒᄂ잇가 션군 왈 ᄌ연 그러ᄒ여라 ᄒ고 젹막ᄒ 긱관의 홀노 안져 심신이 슈란ᄒ여 낭ᄌ의 일신이 겻ᄒ 안졋는 듯 여견불견이오 소리 들니는 듯 ᄉ쳥불쳥이라 여조쳠젼ᄒ여 마음을 졍치 못ᄒ는지라 이경 말 삼경 초의 신발을 들메고 집의 도라와 단쟝을 너며 낭ᄌ의 방의 들어가니 낭ᄌ 되경 왈 이 일이 엇지ᄒ 일이나잇가 오ᄂ 길를 힝치 아니ᄒ니잇가 션군 왈 죵일 힝하여 겨우 삼십 니를 가 슉소를 졍ᄒ고 다만 싱각ᄂ니 그되 ᄲᆞᆫ이라 쳡쳡 비회를 금치 못ᄒ여 음식을 젼폐ᄒᄆ 힝혀 노즁의셔 병이 될가 넘녀 되여 그되로 더브러 심회를 플고져 ᄒ여 왓

〈7-뒤〉

노라 ᄒ고 낭ᄌ의 손을 닛그러 원앙금니의 나아가 밤이 밧도루 졍회를 푸는 지라 이젹의 빅공이 션군을 경셩의 보ᄂ고 집안의 도젹을 ᄉᆞᆲ피려 ᄒ고 쳥녀 쟝을 집고 단쟝 안으로 두루 다녀 동별당의 다다라는 낭ᄌ의 방의셔 남ᄌ의 소리 은은히 들니거늘 빅공이 이윽히 듯다가 가마니 혜오되 낭ᄌ의 빙옥지심과 승빅지졀로 엇지 외간 남ᄌ를 ᄉ통ᄒ여 음힝지ᄉ를 감심ᄒ리오 그러ᄒᄂ 셰샹ᄉ를 이로 측냥치 못ᄒ리라 ᄒ고 가마니 ᄉ창 압히 나아가 귀를 기우려 드른즉 낭지 이윽히 말ᄒ다가 갈오되 싀부계셔 박긔 와 계신가 시브니 낭군은 몸을 침금의 감초소셔 ᄒ며 다시 아히를 달ᄂ여 왈 너희 아비는 쟝원 급뎨ᄒ여 영ᄒ로히 도라오ᄂ니라 ᄒ고 ᄋ회를 어로 만지거늘 빅공이 크게 의심ᄒ고 급히 침소

로 도라오니라 이쩌 낭지 빅공의 엿듯는 양을 발셔 아라는지라 션군더러
닐오딕 싀아바니게셔 창밧긔 와 엿듯고 가 계시니 낭군 온 줄 아라겠실지라
낭군은 첩을 뉴념치 마르시고 밧비 경셩의 올너가 셩불셩은 븰게 ᄒ고 과거
를 보아 부모의 ᄇᆞ라시는 마음을 져ᄇᆞ리지 마르시고 ᄯ또 첩으로 ᄒ여금 불미
ᄒᆞᆫ 시비를 면게ᄒᆞ소셔 싱각건딕 낭군이 첩을 ᄉᆞ럼ᄒ여 여러 번 왕닉ᄒᆞᆯ 졔
지 만ᄒᆞ니 만일 그러ᄒᆞᆯ딕 쟝부의 도리 아니오 ᄯ또 부뫼 아르시면 결단코
첩이 죄를 당ᄒᆞᆯ 듯ᄒᆞ오니 낭군은 젼후 ᄉᆞ리를 헤아리ᄉᆞ 속히 샹경ᄒᆞ소셔
ᄒᆞ며 길를 지촉ᄒᆞ니 션군이 드르미 말이 다 합당ᄒᆞᆫ지라 이의 작별ᄒᆞ고 그
슉소로 도라오니 하인이 아직 잠을 ᄭᆡ지 아니ᄒᆞ엿더라 니튼늘 길의 올나
겨우 오십 니를 가 슉소를 졍ᄒᆞ

고 월명 긱창의 젹막히 안져스딕 낭ᄌ의 형용이 안젼의 삼삼ᄒ여 잠을 닐우
지 못ᄒᆞ고 쳔만 가지로 싱각ᄒ여도 울결ᄒᆞᆫ 마음을 것잡지 못ᄒ여 이의 표연
이 집의 도라와 낭ᄌ의 방의 드러가니 낭지 놀나 갈오딕 낭군이 첩의 간ᄒᆞᄆᆞᆯ
듯지 아니ᄒᆞ시고 니럿툿 왕닉ᄒᆞ시다가 쳔금 귀체 긱즁의셔 병을 어드면
엇지ᄒᆞ려 ᄒᆞ시ᄂᆞ잇가 낭군이 만일 첩을 닛지 못ᄒᆞ시거는 후일은 첩이 낭군
슉소를 차져가리이다 션군 왈 그딕는 규즁 녀지라 엇지 도로 힝역을 임의로
ᄒᆞ리오 낭지 ᄒᆞᆯ일업셔 강잉 딕왈 희포나 푸ᄉᆞ이다 ᄒᆞ고 ᄯ또 화샹을 주며
왈 이 화샹은 첩의 용뫼오니 힝즁의 두엇다가 만일 빗치 변ᄒᆞ거든 첩이
편치 못ᄒᆞᆫ 줄 아옵소셔 ᄒᆞ며 ᄉᆡ로히 니별ᄒᆞᆯᄉᆡ 이딕 빅공이 마음의 고이히
너겨 다시 동별당의 가 귀를 기우려 드른즉 ᄯ또 남ᄌ의

슈쟉ᄒ는 소리 분명혼지라 빅공이 헤아리되 고이ᄒ고 고이ᄒ도다 ᄂᆡ집이 장원이 놉고 상하 이목이 번다ᄒᄆᆡ 외인이 간ᄃᆡ로 출입을 못 ᄒ거늘 엇지 슈일룰 두고 낭ᄌ의 방의셔 남ᄌ의 소리ᄂᆞ니 이 반다시 흉악혼 놈이 이셔 낭ᄌ로 통간ᄒᄆᆡ로다 처소로 도라가 ᄌ탄 왈 낭ᄌ의 졍졀노 이런 힝스롤 ᄒ니 닐로 볼진ᄃᆡ 옥셕을 분간기 어렵도다 ᄒ며 의혹 만단 의유예 미결이라 이의 부인 불너 이 ᄉ연을 닐너 왈 그 진가롤 아지 못ᄒ고 니의 만일 불미지ᄉᆡ 이스면 장찻 엇지ᄒ리오 부인 왈 상공은 잘못 드러계시노라 현부의 힝실은 빅옥 갓투여 그러홀 ᄂᆞ 업스ᄆᆡ 다시 부졍혼 말룰 마ᄅ소셔 빅공 왈 나도 져의 일룰 알기로 의아 즁의 잇ᄂᆞ니 ᄃᆡ져 져룰 불너 ᄌᆡ문ᄒ여 그 ᄉ긔룰 삷펴보ᄉ이다 ᄒ고 낭ᄌ룰 불너 문왈 이ᄉᆡ이 집안의 격뇨ᄒᄆᆡ 도젹을 살피랴

ᄒ고 집안을 두루 도라 쳐소의 간즉 방 즁의셔 남자의 음셩이 다다히 들니ᄆᆡ 내 가장 고이하여 거 도라와 싱각ᄒ나 그러홀니 만무혼 고로 그 잇튼늘 또 가셔 드른 즉 역여시 남ᄌ의 소리 낭ᄌᄒ니 이 아니 고히 ᄒ냐 ᄉᄉᆡᆼ간 죵실 직고ᄒ라 낭ᄌ 변ᄉᆡᆨ ᄃᆡ왈 밤이 오면 춘힝 동츈을 다리고 ᄆᆡ월노 더브러 말슴ᄒ엿거니와 엇지 외간 남ᄌ 이셔 말슴ᄒ여ᄉ오리잇가 이는 쳔만 의외 말슴이니이다 ᄒ거늘 빅공이 드ᄅᆡ 마음을 져기 노ᄒ나 일이 고이ᄒ여 ᄆᆡ월을 즉시 불너 문왈 네가 이ᄉᆡ이 낭ᄌ 방의 가 ᄌᄂᆞ냐 ᄆᆡ월이 엿ᄌ오되 요ᄉᆞ이 소인이 몸이 곤ᄒ기로 낭ᄌ 방의 가지 못ᄒ여ᄂᆞ이다 빅공이 쳥파의 더욱 슈샹이 녀겨 ᄆᆡ월룰 ᄭᅮ지져 갈오ᄃᆡ 이ᄉᆡ이 고이혼 일 넛기로 놀나 고이이 녀겨 낭ᄌ더러 므ᄅᆞᆫ즉 널노 더브러 한 가지로 ᄌᄆᆡ 슈쟉ᄒ엿다 ᄒ고 너는 가지 아

니호엿다 호니 두 말이 갓지 아니호믹 낭자의 외인과 소통호믹 젹실호니
너는 모로믹 착실이 솗펴 그 왕너호는 놈을 잡아 고호라 호니 믹월이 슈명호
고 아모리 쥬야 샹직호들 그름즈도 업는 도젹을 잡으리오 이는 부졀 업시
믹월노 호여곰 간계를 발븨게 호는 징죄라 믹월이 이의 싱각호되 소상공이
낭즈로 더브러 작빅한 후로 지우금 나를 도라보지 아니호니 엇지 익닯지
아니호리오 이씨를 타 낭즈를 음히하면 가히 나의 젹원을 셜호리라 호고
금은 슈쳔 냥을 도젹호여 가지고 저의 동뉴를 모화 의논호여 갈오딕 금은
슈쳔 냥을 줄 거시니 뉘 늘를 위호여 능히 긔계를 힝홀고 그 중의 한 놈이
이스되 닐홈은 돌이니 본딕 셩졍이 흉완호고 호방한 놈이라 이 말를 듯고
지물을 탐호여 쾌연히 응낙호고 늬닷기늘 믹월이 깃거호여 돌이

를 닛글고 종용한 곳으로 가셔 닐오딕 내 수졍이 다름 아니라 우리 소상공이
나를 방슈로 부리더니 낭즈로 더부러 작빅한 후로 쟝찻 팔년이 되도록 한
번도 도라 보는 법 업스니 나의 마음이 엇지 분연치 아니호리오 이런 고로
낭즈를 히호여 셜치코져 호느니 그딕는 나의 말를 어긔오지 말나 호고 이늘
밤의 돌이를 다리고 동별당 문밧긔 셰우고 닐로딕 그딕는 여긔 잇스면 내
샹공 쳐소의 드러가 여츳여츳하면 샹공이 필연 분노호여 그딕를 잡으려
홀 거시니 그딕는 거즛 낭즈의 방으로셔 나오는 체호고 문을 열고 다라나되
소홀이 말나 호고 급히 상공 쳐소의 가 고호되 상공이 소인으로 하여곰
동별당을 슈직호라 호시믹 분부 뫼옵고 밤마다 솗피옵더니 과연 오날밤의
보온즉 엇던 놈이 드러가 낭즈로 더브러 희롱이 낭즈호옵시기 소인이 가마
니 듯스오니 낭지

그놈더러 하옵기를 소상공 오시거든 죽이고 지물를 도적하여 가지고 한 가지로 〻 〻 ㅎ옵기 소인이 듯고 불승분히ㅎ와 밧비 와 고ㅎㄴ이다 ㅎ거늘 빅공이 이 말를 듯고 분긔되발ㅎ여 칼를 가져 문을 열고 니다르니 과연 엇던 놈이 문득 낭ㅈ의 방으로셔 문을 열고 쮀어 니다라 단쟝을 너머 도망ㅎ 거늘 빅공이 불승분노ㅎ여 쳐소로 도라와 밤을 안져 기다려 원촌의 계명셩 이 들니미 이의 비복 등을 불너 좌우의 세오고 추려로 엄문ㅎ여 왈 내 집이 쟝원이 놉고 외인이 임의로 츌입지 못ㅎ는지라 너의 놈 중의 어늬 놈이 감히 낭ㅈ와 〻통ㅎ는지 종실직초ㅎ라 ㅎ며 낭ㅈ를 잡아오라 ㅎ니 미월이 몬져 니다라 동별당의 가 문을 열고 소릐를 크게 질너 왈 낭ㅈ은 무슴 잠을 집히 드럿ㄴㅆㄱ 지금 상공계셔 낭ㅈ를 잡아

오라 ㅎ시니 밧비 가〻이다 ㅎ니 낭지 놀나며 문왈 이 심야의 엇지혼 일노 이리 요란히 구ㄴ뇨 ㅎ며 문을 열고 보미 비복 등이 문밧긔 가득 ㅎ엿거늘 낭지 다시 문왈 무슴 일이 닛ㄴ냐 노복이 되왈 낭ㅈ는 엇던 놈과 통간ㅎ다가 이미혼 우리 등을 중히 슈쟝ㅎ게 ㅎㄴ니잇가 무죄혼 우리 등을 ㅉ지람 들니 지 말고 어셔 가〻이다 ㅎ며 구박이 틱심ㅎ거늘 낭지 쳔만몽미 밧이 말를 드르미 혼빅이 비월ㅎ고 간담이 셔늘ㅎ여 엇지홀 줄 모로는 중 직쵹이 셩화 갓튼지라 급히 상공 압히 ㄴ아가 복디ㅎ여 엿자오디 무슴 죄 닛습건디 이 지경의 니르나잇가 빅공이 되로 왈 슈일 젼의 여ㅊ여ㅊ 슈상혼 일이 닛기로 너더러 무른즉 네 말이 낭군이 쩌난 후 젹막ㅎ기로 미월노 더브러 담화ㅎ엿 다 ㅎ미 내 반신반의ㅎ여 미월를 불너 치문

흔즉 제 디답이 요소이 일졀 네 방의 가지 아니호여다 호니 필연 곡졀이 닛는 일이기로 여러늘 긔찰흔즉 엇던 놈이 여츳여츳할시 분명호거늘 네 무숨 낫츨 들고 발명코져 호는다 낭지 울며 발명호니 빅공이 디즐 왈 내 귀로 친히 듯고 눈으로 본 일 죵시 긔망호니 엇지 통히치 아니호리요 냥반의 집의 니런 일 닛기는 드믄 비니 너와 상통호던 놈의 셩명을 썰니 고호라 호며 호령이 셔리 갓튼지라 낭지 안식이 씩씩호여 왈 아무리 뉵녀 빅냥을 갓초지 못호온 즈뷔온들 니런 말슘을 호시느잇가 발명 무로호오나 셰셰 통쵹호옵소셔 이 몸이 비록 인간의 잇스온들 빙옥 갓튼 졍졀노 더러온 말슘을 듯스오리잇가 영쳔슈가 머러 귀를 씻지 못호오미 한이 되옵나니 다만 죽어 모로고졔 호느이다 빅공이 분노호여 노즈를 호령

호여 낭즈를 결박호라 호니 노지 일시의 다라드러 낭즈의 머리를 산발호여 계하의 안치니 그 경상이 가장 가련호더라 빅공이 디로질왈 네 죄상은 만스무셕이니 스통흔 놈을 밧비 닐으라 호고 미로 치니 빙옥 갓튼 귀밋히 흐르나니 눈물이오 옥 갓흔 일신의 소스나니 뉴혈이라 낭지 이씨를 당호여 홀일업셔 졍신을 차려 왈 힝즈 낭군이 쳡을 닛지 못호여 발쳑호던 날 겨우 삼십 니를 가 슉소를 졍호고 밤의 도라와 다녀가온 후 쏘 이튼날 밤의 왓스옵기로 쳡이 한스호고 간호여 보닐 식 어린 소견의는 혹 구고의 견칙 잇슬가 져어호여 낭군 거취를 숨겨 보닛엿더니 조물이 뮈이 너기시고 귀신이 싀긔호여 가히 씻지 못홀 누명을 엇스오니 발명홀 길 업스오미 소소흔 명쳔이 찰징이 되시옵닉다 빅공이 졈졈 디로호여

집장 놈을 호령ᄒ여 미미고출하여 칠 시 낭지 홀길업서 하늘을 우러러 통곡
왈 유유창텬아 무죄ᄒ온 이내 마음을 ᄉᆞᆯ피소서 오월비상지하과 십년불우
지원을 뉘라셔 푸려ᄂᆞ리오 ᄒ며 업더지거늘 즌고 뎡씨 그 경상 보고 울며
빅공더러 왈 녯말의 ᄒ엿스되 그라셰 물을 업고 다시 담지 못ᄒ다 ᄒ오니
샹공은 자셰히 보지 못ᄒ고 빅옥 무하 갓튼 졀부을 무단히 음ᄒᆡᆼ으로 표박ᄒ
시니 엇지 가히 셔졔지탄이 업스리잇가 ᄒ며 나리다라 낭ᄌ을 안고 딕셩통
곡 왈 너의 슝빅지졀을 내 아는 비라 오날날 이 경상은 몽ᄆᆡ의도 싱각지
못ᄒᆞᆯ 일이니 엇지 지원극통치 아ᄂᆡᄒᆞ랴 낭지 왈 옛말의 ᄒ여시되 음ᄒᆡᆼ지셜
은 신셜기 어렵다 ᄒᄋᆞᆸᄂᆞ니 동ᄒᆡ슈로도 씨지 못ᄒᆞᆯ 누명을 엇고 엇지 구구히
살기를 도모ᄒ리오 ᄒ며 통

곡ᄒ거늘 졍씨 만단기유ᄒ되 낭지 종시 듯지 안코 문득 옥잠을 ᄲᆡ여 들고
하늘긔 졀ᄒ고 비러 왈 지공무ᄉᆞᄒ신 황텬은 구버ᄉᆞᆯ피소셔 쳡이 만일 외인
을 통관ᄒᆞᆫ 일이 잇거든 이 옥잠이 쳡의 가슴의 박히이고 만일 ᄋᆡᄆᆡᄒᄋᆞᆸ거든
이 옥잠이 셤돌의 빅히소셔 ᄒ며 옥잠을 공중의 더지고 업듸엿더니 니윽고
그 옥잠이 나려즈며 셤돌의 박히이는지라 그졔야 일가 샹ᄒ 딕경실ᄉᆡᆨᄒ여
신긔히 녀기며 낭ᄌ의 원억ᄒᄆᆞᆯ 알더라 이의 빅공이 나리다라 낭ᄌ의 손을
잡고 비러 왈 늙으니 지식이 업셔 착ᄒᆞᆫ 며ᄂᆞ리의 졍졀을 모르고 망녕된
거조를 ᄒ여스니 그 허물은 만번 죽어도 속지 못ᄒᆞᆯ지라 ᄇᆞ라건딕 낭ᄌ는
나의 용녈ᄒᄆᆞᆯ 용셔ᄒ고 안심ᄒ라 낭지 이연 통곡 왈 쳡이 가업슨 누명을
썻고 셰상의 머므러 쓸딕업ᄉᆞ오니 다만 셜니

죽어 아황 녀영을 조츠 놀고져 ᄒ나이다 빅공이 위로 왈 ᄌ고로 현인 군ᄌ도
혹 참소를 바드며 슉녀 현부도 혹 누명을 엇ᄂ니 낭ᄌ도 일시 익운이라
너모 고집지 말고 노부의 무로ᄒ믈 도라 싱각ᄒ라 ᄒ니 이의 졍씨 낭ᄌ를
붓드러 동별당으로 가 위로홀 ᄉᆡ 낭지 흐르ᄂ니 눈물이오 지ᄂ니 한숨이라
졍씨긔 고왈 첩 갓튼 계집이온둘 더러온 악명이 셰상의 나타ᄂᆡ고 엇지 붓그
럽지 안니ᄒ리잇고 낭군이 도라온 후 샹ᄃᆡᄒ올 낫치 업소오ᄆᆡ 다만 죽어
셰스를 닛고져 ᄒᄂ이다 ᄒ며 진쥬 갓든 눈물이 옷깃슬 격시거늘 졍씨 그
참혹ᄒ 거동을 보고 왈 낭지 죽다 ᄒ면 션군이 결단코 죽을 거시니 이런
답답ᄒ 일이 어듸잇스리오 ᄒ고 ᄌ탄ᄒ며 침소로 도라 가니라 이ᄯᅦ 츈힝이
그 모친 형상을 보고 울며 왈 모친은 죽지 마오 부친이 도라오시거든 원

통ᄒ 사졍이나 ᄒ고 죽으나 스나 ᄒᆞᆸ소셔 어마니 죽으면 동츈을 엇지ᄒ며
나는 누굴 밋고 살나 ᄒ오 ᄒ며 손을 잡고 방으로 드러가ᄉ이다 ᄒ니 낭지
마지못ᄒ여 방으로 드러가 츈힝을 겻히 안치고 동츈을 졋 먹이며 ᄎᆡ복을
ᄂᆡ여 입고 슬허 왈 츈힝아 나는 오날날 죽으리로다 네 부친이 쳔니 밧긔
이셔 나 죽는 줄 모르니 나의 마음 둘 ᄃᆡ 업다 츈힝아 이 빅학션은 텬ᄒ지뵈
라 치우면 더운 긔운이 나고 더우면 찬바람이 나ᄂᆞ니 잘 간슈ᄒᆞᄋᆡᆺ다가 동츈
이 자라거든 주어라 슬푸다 홍지비릐오 고진감ᄂᆡ는 셰간샹ᄉᆡ라 하나 나의
팔지 긔험ᄒ여 천만몽ᄆᆡ 밧 누명을 씻고 너의 부친을 다시 못 보고 황쳔긱이
되니 엇지 눈을 감으리오 ᄒ물며 너의 남ᄆᆡ를 ᄇᆞ리고 엇지 갈고 가련타
츈힝아 나 죽은 후 과히 슬허 말고 동츈을 보호ᄒ여 잘 닛거라 ᄒ며 누슈

여우흔지라 츈힝이 낭즈를 붓들고 왈 어마니 우지 마오 우는 소릭의 내 간쟝이 스는 듯흐니 우지 마오 흐다가 인하여 방셩딕곡 흐여 긔진흐여 잠을 들거늘 낭지 지원 극통흐믈 니긔지 못흐여 분긔 흉즁의 가득흐믹 아모리 싱각흐여도 죽어 구쳔지하의 도라가 누명을 씻는 거스 올타 흐고 쏘 아희들 니러나면 분명 죽지 못흐게 흐리라 흐며 가마니 츈힝 등을 어로만져 불상타 츈힝 남믹야 나를 그리워 어이 살니 가련타 츈힝아 너의 남믹를 두고 어이 가리 이닯다 나가는 십왕이나 가르쳐 주소셔흐며 츈힝아 잘 닛거라 동츈아 잘 닛거라 슬프믈 니긔지 못흐여 원앙침 도도 벼고 셤셤옥슈로 드는 칼를 드러 가슴을 질너 죽으니 문득 보니 틱양이 무광흐고 텬듸 혼휴흐며 텬동소 릭 진동흐거늘 츈힝이 놀나 씌여보니 낭지 가슴의 칼을 꼿고 누엇는

지라 급히 소스쳐 보고 딕경실식흐여 칼를 쎅허 닉려흐니 쌘지지 아니흐거 늘 츈힝이 낭즈의 낫츨 딕히고 방셩딕곡 왈 어마니 니러 나오 니런 일도 쏘 어듸 닛는가 가련타 어마니 우리 남믹를 두고 어듸로 가며 우리 남믹 누룰 바라고 살나 흐오 동츈이 어마니를 츠즈면 무어시라 딕답흐올닛가 어마니도 참아 니런 일를 흐오 흐며 호텬고지흐여 방곡이통흐니 그 잔잉 참졀흔 경상을 볼진딕 쳘셕 간쟝이라도 눈물 흘닐 거시오 도목 심쟝이라도 슬허흘지라 빅공 부쳐와 노복 등이 드러와 본즉 낭지 가슴의 칼를 꼿고 누엇거늘 창황방초흐여 칼를 쎅히려 흐나 죵시 쌘지지 아니 흐는지라 아모 리 흘줄 모로고 곡셩이 진동흐니 이씩 동츈이 어미 죽은 줄 모로고 졋만 먹그려 흐고 몸을 흔들며 오니 츈힝이 달닉며 밥을 주어도 먹지

아니ᄒ고 것만 먹으려 ᄒ거늘 츈힝이 동츈을 안고 울며 왈 우리 남ᄆ도 어마니과 갓치 죽어 지하의 도라가ᄌ ᄒ고 둥글며 통곡ᄒ니 그 형상을 참아 보지 못ᄒ니라 삼ᄉ일 지난 후 빅공 부쳬 의논ᄒ되 낭ᄌ 니렷틋 죽어시ᄆ 션군이 도라와 낭ᄌ의 가슴을 보면 분명 우리 모히ᄒ여 죽인 줄노 알고 졔 ᄯ흔 죽으려 ᄒᆯ거시니 션군이 아니 와셔 낭ᄌ 신체나 밧비 염장ᄒ여 엄젹ᄒ미 올타ᄒ고 빅공 부쳬 낭ᄌ 방의 드러가 소렴ᄒ려 ᄒᆫ즉 신체가 조곰도 움작이지 아니ᄒ고 즁인이 다라드러 아모리 운동ᄒ려 ᄒ여도 신체 ᄯ히 붓고 쎠러지지 아니ᄒᄆ 무가ᄂ늬ᄒ라 빅공이 도로혀 근심ᄒᄆᆯ 마지아니ᄒ더라 이젹의 션군이 낭ᄌ의 간ᄒᄆᆯ 듯고 마음을 구지 잡아 ᄇ로 경ᄉ의 올나가 주인을 쳥ᄒ고 과일롤 당ᄒᄆ 팔도 션븨 구름 뫼듯 ᄒ엿는지라

션군이 시지를 엽히 ᄭᅵ고 츈당듸의 드러가 현졔판을 바라본즉 션졔 편비ᄒ 엿거늘 션군이 한번 보고 일필휘지ᄒ여 일턴의 션장ᄒ니 샹이 슈만 장 시권을 보시다가 션군의 글의 다다라는 칭찬ᄒᄉ 왈 이 ᄉ름의 글롤 보건듸 문쳬는 이틱빅이오 필법은 조밍뵈라 ᄒ시고 ᄌᄌ 비졈의 귀귀 관쥬로다 장원으로 ᄲᅦ시고 비봉을 쎠히시니 경상도 안동 거ᄒ는 빅션군의 부의 샹공이라 ᄒ엿거늘 샹이 신늬를 직쵹ᄒᄉ 슈삼ᄎ 진퇴식인 후 승졍원 쥬셔를 졔슈ᄒ시니 션군이 ᄉ은슉비ᄒ고 졍원의 입칙ᄒ엿더니 ᄎ시를 당ᄒ여 집의 회보롤 젼홀 ᄲᅮᆫ 아니라 낭ᄌ를 니별ᄒᄆ 오리ᄆ 회푀 간졀ᄒ여 밧비 노ᄌ로 ᄒ여곰 급보와 낭ᄌ의계 편지보ᄂᆞ니 노지 나려가 편지를 드리거늘 샹공이 급히 쎠혀본즉 ᄒ여스되 소지 다힝히 텬은을 닙ᄉ와 장원

급데ㅎ여 승졍원 쥬셔를 ㅎ여 방금 입직ㅎ여ㅅ오니 감축 무지ㅎ온지라 도
문일즈는 금월 망간 즈음 될 거시니 그리 아옵소셔 ㅎ엿고 낭즈의게 온
편지를 졍씨 가지고 울며 왈 츈힝 동츈아 이 편지는 네 아비가 네 어미게
ㅎ 편지니 갓다가 잘 간슈ㅎ여라 ㅎ고 방셩딕곡ㅎ니 츈힝이 편지 가지고
빙소의 드러가 신체를 혼들며 편지를 펴 들고 낭즈의 낫츨 한듸 다혀 울며
왈 어마니 니러나오 아버니계셔 편지 왓소 아빗디가 쟝원급졔ㅎ여 졍원
쥬셔를 ㅎ엿다 ㅎ는듸 엇지 니러나 즐겨ㅎ지 아니ㅎ오 어마님아 아바니
소식 몰ᄂᆞ 쥬야 걱졍ㅎ더니 오늘 편지 왓것마는 엇지 반겨ㅎ시지 아니ㅎᄂ
니잇가 나는 글를 못 ㅎ기로 어마니 혼녕 압히셔 닑어 외지 못 ㅎ오니 답답
ㅎ여이다 ㅎ고 그 조모 졍시를 닛그러 왈 이 편지 가지고 어마니 신체 압히
가 닑어 들니

면 어믜 혼빅이라도 감동홀 듯ㅎ외다 ㅎ거늘 졍시 마지못ㅎ여 낭즈 빙소의
가 편지를 닑으니 긔 셔 왈 쥬셔 빅션군은 한 장 글월를 낭즈 좌하의 붓치ᄂ
니 그 ᄉᆞ이 냥친당 뫼시고 평안ㅎ시며 츈힝 남믜도 무양ㅎ니잇가 복은 다힝
이 농문의 올나 닐홈이 환노의 현달ㅎ니 텬은이 망극ㅎ오나 다만 그듸를
니별ㅎ고 쳔니 밧긔 이셔 ᄉᆞ모ㅎ는 마음 쥬야 간졀ㅎ도다 욕망이난망ㅎ니
그듸의 용뫼 눈의 암암ㅎ고 불ᄉ이즈ᄉㅎ니 그듸의 셩음이 귀의 징징 ㅎ도
다 월식이 만졍ㅎ고 두견이 슬피 울 졔 츌문망망□ 바라보니 운산은 만즁이
오 녹슈는 쳔회로다 식벽 달 찬 ᄇᆞ람의 외기러기 울고갈 졔 반가온 낭즈의
소식을 기다리더니 창망흔 구름 밧긔 소슬흔 풍경쑨이로다 긱창하룡의 실
솔셩이 산난ㅎ니 운우양딕의 초목도 소소

〈18-앞〉

로다 슬푸다 홍진비리는 고금 샹시라 낭즈의 화샹이 이스이 날노 변식ᄒ니 무슴 연고 분명 잇시미로다 수심되여 식불감미ᄒ고 침불안셕ᄒ니 이 아니 가련ᄒ가 일각이 여삼츄나 환노의 미인 몸이 쯧과 갓지 못ᄒ도다 비쟝방의 션쥭쟝을 어더시면 조셕 왕닉하련마는 그억 극난ᄒ니 아모러 홀일업다 바라ᄂᆞ니 낭즈로다 공방 독슉 셜워 말고 안심ᄒ여 지닉시면 몃날 못 되여 반가온 셩회를 그 아니 위로ᄒ랴 녹양츈풍의 희는 어이 더듸 가노 이내 몸이 두 나릭 업셔 한이로다 언무진셜 무궁이나 일필난긔 그치ᄂᆞ이다 ᄒ엿더라 졍시 보기를 다ᄒ 후 츈힝을 어로만지며 딕셩통곡 왈 슬프다 너의 어미를 닐코 어이 살고 네 어미 죽은 혼이라도 응당 슬허ᄒ리로다 츈힝이 울며 왈 어마님아 아바니 편지 ᄉ연 드ᄅᆞ시고 엇지 아모 말슴을 아니

〈18-뒤〉

ᄒ시ᄂᆞ잇가 우리 남미 살기 실스오니 밧비 다려가소셔 ᄒ며 슬히ᄒ더라 이쎠 빅공 부쳬 샹의ᄒ여 왈 션군이 나려오면 결단코 죽으려 ᄒ리니 엇지 ᄒ면 장찻 조흐리오 ᄒ며 탄식ᄒ더니 노즈 복쇠 이 긔식을 알고 엿즈오딕 져 즈음긔 소샹공을 뫼시고 농궁 가실 쎠 풍산촌의 다다라는 쥬류화각의 치운이 영농ᄒ고 지당의 년해 만발ᄒ고 동산의 모란이 셩개ᄒ여 츈풍을 즈랑ᄒ는 곳의 한 미인이 빅학을 츔츄이미 동니 스름더러 문른즉 님진ᄉ딕 규슈라 ᄒ오니 소샹공이 한 번 바라보고 흠모ᄒ물 마지아니ᄒ사 비회 쥬져하시다가 도라오시던 비니 그딕과 셩혼ᄒ시면 소샹공이 소원을 닐우믈 깃거ᄒ여 반다시 슉영낭즈를 이즐가 ᄒᄂᆞ이다 빅공이 딕희 왈 네 말이 가쟝 올토다 님진ᄉ는 날과 친ᄒ 지 오릭니 닉 말를 괄시 아니홀 거시오 쏘 션

군이 닙신양명 호여스미 정혼호기 쉬오리라 즉시 발힝호여 님진스를 츠즈 가니 님진시 반겨 영졉호여 헌훤을 맛친 후 선군의 득의호믈 하례호고 일변 쥬과를 닉여 디졉호며 왈 형이 누지의 왕님호시니 감스호여이다 빅공 왈 형의 말이 그르도다 친구 심방이 응당훈 일이여늘 누지라 닐타르시니 이졔 오미 불감호도다 호고 셔로 우으며 담소호더니 문득 빅공이 갈오디 소졔 감회 의논홀 말이 잇스니 능히 용납홀소냐 님진시 왈 드를 만호면 드를 거시니 밧비 니르라 빅공 왈 다름 아니라 우리 즈식이 슉영낭즈와 연분을 미즈 금실지낙이 비홀 디 업셔 즈식 남미를 두고 즈식이 과거 보라 갓더니 그 스이 낭지 홀연 득병호여 모월 모일의 불힝히 죽어스미 져 죽음도 불상호 기 측냥 업거이와 선군이 나려와 죽은 줄 알면 반다시 병이 날

듯 호기로 규슈를 광구호더니 드르즉 귀딕의 어진 규쉬 잇다 호오미 소뎨 의 문니 비루호믈 싱각지 아니호고 감히 나아와 통혼 호오니 형이 혹 물니 치지 아닐가 브라느이다 님진시 쳥파의 침음호믈 이윽히 호다가 왈 쳔훈 녀식이 이스나 족히 영낭의 건즐를 밧드럼즉지 아니호고 쪼 거년 칠월 망 일의 유연히 영낭과 낭자를 보미 월궁 션녀 방동 진승 호듯 호던 비라 만일 소비 허락호엿다가 녕낭의 마음의 합당치 못 하면 여식이 신세 그 아니 가련호리오 호미 빅공이 그러호니 없스므로 구지 쳥호거늘 님진스 마지못 호여 지삼 당부호고 허락 호는지라 빅공이 불승디회 왈 금월 망일의 선군 이 귀딕 문젼으로 지날거시미 그늘 셩녜호미 무방호이다 호고 하직훈 후 집으로 도라 부인너러 이 스연을 젼호고 즉시 녜물를 갓초와 납치호고 빅 공 부

〈20-앞〉

체 의논 왈 낭지 죽으물 션군이 모로고 나려올 거시오 드려와 낭즈의 형샹
을 보면 그 곡졀를 무를 거시닌 무어시라 흐리오 빅공 왈 그 일를 보흐
니를 길 업스미 여ᄎ여ᄎ 니르미 존도다 흐고 셔로 약속흔 후 션군의 나려
올 날를 기다려 풍산촌으로 가려 흐더라 각셜 이ᄯᅦ 션군 근친 슈유를 어더
옥패의 하직흐고 나려올 시 오ᄉ와 그누의 쳥ᄉ관데를 집고 야듸 옥홀를
잡고 어ᄉ화를 빗기꼿고 직인 츙부와 나원 풍악 버려 셰고 쳥홍개를 압셰
오며 금안쥰마의 젼후 추종이 옹위흐여 뒤로샹으로 흐거롭게 나려오니 도
로 관광지 뉘 아니 칙칙 흠션흐리오 니렷툿 히오흐여 삼ᄉ일이 되미 마음
이 ᄌ연 비창흐여 잠간 쥬막의셔 조으더니 문득 낭지 몸의 피를 흘니고
완연히 문을 열고 드러와 주셔의 겻히 안져 이연히 울며 왈 낭군이 닙신양
명흐여 영

〈20-뒤〉

화로히 도라오시니 시화의 즐겁기 측양 업거니와 쳡은 시운이 불힝흐여
셰샹을 바리고 황텬긱이 되엿는지라 일젼의 낭군의 편지 ᄉ연을 듯ᄉ온즉
샹군이 쳡의게 향흐온 마음이 지극 감격흐오나 ᄎ싱연분이 쳔박흐와 발셔
옥명이 현슈흐여스니 구쳔의 혼빅이라도 지한이 되올리라 그러흐오나 쳡
의 원혼되온 ᄉ연을 아모조록 신셜흐믈 낭군의 부탁흐ᄂ니 바라건디 낭군
은 소홀이 이지 말고 이 원혼을 푸러 주시면 죽은 혼빅이라도 경흔 귀신이
되리이다 흐고 간데업거늘 션군이 놀나 ᄭᅢ다르니 일신의 극한이 낭ᄌ흐고
심신이 션눌흐여 진졍치 모하ᄂ지라 어모리 싱각흐여도 그 곡졀를 취탁지
못흐미 인마를 직촉흐여 □□흐여 여디늘 만의 풍산촌의 니르려 슉소을
졍하고 식음을 젼폐하여 밤을 안져 기다리더

〈21-앞〉

니 문득 하인이 보ᄒᆞ되 되샹공이 오시ᄂᆞ이다 ᄒᆞ거늘 쥬셔 즉시 졈문의 나가 마ᄌᆞ 문후ᄒᆞ고 뫼셔 방으로 드러가 가니 안부를 뭇ᄌᆞ오믜 빅공이 쥬셔ᄒᆞ며 혼실 무양ᄒᆞ물 닐캇고 션군의 과거ᄒᆞ며 벼슬흔 ᄉᆞ연을 무러 깃버ᄒᆞ며 니욱히 말ᄒᆞ다가 션군더러 왈 남이 현달ᄒᆞ면 방쳐를 두미 고금양시라 내 드ᄅᆞ믜 이곳 님진ᄉᆞ의 ᄯᆞ리 요조현슉ᄒᆞ다 ᄒᆞ기로 닉 임의 님진ᄉᆞ의게 허락밧고 납치ᄒᆞ여ᄂᆞ니 이왕 이곳의 서로 이시믜 명일의 아조 셩내 ᄒᆞ고 집으로 도라 가미 합당치 아니랴 ᄒᆞ니 션군은 낭ᄌᆞ 현몽흔 후로 쟝신 쟝의ᄒᆞ여 심신을 진정치 못ᄒᆞ는 허의 그 부친의 말를 듯고 혜오니 낭ᄌᆞ의 죽올시 분명흔지라 그런 고로 나를 긔이고 님녀를 취케ᄒᆞ여 나종을 위로코져 ᄒᆞ미로다 ᄒᆞ고 이의 고왈 야그 말숨이 지당ᄒᆞ시나 소ᄌᆞ의 마음의 아직 급ᄒᆞ지 아니ᄒᆞ오니 니두

〈21-뒤〉

를 보와 셩혼ᄒᆞ여도 늣지 아니ᄒᆞ오니 다시 니ᄅᆞ지 마옵소셔 ᄒᆞ거늘 빅공이 그 희심치 아니홀 줄 알고 다시 긔구치 못ᄒᆞ여 밤을 지닐 ᄉᆡ 계명의 션군이 인마를 지촉ᄒᆞ여 길의 올나 힝홀 ᄉᆡ 이쩍 님진ᄉᆡ 션군이 갓가히 왓스물 알고 션군의 하쳐로 오다가 길히셔 맛나 치ᄒᆞᄒᆞ여 슈어 슈작ᄒᆞ고 분슈흔 후 빅공을 맛ᄂᆞ믜 빅공이 션군의 ᄉᆞ연을 닐너 왈 ᄉᆞ셰 여ᄎᆞᄒᆞ믜 잠간 기다리 라 ᄒᆞ고 션군을 ᄯᆞ라오니라 ᄎᆞ시 션군이 밧비 힝ᄒᆞ믜 하속 등이 그 곡졀를 몰나 가쟝 의아ᄒᆞ는지라 션군이 집의 다다라 졍부인긔 현알ᄒᆞ여 기간 안부 를 뭇ᄌᆞ고 낭ᄌᆞ의 거쳐를 뭇거늘 졍부인이 ᄋᆞᄌᆞ의 영화로히 도라오믄 도리혀 깃브미 업고 아ᄌᆞ의 뭇는 말를 되답홀 길이 막막ᄒᆞ여 쥬져쥬져ᄒᆞ는지라 션군이 더욱 의아ᄒᆞ여 낭ᄌᆞ의 방의 드러간즉 낭ᄌᆞ 가슴의 칼를 꼿아노엇

는지라 션군이 흉격이 막히 능히 우름을 닐우지 못ᄒ고 젼지도지히 나올시 츈힝이 동츈을 안고 울며 ᄂ\ᄃ다라 부친의 옷자락을 잡고 왈 아ᄇ\니 우애 이제 왓소 어마니 발셔 죽어 염습도 못ᄒ고 지금 그져 이스니 참아 셜워 못 살기소 울며 닛ᄌ\고 낭ᄌ\ 빙소로 드러가 어마니 그만 니러나오 아바니 왓소 그리 쥬야로 그리워 ᄒ더니 엇지 안연 무심이 누엇소 ᄒ며 슬히 울거늘 션군이 능히 참지 못ᄒ여 일장 통곡ᄒ다가 급히 졍당의 와셔 부모기 그 곡졀ᄅ\ 무르니 빅공이 오열ᄒ며 닐어ᄃ\ 너 간지 오뉵일 된 후 일일은 낭ᄌ\의 형영이 업기로 우리 부쳬 고이 녀겨 졔 방의 가 본즉 져 모양으로 누어스ᄆ\ 불승ᄃ\경 ᄒ여 그 곡졀ᄅ\ 일졀 업셔 헤아리ᄆ\ 필언 어ᄂ\ 놈이 션군이 업는 줄 알고 드러가 겁칙ᄒ려다가 칼노 낭ᄌ\ᄅ\ 질너 죽인가 ᄒ여 칼ᄅ\ 섁히려 ᄒ나 쥬인도

능히 섁히지 못ᄒ고 신쳬ᄅ\ 움직일 길 업셔 념습지 못ᄒ고 그져 두어 너ᄅ\ 기다리미오 네게 알게 아니ᄒᄆ\ 네 듯고 놀ᄂ\ 병이 늘가 념여ᄒᄆ\오 ᄂ\녀와 셩혼코져ᄒᄆ\ 네 낭ᄌ\의 죽으믈 알기 젼의 슉녀ᄅ\ 어더 졍을 드리면 낭ᄌ\의 죽으믈 알지라도 마음을 위로ᄒᆯ가 싱각이리 ᄒᄆ\라 너는 모로미 과샹치 말고 념습ᄒᆯ 도리ᄅ\ 싱각ᄒ라 션군이 그 말ᄅ\ 들ᄆ\ 의ᄉ\ 막연ᄒ여 엇지 ᄒᆯ 줄 모로고 침음ᄒ다가 빙소의 드러가 디셩통곡ᄒ다가 홀연 분긔 디발ᄒ여 이의 모든 노비ᄅ\ 일시의 결박ᄒ여 안칠시 ᄆ\월이도 그 즁의 든지라 션군이 ᄉ\미랄 것고 빙소의 드러가 니불ᄅ\ 헤치고 본즉 낭ᄌ\의 용모와 일신이 산ᄉ\름 갓ᄒ여 조금도 변ᄒᄆ\ 업ᄂ\지라 션군이 구축 왈 빅션군이 니로러 스니 이 칼이 섁지면 원슈ᄅ\ 갑허 원혼을 위로ᄒ리라 ᄒ고 칼ᄅ\ 섁히

〈23-앞〉

미 그 칼이 문득 샌지며 그 굼게서 청죄 하나히 나오며 미월일닉 매월일닉 셰 번 울고 나라가더니 쏘 청죠 하나히 나오며 매월일닉 셰 번 울고 나라가거늘 그졔야 션군이 미월의 소위 줄 알고 불승분노ᄒᆞ여 급히 와당의 나와 형구를 버희고 모든 노복을 ᄎᆞ례로 장문ᄒᆞ니 소범 업는 놈년이야 무슴 말로 승복ᄒᆞ리오 이의 미월를 장문ᄒᆞ나 간악ᄒᆞᆫ 년이 쌜니 직초지 아니ᄒᆞ다가 일빅 장의 니로러는 쳘셕 갓튼 혈육인들 엇지 견듸리오 더욱이 후련ᄒᆞ고 누혈이 셩쳔ᄒᆞᆫ지라 져로 혈일업셔 기기승복ᄒᆞ며 우는 말이되 상공이 여ᄎᆞ여ᄎᆞᄒᆞ시기로 소비 맞춤 원통ᄒᆞᆫ 마음이 낫든 ᄎᆞ의 쎄를 타 감히 간계를 힝ᄒᆞ미나 동모ᄒᆞᆫ 년놈은 돌이로쇼이다 ᄒᆞ거날 션군이 노긔 츙쳔ᄒᆞ여 돌이를 쏘 쟝문ᄒᆞ니 돌이 미월의 금을 밧고 그 지휘듸로 횡게ᄒᆞᆫ 밧게 다른

〈23-뒤〉

죄는 업노라 승복ᄒᆞ거늘 션군이 이의 칼를 들고 나리가 미월의 목을 베인 후 비를 가르고 간을 닉여 낭ᄌᆞ의 신체 압히 놋코 두어 줄 제문을 나리오니 졔문의 왈 셩인도 셰욱ᄒᆞ고 슉녀도 봉참ᄒᆞᆷ 고왕소금닉의 비비유지라 ᄒᆞ니 낭ᄌᆞ 갓튼 지원 극통ᄒᆞᆫ 일이 어듸 다시 이스리오 오회라 도시 션군의 탓시니 슈원 슈귀리요 오ᄂᆞᆯᄂᆞᆯ 미월의 원슈는 갑핫거니와 낭ᄌᆞ의 화용월틱를 어듸가 ᄃᆞ시 보리오 다만 션군이 죽어 지하의 가 낭ᄌᆞ를 조츨거시니 부모의게 불회되나 나의 쳐치 불구ᄒᆞ리로다 ᄒᆞ고 니져기를 밧치ᄆᆡ 신체를 ᄯᅥ로 만지며 일장 통곡ᄒᆞᆫ 후 돌이를 본읍의 보닉여 졀도 졍비ᄒᆞᄂᆞ라 이쩍 빅공 부쳬 션군더러 ᄇᆞ로 니ᄅᆞ지 아이 ᄒᆞ엇다가 일이 이 갓치 탄노ᄒᆞ물 보고 도로혀 무류ᄒᆞ여 아모 말를 못ᄒᆞ거늘 션군이 화안이셩으로 직삼 위로ᄒᆞ고 넘습 졔

〈24-앞〉

구를 준비ᄒᆞ여 빙소의 드러가 반렴ᄒᆞ리 홀시 신체 요지 부동이라 홀일업셔 반렴을 못ᄒᆞ고 뉴인을 다 물니치고 션군이 홀노 빙소의셔 쵹을 붉히고 누어 장우 자탄ᄒᆞ다가 어언간 잠이 드럿더니 문득 낭지 화복셩식으로 완연히 드러와 션군긔 ᄉᆞ례 왈 낭군의 도량으로 쳡의 원슈을 갑하 쥬시니 그 은혜 결초 보은ᄒᆞ여도 오히려 다 갑지 못ᄒᆞ리로다 작일의 옥졔 조회 바드실시 쳡을 명초ᄒᆞ사 ᄭᅮ지져 갈아ᄉᆞ딕 네 션군과 맛ᄂᆞᆯ 긔한이 닛거늘 능히 참지 못ᄒᆞ고 십년을 견딕ᄒᆞ여 인연을 믹잣는 고로 인간의 ᄂᆞ려가 이미흔 일노 비명횡ᄉᆞ ᄒᆞ미니 장ᄎᆞᆺ 누를 원하며 누를 한ᄒᆞ리요 ᄒᆞ시민 쳡이 ᄉᆞ죄ᄒᆞ여 고ᄒᆞ되 옥졔 명을 어긔온 죄는 만ᄉᆞ무셕이오나 그런 왹을 랑ᄒᆞ오미 족징이 되옵고 또 션군이 쳡을 위ᄒᆞ어 죽고졔 ᄒᆞ오니 바라건딕 다

〈24-뒤〉

시 쳡을 셰샹의 ᄂᆡ여 보ᄂᆡᄉᆞ 션군과 미진흔 인연을 잇게 ᄒᆞ여 쥬소셔 쳔만 이걸 ᄒᆞ온즉 옥졔게셔 궁측히 여기ᄉᆞ 지신더러 ᄒᆞ교 ᄒᆞᄉᆞ 왈 슉영의 죄는 그만ᄒᆞ여도 족히 징계될 거시니 다시 인간의 ᄂᆡ여보ᄂᆡ여 미진흔 연분을 닛게 ᄒᆞ라 ᄒᆞ시고 념나왕의게 하교ᄒᆞᄉᆞ 슉영을 밧비 ᄂᆡ여 보ᄂᆡ라 ᄒᆞ시니 념나왕이 엿ᄌᆞ오딕 하교딕로 ᄒᆞ오려니와 슉영이 죽어 죄를 속홀 긔한이 못 되여ᄉᆞ오니 닛틀만 지ᄂᆡ오면 ᄂᆡ여보ᄂᆡ려 ᄒᆞᄂᆡ이다 ᄒᆞ니 옥졔게셔 그리 ᄒᆞ라 ᄒᆞ시고 또 남극셩을 명ᄒᆞᄉᆞ 슈한을 졍ᄒᆞ라 ᄒᆞ신즉 남극셩이 팔십을 졍ᄒᆞ여 삼인이 동일 승쳔ᄒᆞ게 ᄒᆞ라 하엿기로 쳡이 옥졔긔 엿ᄌᆞ오되 션군과 쳡ᄲᅮᆫ이여늘 엇지 삼인이라 ᄒᆞᄂᆞ니잇고 흔즉 옥졔 말ᄉᆞᆷ이 너의 ᄌᆞ연 삼인이 되리니 텬긔을 누셜치 못ᄒᆞ리라 ᄒᆞ시고 셔가여릭를 명ᄒᆞᄉᆞ ᄌᆞ

〈25-앞〉

식 겸지ᄒ라 ᄒ신즉 셔가여리 삼남을 졍ᄒ여스오니 낭군은 아직 과샹치 말고 슈일만 기다리소셔 ᄒ고 간ᄃᆡ업거ᄂᆞᆯ 션군이 씌여 마음의 가쟝 챵연ᄒ나 그 몽ᄉᆞ를 싱각ᄒ고 심록회ᄌᆞ부ᄒ여 가마니 슈일만 기다리시니 익일을 당ᄒ여 션군이 맛춤 밧긔 나앗다가 드러가 본즉 낭ᄌᆡ 도라누엇거ᄂᆞᆯ 션군이 놀나 신체를 만져본즉 온긔 완연ᄒ여 싱긔 닛ᄂᆞᆫ지라 심즁의 ᄃᆡ희ᄒ여 일변 부모를 쳥ᄒ여 삼과를 다려 입에 흘리며 슈족을 쥐무르니 니윽ᄒ여 낭ᄌᆡ 눈을 써 좌우를 돌나보거ᄂᆞᆯ 구고와 션군의 즐거ᄒ믈 엇지 측냥ᄒ리요 이ᄯᅢ 츈힝이 동츈을 안고 낭ᄌᆡ의 겻희 닛다가 그 ᄉᆞ라나믈 보고 한텬희긔ᄒ여 져 셜워ᄒ던 ᄉᆞ연을 다 ᄒ거ᄂᆞᆯ 낭ᄌᆡ 우으며 나러 안즈니 일실 샹하 즐겨ᄒ믄 닐으도 말고 원근이 이 소문을 듯고 다

〈25-뒤〉

와 치하ᄒᄆᆡ 이로 슈옥키 어렵더라 니러구러 슈일이 지나ᄆᆡ 잔치를 빅셜ᄒ여 친쳑 빈긱을 원도 업시 다 쳥ᄒ여 즐길ᄉᆡ 직인으로 지조 보며 챵부로 소릭를 식이ᄆᆡ 풍악소릭 운소의 ᄉᆞ뭇더라 각셜 이젹의 님진ᄉᆞ 집의셔 슉영 낭ᄌᆞ의 부싱ᄒ믈 듯고 납치를 화퇴ᄒ고 달니 구혼ᄒ려ᄒ더니 쳐지 이 ᄉᆞ연을 듯고 부모긔 고왈 녀지 되여 의혼ᄒᆞᄆᆡ 귀가 납치를 ᄇᆞ다스면 그 집 ᄉᆞ름이 분명흔지라 빅싱이 샹쳐흔 줄 알고 부모긔셔 허락ᄒ엿더니 그녀 지킹싱ᄒ여신즉 국법의 냥쳐를 두지 못ᄒᄆᆡ 졀혼홀 의ᄉᆞ는 두지 못ᄒ려니와 소녀의 졍긔즉 밍셰코 다른 가문의는 아니 갈 터이오니 그런 말ᄉᆞᆷ은 다시 마옵소셔 ᄒ거ᄂᆞᆯ 님진ᄉᆞ 부체 이 말를 드ᄅᆞᄆᆡ 어히 업셔 가치 아닌 줄노 닐으고 가랑을 광구ᄒ더니 그 후의가 항체이셔 의

〈26-앞〉

논이 분분ᄒ거늘 닙소졔 듯고 부모기 고왈 이왕의도 고ᄒ엿습거니와 혼ᄉ
니럿툿 살난ᄒ오믄 도시 소녀의 팔직 그박ᄒ온 연괴라 비록 뇌 지라도 일언
이 즁쳔금이라 집심이 이믜 금셕 갓ᄉ오민 죵신토록 부모 슬하의셔 일싱을
안과ᄒ미 원이여늘 이졔 ᄯ 혼ᄉ를 의논ᄒ시니 이는 부모의게 ᄇ라는 빈
아니라 부모긔 불회될지라도 ᄎ라리 ᄌ회ᄒ여 이비를 좃고져 ᄒ오니 부모
는 혼ᄉ의 일 단념ᄒᄉ 소녀를 일변의 치워두소셔 ᄒ고 사긔 맹녈ᄒ거늘
닙진ᄉ 부체 이 말를 드르민 그 쥬의를 죵시 앗지 못홀 줄 알고 다시 의논을
아니ᄒ나 심즁의 ᄌ연 근심이 되는지라 일일은 닙진시 빅공을 보아 그 ᄌ뷔
깅싱ᄒᄆ믈 희하나 하고 오리라 ᄒ여 건녀를 도리 빅공을 ᄎ자가나 빅공이
마져 마ᄌ 좌졍흔 후 닙진시 갈오딕 ᄌ고로 ᄉᄌᄂᄂ 불

〈26-뒤〉

가부싱이라 ᄒ니니 형의 ᄌ부의 깅싱ᄒ믄 고금의 희환흔 일이니 형의 복이
거록ᄒᄆ믈 치하ᄒ거니와 소졔는 산 ᄌ식을 죽이기 쉬오니 가위 화복이 부츈
이로다 빅공이 놀나 그 연고를 무르니 닙진시 여ᄋ의 젼후 셜화를 일일히
니르거늘 빅공이 칭찬 왈 아름답도다 규쉬의 조쉬 져럿툿 ᄒ거늘 우리로
말믜아마 일싱 폐인이 될진딕 우리 음덕의 후죄ᄒ미 젹지 아니리니 장차
엇지ᄒ면 조흐리요 이씨 션군이 시츄ᄒ여 슈작ᄒ믈 다 드럿는지라 이의
닙진ᄉ를 딕하여 왈 귀 소져의 금옥 갓흔 말슴을 듯ᄉ온즉 고인이 족히
붓그럽지 아니ᄒ오나 기셰 양난이라 국법의 유쳐취쳐ᄒ는 률이 닛ᄉ오니
의논홀 빅 아니오 긔ᄉ 냥쳐를 두는 법이 잇ᄉ오나 귀 소졔 엇지 질겨 남의
부실이 되고져 ᄒ리잇가 ᄉ셰 니러 ᄒ오민 다만 우리 죄악을 짓고 이슬
ᄯ름이로소이

다 님진시 탄왈 법녜 만일 냥쳐를 둘진딕 부실된들 엇지 스양ᄒ리오마는 이믜 업는 일룰 의논ᄒ여 무엇ᄒ리요 ᄒ고 다른 슈작ᄒ다가 하직ᄒ고 도라 가니라 츳셜 션군이 낭즈 침실의 드러가 님녀의 셜화룰 젼ᄒ여 닐ᄏ르니 낭지 아름다히 여겨 왈 져 규쉬 고집이 여일ᄒ여 셰상 졔홀 지경이 될진딕 우리 남의게 젹앙이 될지라 싱각건딕 쉬운 일이 이스니 낭군은 ᄒ 번 거조 ᄒ여 보미 만당훌가 ᄒᄂ이다 션군이 혼연 왈 무슴 일이뇨 낭지 왈 옥졔계 셔 우리 삼인이 동일 승텬ᄒ리라 ᄒ시던 일인즉 필연 님녀룰 응ᄒ미라 이 믜 텬졍이 이스믜 엇지 가히 도망ᄒ리오 낭군은 모로미 우리 집 젼후 스연 과 님녀의 시종 셜화룰 미진ᄒ여 쥬상긔 상소ᄒ면 쥬상게셔 반드시 니상이 녀기스 특별히 스혼ᄒ실 거시니 츳 소위 셩인의 권되라 하나흔 국가의 졍 졀룰

도장하시미 되고 한나흔 님녜의 원한을 히셕ᄒ미 되리니 엇지 아름답지 아니리요 ᄒ니 션군이 문득 ᄭᅵ다라 응낙ᄒ고 즉시 치힝ᄒ여 샹경ᄒ여 옥계 의 입늬 슉비ᄒ고 슈일 쉬여 낭즈의 스연과 님녀의 셜화룰 일일히 베피 샹소흔딕 샹이 남좌의 칭찬 왈 낭즈의 일은 쳔고의 희한ᄒᆫ 빅니 졍녈부인 직쳡을 주라 ᄒ시고 님녀의 졀개 ᄯᅩ흔 아름다오니 특별히 빅션군과 결혼ᄒ 라 ᄒ시고 슉녈부인 직쳡을 주시니 션군이 스은 ᄒ고 슈유룰 어더 밧비 환가ᄒ여 이 스연으로 님가의 통ᄒ니 님가의셔 희츌망외ᄒ여 퇴일 셩녜훌 시 신부의 화용 월틱 진짓 슉녜 가인이라 구가의 도라와 효봉구고ᄒ고 승슌 군즈ᄒ며 낭즈로 더브러 지긔 샹득ᄒ여 슈유 불니러라 일실이 화락ᄒ여 그릴 거시 업셔 셰월을 보늬더니 빅공 부뷔 텬년으로 셰샹을 ᄇ리고 싱의

부체 익해과녜ᄒ여 션산의 안장ᄒ고 싱이 시묘ᄒ니라 니러구러 광음이 홀홀ᄒ여 졍녈은 합ᄒ여 ᄉ남일녀를 싱ᄒ고 슉녈은 삼남일녀를 싱ᄒ니 다 부풍모습ᄒ여 개개 옥인군직요 현녀슉완이라 남가여혼ᄒ여 ᄌ손이 션션ᄒ고 가셰 요부ᄒ여 만셕군 일홈을 엇고 복녹이 무홈ᄒ더니 일일은 디연을 비셜ᄒ여 ᄌ녀 부손 등을 다리고 삼일를 즐기더니 홀연 상운이 ᄉ면으로 둘너드러오면 붕의 소리 진동ᄒ는 곳의 일위 션관이 나려와 불너 왈 션군아 인간 ᄌ미 엇더ᄒ뇨 그디의 삼인이 샹텬홀 긔약이 오날이니 밧비 가ᄌ ᄒ거늘 션군 삼인이 일시의 샹텬ᄒ니 향년이 팔십이라 ᄌ녀 등이 공즁을 ᄇ라고 벽용 익통ᄒ고 션산의 허장ᄒ니 일이 긔이 ᄒ기로 디강ᄒ노라

쇽 영웅젼 다

현셜 셰샹조판의 경상 듄디 동셔 한 션빈 잇스되 셩은 민이
오명은 샹건이라 나면 졍씨로더브리 동류이십 여년의 일
긔 쇽이 업셔 외로 양슐 하엿더니 명신 다쳣셔긔 긔도한 리 더은
엇느 일노 즈로 신셔녀 쳡을 ᄎ라 민 명긔 를 쳔슈 ᄎ 니 졍씨 영되앗셔
삐 공믈 이익 여 쳐지라 급즉 뫼 쳔 긔 긋 이 지향 지 셔 여 일을 젹이얼
션긔 이라 하느고와 갓 티 비 쳥 잇셔 여 더 슐 하의 긋 씨 여 보신 죄 하 이
엇 고 구 ᄎ셔 의 힘 안 팟 이 업 여 션 민 셰 여 더 이 셔 긴 션 하 니
하 이 팟 이 라 ᄎ 딘 셔 에 밋 당 의 ᄌᄎ 하 의 리 며 ᄎ 려 박 이 편 내 게
여 쳐 여 지 여 상 여 셔 슨 틱 져 의 웅 상 녜 긴 줏 셔 에 꿀 을 ᄉ 터 의 자 비
하 어 긋 한 이 지 며 긔 셔 의 긔 믜 한 나 볼 시 나 ᄀ 거 이 졀 오 들 의 은
아 라 하 연 션 상 언 분 이 잇 긔 로 셔 졔 잇 나 이 다 션 긔 이 긜 어 타 난 는
진 각 ᄊ 긔 이 여 긴 데 는 쳔 션 여 며 엇 지 연 만 잇 다 하 ᄉ 와 당 져
이 탈 낫 긴 이 복 디 하 연 의 비 ᄉ 뵌 션 만 이 로 비 쳣 긴 죄 로 인 긴 의
디 려 왓 스 며 일 챡 졋 인 상 방 여 셔 잇 스 리 이 다 ᄉ 라 션 득 긔 뎌 엄

슉영낭즈젼 단(연세대 20장본)

　　〈슉영낭자젼 단〉은 경판 20장본으로, 1장 앞면부터 20장 앞면까지 전체 39면이다. 한 면에 15줄, 한 줄에 25~27자 내외로 글자가 새겨져 있다. 시간적 배경은 경판 28장과 마찬가지로 세종조이고, 상공 소개 역시 생략되어 있다. 전체 분량이 줄어든 만큼 경판 28장에 비해 문장 이 생략되어 있으며 경판 16장본과 비교해서, 경판 20장본의 문면(〈9-뒤〉부터)에서 미미한 차이가 확인된다. 특히 〈11-장〉 이하에서 문면 의 차이가 확연하다. 임금에게 숙영낭자는 정렬부인 직첩을 받고, 임소 저는 숙열부인 직첩을 받으며, 여타의 경판 이본과 마찬가지로 경판 20장본도 숙영, 선군, 임소저의 다복한 가정이 그려지고, 삼인승천(三 人昇天)으로 이야기를 맺는다.

출처: 김동욱, 연세대학교, 『영인 고소설 판각본 전집』 2, 연세대 인문과학연구 소, 1973, 9~18쪽.

〈1-앞〉

슉영낭즈젼 단

화셜 셰종조 쩌의 경상도 안동 ᄯᅥ히 한 션비 잇스되 셩은 빅이요 명은 상곤
이라 부인 졍씨로 더부러 동쥬 이십여 년의 일기 ᄉ속이 업셔 쥬야 슬허ᄒ더
니 명산 듸찰의 기도흔 후 기몽을 엇고 일즈를 싱ᄒ여 졈졈 ᄌ라믹 용뫼
쥰슈ᄒ고 셩되 온유ᄒ며 문필이 유여흔지라 그 부뫼 쳔금 갓치 익지즁지ᄒ
여 일홈을 션군이라 ᄒ고 그와 갓튼 빅필을 어더 슬하의 ᄌ미을 보고져
ᄒ여 널니 구ᄒ되 의합흔 곳이 업셔 믹양 근심ᄒ더니 이쩍는 션군의 나히
이팔이라 츈일을 당ᄒ여 셔당의셔 글 이러더니 ᄌ연 몸이 곤뇌ᄒ여 궤을
지여 조을 ᄉᆡ 문득 녹의홍상흔 낭즈 문을 열고 드러와 졉빅ᄒ고 겻히 안지며
갈오되 그듸는 나을 몰나보시나니가 닉 이졔 오믄 다름 아니라 과연 텬상연
분이 잇기로 ᄎ져 왓나이다 션군이 갈오되 나는 진간 속긱이요 그듸는 쳔샹
션녀여늘 엇지 연분 잇다 ᄒᄂ요 낭직 갈ᄋ듸 낭군이 본듸 하늘의 비 맛튼
션관으로 비 그릇 쥰 죄로 인간의 닉려 왓스오니 일후 ᄌ연 상봉홀 ᄯᅵ 잇스
리이다 ᄒ고 문득 간듸업

〈1-뒤〉

거늘 션군이 기이 녀게 ᄭᆡ다르니 남가일몽이요 이향이 방중의 옹위흔지라
그늘붓터 낭즈의 고은 양즈 눈의 분명ᄒ고 맑은 소릭 귀의 졍녕ᄒ여 욕망이
난망이요 불ᄉ이자시라 무어슬 일흔 듯 여취여광ᄒ여 인ᄒ여 용뫼 초췌ᄒ
고 긔식이 엄엄ᄒ거늘 부뫼 우려ᄒ여 문왈 네 병근 심샹치 아니ᄒ니 무슨
소회 잇거든 바로 이르라 션군 왈 별노 소회 업스오나 ᄌ연 심긔 불평허무로
그러ᄒ오니 부모는 과렴 마옵소셔 ᄒ고 셔당으로 물너와 고요이 누어 낭즈
만 싱각ᄒ고 만ᄉ 무심이러니 문득 낭직 압희 와 안지며 위로 왈 낭군이
날노 말미아마 죄럿듯 셩병ᄒ여스니 쳡의 마음이 미안ᄒ고 가계 ᄯᅩ흔 빈한

ᄒᆡ미 근심되는 고로 쳡의 화상과 금동자 한 쌍을 가져 왓사오니 이 화상은 낭군 침실의 두어 밤이면 안고 즈고 나지면 병풍의 거러 두시고 심회을 풀게 ᄒ소셔 ᄒ거늘 션군이 반겨 그 손을 잡고 말ᄒ고져 할 즈음의 문득 간ᄃᆡ업고 ᄭᆡ여 본즉 화상과 동ᄌ 겻히 노여거늘 션군이 그이 여기며 금동ᄌ는 상 우희

〈2-앞〉

안치고 화상은 병풍의 거러두고 주야 십이시로 샹ᄃᆡᄒ는지라 각도 각읍 ᄉ름이 이 소문을 듯고 일오ᄃᆡ 빅션군의 집의 기이흔 보빅 잇다ᄒ고 각각 치단을 갓초아 가지고 닷토와 구경ᄒ니 그러ᄒ므로 가계 졈졈 요부ᄒᄂ 션군은 일거월져의 싱각ᄂ니 오작 낭ᄌ 싱각ᄒᄆᆡ 져 션군이 져 갓치 심여ᄒ니 안인 부동 헐길 업다 ᄒ고 션군의게 현몽ᄒ여 왈 낭군이 쳡을 싱각ᄒ여 셩병ᄒ여스니 쳡이 가장 감격ᄒ온지라 낭군 틱 시녀 미월이가 건즐 소임을 감당홀 거시미 아직 방슈를 졍ᄒ여 젹막흔 심회을 위로ᄒ소셔 ᄒ건늘 션군이 ᄭᆡ다르니 침샹 일몽이라 마지못ᄒ여 미월을 일너 잉쳡을 삼아 져기 울회을 소챵ᄒᄂ 일편단심이 낭ᄌ의게만 잇는지라 월명 공산의 잔나비 수파람ᄒ고 두견이 불여귀라 슬피울 졔 장부의 상ᄉᄒ는 간장 구뷔구뷔 다 스는도다 니럿툿 달이 가고 날이 오ᄆᆡ 쥬야 ᄉ모ᄒ는 병이 이항의

〈2-뒤〉

든지라 그 부뫼 션군의 병셰 졈졈 깁허 가물 보고 우황 초조ᄒ여 빅 가지 문복과 쳔 가지의 약의 아니 밋친 곳 업스나 맛춤ᄂᆡ ᄒ회 업스ᄆᆡ 다만 눈물노 소일 ᄒ더라 ᄎ시 낭ᄌ 싱각ᄒᄆᆡ 낭군의 병이 빅약이 무회ᄒ니 젼싱 연분 즁허나 속졀업시 되리로다 ᄒ고 이의 션군의게 현몽ᄒ여 왈 우리 단취 그약이 머러시로 아직 각쳐ᄒ엿더니 낭군이 져럿툿 뇌심 초ᄉᄒᄆᆡ 쳡 심이

숙영낭ᄌ젼 단(연세대 20장본) 49

편치 못흔지라 낭군이 쳡을 졍이 보고져 흐거든 옥년동을 츠져오소셔 흐고
가거늘 션군이 씨여 싱각흐믹 졍신 황홀흐여 힝헐 브을 아지 못홀지라 이의
부모긔 엿즈오딕 근일 히이 심긔 울젹흐와 침식 불감흐오미 명산 딕쳔의
유람흐와 슈회을 소창코져 흐은지라 옥년동은 산쳔 경기 졀승흐다 흐오니
슈삼일 허비흐여 한번 구경흐고 도라오고져 흐나이다 부뫼 딕경 왈 네 실셩
흐여도다 져럿툿 셩치 못흔 사름이 엇지 문박즐 나리요 흐며 붓들고 노치
아니흐거늘 션군 스미을 썰치고 늬닷거늘 부뫼 하일업셔 늬여보늬는지라
션군이 안모흐

〈3-앞〉

여 동으로 힝하여 갈 시 갈스록 옥년동을 츳지 못흐믹 미욱흔 마음을 이기지
못흐여 하늘긔 축원하여 왈 소소흔 명쳔은 이 경샹을 구버삷피소셔 옥년동
잇는 곳을 인도흐여이다 흐고 졈졈 나아가더니 한 곳의 다다라는 사양지산
흐고 셕죄투림이라 산은 쳡쳡 쳔봉 옥슈는 진진빅곡이리 딕당의 년해 만발
흐고 심곡의 모란이 셩개라 화간졉무는 분분셜이요 뉴샹잉비는 편편금이
라 층암 졀벽간의 폭포슈는 하규을 취여딕 듯 명사 쳥게샹의 돌다리는 오작
교와 방불 순다 좌우고면흐며 들어가니 별유텬지비인간라 션군이 이가
튼 풍경을 보믹 심신이 상쾌흐여 우화이등션흔 듯 희긔 자연 산용슈출흐여
횡심일경 드러가니 쥬란화각이 의의표 못흐고 분벽스창은 환연 조요흔 곳
의 금즈로 현판의 식이되 옥년동이라 흐여거늘 션군이 불승딕희흐여 바로
당상의 올나가니 한 동직 피셕 왈 그딕는 엇던 속긔이완딕 감히 션경을
범흐엿느요 션군이 공슌이 답왈 나는 유산긱으로셔

〈3-뒤〉

산쳔 풍광을 탐흐여 길을 일코 그릇 션경을 범하여스니 션낭은 용셔흐소셔

낭지 경식 왈 그듸는 몸을 앗기거든 속히 나가고 더듸지 말나 션군이 이 말을 드르미 의시 삭막ᄒ여 혜오듸 이썩을 어긔오면 다시 맛ᄂᆞ기 어려오미 다시 슈작ᄒ여 그 ᄉᆞ긔을 참지ᄒ여 보리라 ᄒ고 졈졈 나아가 앉지며 갈오듸 낭즈는 엇지 보고 이듸지 괄시ᄒᄂᆞ뇨 낭지 쳥이불문ᄒ고 방으로 드러가며 문을 닷거늘 션군이 무연 쥬져ᄒ다가 홀길업셔 하지ᄒ고 층게의 ᄂᆞ려셔거 늘 낭지 그졔야 운면화안을 화히ᄒ고 화란을 빗겨셔셔 단슌호치을 박기 ᄒ고 죵용이 불러 왈 낭군은 가지 말고 내 말슴 들이소셔 낭군은 죵시 지식 이 업도다 아모리 쳔졍연분이 잇슨들 엇지 일언의 허락ᄒ리오 ᄒ고 오르기 을 쳥ᄒ거늘 션군이 그 말을 드르미 깃부물 이긔지 못ᄒ여 급히 당상의 올나 좌졍ᄒᆫ 후 ᄒ 번 바라보미 용모는 부샹명이 두려시 볏공의 결년는 듯 틱도는 근분 모란이 흡연히 조로을 씌엇는 듯 볏싼 아미는 춘산의 싯겻는 듯 냥긔 셩모는 츄화

의 잠겻는 듯 셤셤 셰요는 츈풍의 양위 휘드는 듯 쳡쳡 츄슌 잉뫼 단ᄉᆞ을 먹음은 듯ᄒ니 쳔고 무빵이요 ᄎᆞ셰의 독보할지라 방음의 황홀 난측ᄒ여 혜오듸 오늘고 이 갓튼 션아을 듸ᄒ미 이졔 죽어도 다시 한이 업스리로다 ᄒ고 그리던 졍회 셜화ᄒ니 낭지 갈오듸 쳡 갓튼 아녀즈을 ᄉᆞ렴ᄒ여 병을 일우니 엇지 장뷔라 칭ᄒ리요 그러나 우리 맛늘 기한이 삼년이 격ᄒ여스니 그ᄢᅵ 쳥조로 미파을 삼고 샹봉으로 뉵녜을 미즈 빅년 동락ᄒ더니와 만일 이졔 몸을 허ᄒᆞᆫ즉 텬긔 누셜ᄒ미 되리니 낭군은 아직 안심ᄒ여 썩을 기듸리 소셔 션군이 갈오듸 일긱이 여삼취라 ᄒ니 삼년을 엇지 고듸ᄒ리요 내 이졔 그져 도라가면 잔병이 조셕의 잇스리니 ᄂᆡ 몸이 죽어 황쳔긱이 되면 낭즈의 일신인들 엇지 온젼ᄒ리요 낭즈는 나의 졍셰을 싱각ᄒ여 불의 든 나부와 그물의 걸닌 고기을 구ᄒ라 ᄒ며 만단 익걸ᄒ니 낭지 그 형상을 보미 오히려

가궁흔지라 홀일업셔 마음을 두루혀믹 육안의 화식이 무루 녹은지라 션군
이 그 옥슈를 잡고

〈4-뒤〉

침니의 나아가 운우지낙을 일우니 그 견권 졍을 이로 층양치 못흘너라 이의
낭지 갈오딕 이졔는 쳡의 몸이 부졍흐여스믹 이곳의 머무지 못흘지니 낭군
과 흔가지로 가리라 흐고 쳥노식를 잇그러닉여 옥년곳의 올나 안고 션군이
비힝하여 집의 도라오니 즈연 츄종이 만터라 이젹의 빅공 부뷔 션군을 닉여
보닉고 념녀 노이지 안니 하여 스룸을 노혀 그 종젹을 츠즈나 옥년동 잇는
션군을 엇지 알니요 늘이 밝으믹 션군이 일 미인을 다리고 이르러 부모
젼의 현알흐거늘 그 부뫼 곡졀을 몰나 즈시 무르니 션군 젼후 스연을 고흐는
지라 그 부뫼 깃거흐여 낭즈을 삷펴마니 화려흔 용뫼와 아릿싸온 직질이
다시 인간의는 업는 비라 겨유 공경긔딕 흐고 쳐소을 동별당의 졍흐여 금슬
지낙을 잉흘식 션군이 낭즈로 더부러 슈유불니 흐고 학업을 젼폐흐니 빅공
이 민망히 녀기ᄂ 본딕 귀흔 즈식인 고로 지이부지흐고 바려 두더라 이럿툿
셰월 여류흐여 이믜 팔년 된 지라 즈식 남믹을 두엇스되 ᄯᆯ의 일홈은 츈힝이
니 나히 팔셰라 위

〈5-앞〉

인이 영오총민흐고 아들 일홈은 동츈이니 나히 삼셰라 년흐여 부풍모습흐
믹 가닉 화목흐여 다시 그릴 것 업는지라 이에 동산의 졍즈을 짓고 화조월식
의 냥인이 산셩의 왕닉흐며 칠현금을 희롱흐고 노릭로 화답흐여 셔로 질기
며 비회고변흐여 쳥홍이 도도흘식 그 부뫼 보고 두굿게 왈 너의 두 스룸은
쳔상연분이 젹실흐도다 흐고 션군을 불너 일오딕 이번의 알셩과 뵌다흐니
너도 올나가라 과거을 보아 요힝참방흐면 네 부모 영화롭고 조상을 빗닉미

아니되랴 ᄒᆞ며 길을 ᄌᆡ촉ᄒᆞ니 션군 왈 우리 젼답이 슈쳔 셕지기요 노비
쳔여 귀라 심지소락과 이목지소호을 임의ᄃᆡ로 ᄒᆞᆯ 터이여늘 무슴 부족ᄒᆞ미
잇셔 또 급졔을 바라리잇고 만일 집을 ᄯᅥ나오면 낭ᄌᆞ로 더부러 슈삭 이별이
되갸사오니 ᄉᆞ졍이 졀박ᄒᆞ여이다 ᄒᆞ고 동별당의 이르러 낭ᄌᆞ더러 부친과
문답ᄒᆞ던 말을 젼ᄒᆞ니 낭ᄌᆡ 념용 ᄃᆡ왈 낭군의 말이 그르도다 셰상 나미
입신양명ᄒᆞ여 부뫼긔 영화 뵈미 장부의 ᄯᅥᆺᄯᅥᆺᄒᆞᆫ 비여늘 이졔 낭군이 규즁
쳐ᄌᆞ를 젼연ᄒᆞ여 남아의 망망헌 일 폐코져 ᄒᆞ면 부모의게 불회될 ᄲᅮᆫ더러
과인의 ᄭᅮ지람이 죵시 쳡의게 도라올지니 ᄇᆞ라건ᄃᆡ 낭군은 지삼 싱ᄉᆡᆨᄒᆞ여
과힝을 밧비 ᄎᆞ려 남의 우음 ᄎᆔ치 마르소셔 ᄒᆞ고 반젼을 준비ᄒᆞ여 쥬며
왈 낭군이 금번 과거를 못ᄒᆞ고 도라오면 쳡 잇지 못ᄒᆞ리니 낭

〈5-뒤〉

군은 조금도 패렴말고 발힝ᄒᆞ소셔 ᄒᆞ거늘 션군이 그 말을 드르미 언언이
졀당ᄒᆞᆫ지라 마지못ᄒᆞ여 부모긔 하직ᄒᆞ여 낭ᄌᆞ를 도라보아 왈 그ᄃᆡ 부모을
곡진이 봉양ᄒᆞ며 어린 ᄌᆞ녀을 잘 보호ᄒᆞ여 나 도라오기을 기ᄃᆡ려라 ᄒᆞ고
ᄯᅥ날 ᄉᆡ ᄒᆞᆫ 거름 도라셔고 두 거름의 도라보니 낭자 즁문의 나와 원노의
보즁하믈 지삼 당부ᄒᆞ며 비희을 금치 못ᄒᆞ거늘 션군이 ᄯᅩᄒᆞᆫ 슈식이 만면안
ᄒᆞ여 겨우 길의 올나 죵일토록 삼십 니을 갓는지라 슉소을 졍ᄒᆞ고 셕반을
바드미 오직 낭ᄌᆞ을 싱ᄉᆡᆨᄒᆞ여 음식이 다지 아니ᄒᆞ니 부득이 상을 물니거늘
하인이 민망이 여겨 갈오ᄃᆡ 식슈을 져럿틋 녕약 ᄒᆞ시고 쳔니 원졍을 득결ᄒᆞ
시려 ᄒᆞᄂᆞ이가 션군 왈 ᄌᆞ연 그러ᄒᆞ여라 ᄒᆞ고 젹막ᄒᆞᆫ 긱관의 홀노 심신슈린
ᄒᆞ여 낭ᄌᆞ의 일신이 겻히 안졋는 듯 여견불견이요 소릭들니는 듯 사쳥불쳥
이라 여조쳡젼ᄒᆞ여 마음을 졍치 못ᄒᆞᆫ지라 이경 말 삼경 초의 신발을 들메
고 집의 도라와 담장을 너머 낭ᄌᆞ의 방의 드러가니 낭ᄌᆞ ᄃᆡ경 왈 이 일이
엇지ᄒᆞᆫ 일이니이가 오날 길을 힝치 아니ᄒᆞ니이가 션군 왈 죵일 힝ᄒᆞ여 겨우

삼십 니 가 슉소을 졍ᄒᆞ고 다만 싱각ᄂᆞ니 그듸 쑨이라 쳡쳡 비회를 금치
못ᄒᆞ여 음식을 젼폐ᄒᆞ미 힝여 노즁의셔 병이 될

가 념여 되여 그듸로 더부러 심회 풀고 ᄒᆞ여 왓노라 ᄒᆞ니 낭ᄌᆞ의 손을 잇그
러 원낭금니의 나아가 밤이 맛도록 졍회을 푸는지라 이젹의 빅공이 션군을
경셩의 바ᄂᆞ고 집안의 도젹을 ᄉᆞᆲ피려 ᄒᆞ고 쳥녀장을 지이고 단장 안으로
단녀 동별당의 다다라ᄂᆞᆫ 낭ᄌᆞ의 방의 남ᄌᆞ의 소ᄅᆡ 은은이 들니거늘 빅공이
이윽히 듯다가 가마니 혀오듸 낭ᄌᆞ의 빙옥지심과 송빅지졀노 엇지 외간
남ᄌᆞ을 ᄉᆞ통ᄒᆞ여 음ᄒᆡᆼ지ᄉᆞ를 감심ᄒᆞ리오 그러ᄒᆞᄂᆞ 셰샹ᄉᆞ을 이루 층양치
못ᄒᆞ리라 ᄒᆞ고 가마니 ᄉᆞ창 압ᄒᆡ 나아가 귀을 기우려 드른즉 낭지 이윽히
말 허다가 갈오듸 싀부게셔 박긔와 게신가 시부니 낭군은 몸을 침금의 감쵸
소셔 ᄒᆞ며 다시 아희을 달ᄂᆡ여 왈 너희 아바니는 장원급제ᄒᆞ여 영홰로이
도라오ᄂᆞ이라 ᄒᆞ고 아희을 어루만지거늘 빅공이 크게 의심ᄒᆞ고 급히 침소
로 도라오니라 이ᄭᅵ 낭지 빅공의 엿듯ᄂᆞᆫ 양을 발셔 아러ᄂᆞᆫ지라 션군더러
이로듸 싀아바니게셔 창박긔 엿듯고 가 계시니 낭군은 온 줄 아라겟ᄂᆞᆫ지라
낭군은 쳡을 유념치 마르시고 경셩의 올녀가 셩불셩불게ᄒᆞ고 과거을 보아
부모의 바라신 마음을 져바리지 마르시고 쳡으로 ᄒᆞ여금 불민ᄒᆞᆫ 시비을
면케ᄒᆞ소셔 싱각건듸 낭군이 쳡을 ᄉᆞ렴

ᄒᆞ여 여러 번 왕ᄂᆡ홀 졔 지 만ᄒᆞ니 만일 그러홀진듸 장부의 도리 아니요
ᄯᅩ 부뫼 아르시면 결단코 쳡이 죄을 당홀 듯ᄒᆞ오니 낭군은 젼후 ᄉᆞ리을
헤아려 ᄉᆞ속히 샹경ᄒᆞ소셔 ᄒᆞ며 길을 ᄌᆡ촉ᄒᆞ니 션군이 드르믜 말이 다 합당
ᄒᆞᆫ지라 이의 작별ᄒᆞ고 그 슉소 도라오니 하인이 아직 잠을 ᄭᆡ지 아니 ᄒᆞ여더

라 이튼날 길의 올나 겨우 오십 니 가 슉소을 졍ᄒ고 월긱층의 젹막히 안져스
딕 낭즈의 형용이 안젼의 삼삼ᄒ여 잠을 일우지 못ᄒ고 쳔만 가지로 싱각ᄒ
여도 울결ᄒᆫ 마음을 것잡지 못ᄒ여 이의 표연이 집의 도라와 낭즈의 방의
드러가니 낭지 놀나 갈오딕 낭군이 쳡의 진ᄒᆞᆯ물 듯지 아니ᄒ시고 이럿툿
왕ᄂᆡᄒ시다가 쳔금 귀체 긱즁의 병을 어드면 엇지ᄒ려 ᄒ신이가 낭군이
만일 쳡을 잇지 못ᄒ시거는 후일 쳡이 낭군 슉소로 차져가리이다 션군 왈
그딕ᄂᆞᆫ 규즁 녀지라 엇지 도로 ᄒᆡᆼ역을 이믜로 ᄒ리요 낭지 ᄒᆞᆯ일업셔 강잉딕
왈 회포나 푸ᄉ이다 ᄒ고 ᄯᅩ 화샹을 쥬며 왈 이 화샹은 쳡의 용뫼오니 ᄒᆡᆼ즁의
두어다가 만일 빗치 변ᄒ거든 쳡이 편치 못ᄒᆫ 즐 아옵소셔 ᄒ며 셔로 이별ᄒᆞᆯ
ᄉᆡ 잇ᄯᅥ 빅공이 마음의 고이히 여겨 다시 동별당의 가 귀을 기우려 드른즉
ᄯᅩ 남즈의 슈쟉ᄒᄂᆞᆫ 소리 분명ᄒᆫ지라 빅공이 혀오딕 고이ᄒ고 고이ᄒ

도다 닉집이 장원이 놉고 상하 이목이 번다ᄒᆞᄆᆡ 외인이 간딕로 출입을 못
ᄒ거늘 엇지 슈일을 두고 낭즈의 방의셔 남즈의 소릭ᄂᆞ니 반다시 흉악ᄒᆫ
놈이 잇셔 낭즈로 통간ᄒᄆᆡ로다 ᄒ고 쳐소로 도라가 ᄌᆞ탄 왈 낭즈의 졍졀노
이런 ᄒᆡᆼ실을 ᄒ니 일로 볼진딕 옥셕을 분간키 어렵도다 ᄒ며 의혹 만단
의 유예미결이라 이의 부인 불너 이 ᄉᆞ연을 일너 왈 그 진가을 아지 못ᄒ고
의외 만일 불미지ᄉᆡ 잇소면 장찻 엇지ᄒ리요 부인 왈 상공은 잘못 드러계시
도라 현부의 ᄒᆡᆼ실은 빅옥 갓투여 그러ᄒᆞᆯ 니 업스믹 다시 부졍ᄒᆫ 말 마르소셔
빅공 왈 나도 져의 일을 알기로 의아 즁의 잇ᄂᆞ니 딕져 져을 불너 치문ᄒ여
그 ᄉᆞ긔을 삷펴보ᄉᆡ다 ᄒ고 낭즈을 불너 문왈 이ᄉᆡ이 집안이 젹뇨ᄒᆞᄆᆡ
도젹을 살피랴 ᄒ고 집안을 두루 도라 네 방의 간즉 방 즁의셔 남아의 음셩
이 은은히 들니믹 내 가장 고이히 여겨 도라와 싱각ᄒ니 그러ᄒᆞᆯ 니 만무ᄒᆫ
고로 그 잇튼날 ᄯᅩ 가셔 드른 즉 역여시 남즈의 소릭 낭즈ᄒ니 이 아니

고이ᄒᆞ냐 ᄉᆞ싱간 종실직고ᄒᆞ라 낭ᄌᆡ 변ᄉᆡᆨ ᄃᆡ왈 밤이 오면 춘ᄒᆡᆼ 동춘을 다리
고 ᄆᆡ월노 더부러 말ᄉᆞᆷᄒᆞ엿거니와 엇지 외간 남ᄌᆡ 잇셔 말ᄉᆞᆷᄒᆞ여ᄉᆞ오리잇
가 이는 천만 의외 말ᄉᆞᆷ이니이다 ᄒᆞ거늘 빅공이 드르ᄆᆡ 마음을 적의 노ᄒᆞ나
일이 고이ᄒᆞ여 ᄆᆡ월을 즉시 불너 문왈 네가 이 ᄉᆞ

〈7-뒤〉

이 낭ᄌᆞ 방의 가 ᄌᆞ나냐 ᄆᆡ월이 엿ᄌᆞ오되 요ᄉᆞ이 소인의 몸이 곤ᄒᆞ기로
낭ᄌᆞ 방의 가지 못ᄒᆞ여ᄂᆞ이다 빅공이 쳥파의 더욱 슈샹이 넉여 ᄆᆡ월을 ᄊᆞ지
져 갈오디 이ᄉᆞ이 고이ᄒᆞᆫ 일 잇기로 놀나 고이회 녀겨 낭ᄌᆞ더러 므른 즉
널노 더브러 한가지로 ᄌᆞ며 슈작ᄒᆞ엿다 ᄒᆞ고 너는 가지 아니ᄒᆞ엿다 ᄒᆞ니
두 말이 갓지 아니ᄆᆡ 낭자의 외인과 ᄉᆞ통ᄒᆞᄆᆡ 젹실ᄒᆞ니 너는 모로ᄆᆡ 착실이
ᄉᆞᆯ펴 그 왕ᄂᆡᄒᆞ는 놈을 잡아 고ᄒᆞ라 ᄒᆞ니 ᄆᆡ월이 슈명ᄒᆞ고 아모리 쥬야
샹직ᄒᆞᆫ들 그름ᄌᆞ도 업는 도적을 잡으리요 이는 불졀 업시 ᄆᆡ월노 ᄒᆞ여곰
간ᄭᆡ을 발ᄀᆡ게 ᄒᆞ는 증죄라 ᄆᆡ월이 이의 ᄉᆡᆼ각ᄒᆞ되 소샹공이 낭ᄌᆞ로 더브러
작ᄇᆡᄒᆞᆫ 후로 지우금 나을 도라보지 아이ᄒᆞ니 엇지 이달지 아니ᄒᆞ리오 이ᄯᆡ
를 타 낭ᄌᆞ을 오ᄆᆡ하면 가히 나의 젹원을 셜ᄒᆞ리라 ᄒᆞ고 금은 슈쳔 냥을
도적ᄒᆞ여 가지고 져의 동뉴을 모화 의논ᄒᆞ여 갈오디 금은 슈쳔 냥을 줄
거시니 뉘 ᄂᆞ를 위ᄒᆞ여 능히 묘게을 힝ᄒᆞᆯ고 그 중의 한 놈이 잇스되 일홈은
돌이니 본디 셩졍이 흉완ᄒᆞ고 호방ᄒᆞᆫ 놈이라 이 말를 듯고 ᄌᆡ물을 탐ᄒᆞ여
쾌연이 응낙ᄒᆞ고 ᄂᆡ닷거늘 ᄆᆡ월이 깃거ᄒᆞ여 돌이을 잇글고 종용ᄒᆞᆫ 모ᄋᆞ로
가셔 일오디 ᄂᆡ ᄉᆞ졍이 다름 아니라 우리 소샹

〈8-앞〉

공이 나를 방슈로 부리더니 낭ᄌᆞ로 더브러 작ᄇᆡᄒᆞᆫ 후로 장ᄎᆞ 팔년이 되도록
한 번도 도라 보는 ᄇᆡ 업스니 나의 마음이 엇지 분연치 아니ᄒᆞ리오 이런

고로 낭즈을 히ᄒ여 셜치코져 ᄒᄂ니 그ᄃᆡ는 나의 말을 어긔오지 말나 ᄒ고 이날 밤의 돌이을 다리고 동별당 문밧긔 셰우고 이로ᄃᆡ 그ᄃᆡ는 여긔 잇스면 ᄂᆡ 샹공 쳐소의 드러가 여ᄎ여ᄎ하면 샹공이 필연 분노ᄒ여 그ᄃᆡ을 잡으려 홀 거시니 그ᄃᆡ는 거짓 낭즈의 방으로셔 나오는 쳬ᄒ고 문을 열고 다라나되 소홀이 말나 ᄒ고 급히 샹공 쳐소의 가 고ᄒ되 샹공이 소인으로 하여곰 동별당을 슈직ᄒ라 ᄒ시ᄆᆡ 분부 뫼옵고 밤마다 솕피옵더니 과연 오날밤의 보온즉 엇던 놈이 드러가 낭즈로 더브러 희롱 낭즈ᄒ옵시기 소인이 가마니 듯ᄉ오니 낭ᄌᆡ 그 놈 더러 하옵기을 소샹공 오시거든 죽이고 직물을 도적하여 가지고 한 가지로 ᄉᄌᄒ옵기 소인이 듯고 불승분히ᄒ와 밧비 와 고ᄒᄂ이다 ᄒ거늘 샹공이 이 말을 듯고 분긔ᄃᆡ발ᄒ여 칼을 가져 문을 열고 ᄂᆡ다르니 과연 엇던 놈이 문득 낭즈의 방으로셔 문을 열고 쒸어 ᄂᆡ다라 단장을 너머 도망ᄒ거늘 빅공이 불승분노ᄒ여 쳐소로 도라와 밤을 안져 기ᄃᆡ려 원촌의 계명셩

이 들니ᄆᆡ 이의 비복 등을 불너 좌우의 셰우고 ᄎ려로 엄문ᄒ여 왈 내 집이 장원이 놉고 외인이 임의로 츌입을 못ᄒᄂ지라 너의 놈 즁의 어늬 놈이 감이 낭즈와 ᄉ통ᄒᄂ지라 종실직초ᄒ라 ᄒ며 낭즈을 잡아오라 ᄒ니 ᄆᆡ월 먼져 ᄂᆡ다라 동별당의 시문을 열고 소ᄅᆡ을 크게 질너 왈 낭즈는 무슴 잠을 집히 드럿ᄂᆡ이가 지금 샹공게셔 낭즈을 잡아오라 ᄒ시니 밧비 가ᄉ이다 ᄒ니 낭ᄌᆡ 놀나며 문왈 이 심야의 엇지ᄒᆞᆫ 일노 이리 요란이 구ᄂᆞ뇨 ᄒ며 문을 열고 보ᄆᆡ 비복 등이 문밧긔 가득 ᄒ엿거늘 낭ᄌᆡ 다시 문왈 무슴 일이 잇ᄂᆞ냐 노복이 ᄃᆡ왈 낭즈는 엇던 놈과 통간ᄒ다가 이미ᄒᆞᆫ 우리 등을 즁히 슈장ᄒ게 ᄒᄂᆞ이잇가 무죄ᄒᆞᆫ 우리 등을 꾸지람 들니지 말고 어셔 가ᄉ이다 ᄒ며 긔박이 ᄐᆡ심ᄒ거늘 낭ᄌᆡ 천만몽ᄆᆡ 밧긔 말을 드로ᄆᆡ 혼빅이 비월ᄒ고

간담이 셔늘ᄒ여 엇지홀 줄 모로는 중 지측이 셩화 갓튼지라 급히 샹공 압히 느아가 복지ᄒ여 엿자오ᄃᆡ 무슴 죄 잇습건ᄃᆡ 이 지경의 이르나이가 빅공이 ᄃᆡ로 왈 슈일 젼의 여ᄎᆞ여ᄎᆞ 슈샹ᄒᆫ 일이 잇기로 너더러 무른 즉 네 말이 낭군이 써난 후 젹막ᄒ기로 ᄆᆡ월노 더브러 담화ᄒ엿다 ᄒᄆᆡ 내 반신반의ᄒ여 ᄆᆡ월 불너 츄문ᄒᆫ즉 제 ᄃᆡ답이 요ᄉᆞ이 일졀 네 방의 가지 아니ᄒ여다 ᄒ니

필연 곡졀이 잇는 일이기로 여러 날 그ᄎᆞᆯᄒᆫ 즉 엇던 놈이 여ᄎᆞ여ᄎᆞ할시 분명ᄒ거늘 네 무슴 낫츨 들고 발명코져 ᄒᆫ다 낭지 울며 발명ᄒ니 빅공이 ᄃᆡ질 왈 내 귀로 친이 듯고 눈으로 본 일 종시 긔망ᄒ니 엇지 통히치 아니 ᄒ리요 냥반의 집의 이런 일 잇기는 드믄 빈니 너와 샹통ᄒᆫ든 놈 셩명을 샐니 고ᄒ라 ᄒ며 호령이 셔리 가튼지라 낭지 안식이 씩씩ᄒ여 왈 아무리 뉵녀 빅냥을 갓초지 못ᄒ온 ᄌᆔ온들 이런 말슴 ᄒ시ᄂᆞ잇가 발명 무로ᄒ오 나 셰셰 통촉ᄒ옵소셔 이 몸이 비록 인간의 잇ᄉᆞ온들 빙옥 갓튼 졍졀노 더러온 말슴을 듯ᄉᆞ오리잇가 영쳔슈가 머러 귀을 씻지 못ᄒ오미 한이 되옵 나니 다만 죽어 모로고졔 한이다 빅공이 분노ᄒ여 노ᄌᆞ을 호령ᄒ여 낭ᄌᆞ을 결박ᄒ라 ᄒ니 노지 일시의 다라드러 낭ᄌᆞ의 머리을 산발ᄒ여 계하의 안치 니 그 경샹이 가장 가련ᄒ더라 빅공이 ᄃᆡ로질왈 네 죄샹은 만ᄉᆞ무셕이니 ᄉᆞ통ᄒᆫ 놈 밧비 일으라 ᄒ고 ᄆᆡ로 치니 빅옥 갓튼 귀밋히 흐르나니 눈물이요 옥 갓튼 일신이 소ᄉᆞ나니 유혈이라 낭지 이ᄮᆞ을 당ᄒ여 헐일업셔 정신을 차려 왈 힝ᄌᆞ 낭군이 쳡을 잇지 못ᄒ여 발힝ᄒ던 날 겨우 삼십 니를 슉소을 졍ᄒ고 밤의 도라와 다녀가온 후

쏘 이튼날 밤의 왓습기로 쳡이 한슥ᄒ고 간ᄒ여 보닐 시 어린 소견의는 혹 구고의 견칙이 잇슬가 져어ᄒ여 낭군 거취을 숨거 보닉엿더니 조물이 뮈이 녀기시고 귀신이 식긔ᄒ여 가히 씻지 못홀 누명을 엇ᄉ오니 발명홀 길 업ᄉ오나 소소흔 명천이 찰징이 되시옵닉다 빅공이 졈졈 딕로ᄒ여 집장 놈을 호령ᄒ여 믹믹고찰하여 칠 시 낭지 홀길업셔 하늘을 우얼어 통곡 왈 유유창턴은 무죄ᄒᆞ온 이내 마음을 삷피소셔 오월 비상지원과 심년 불우지 원을 뉘라셔 푸러닉리오 ᄒ며 업더지거늘 즌고 뎡씨 그 경상 보고 울며 빅공더러 왈 녯말의 일너스되 그릇세 물을 업치고 다시 담지 못흔다 ᄒ오니 상공은 ᄌ셔이 보지 못ᄒ고 빅옥 무하 갓튼 졀부을 무단히 음힝으로 표박ᄒ 시니 엇지 가히 셔졔지탄이 업스리잇가 ᄒ며 나리다라 낭ᄌ을 안고 딕셩통 곡 왈 너의 슝빅지졀을 내 아는 빅라 오날날 이 경상은 몽믹의도 싱각지 못홀 일이니 엇지 지원 극통치 아니ᄒ랴 낭지 왈 옛말의 일너스되 음힝지셜 은 신셜키 어렵다 ᄒᆞ옵ᄂ니 동힉슈로도 씻지 못홀 누명을 엇고 엇지 구구히 살기을 도모ᄒ리요 ᄒ며 통곡ᄒ거늘 졍씨 만단기유ᄒᄃ 낭지 종시 듯지 안코 문득 옥잠을 쎌

여 들고 하늘게 졀ᄒ고 비러 왈 지공무ᄉᄒ신 황턴는 구버삷피소셔 쳡이 만일 외인 통관흔 일 잇거든 이 옥잠이 쳡의 가슴의 빅이고 만일 의믹ᄒ옵거 든 이 옥잠이 셤돌의 빅히소셔 ᄒ며 옥잠을 공중의 더지고 업듸여더니 이윽 고 그 옥잠이 나려지며 셤돌의 박히이는지라 그계야 일가 상하 딕경실식ᄒ 여 신긔히 녀기며 낭ᄌ의 원억ᄒ믈 알더라 이의 빅공이 나리다라 낭ᄌ의 손을 잡고 비러 왈 늙그니 지식이 업셔 착흔 며ᄂ리의 졍졀을 모르고 망녕된 거소을 ᄒ여스니 그 허물은 만번 죽어도 젹지 못홀지라 ᄇ라건딕 낭ᄌ는

나의 용녈ᄒ믈 용셔ᄒ고 안심ᄒ라 낭지 이연 통곡 왈 첩이 가업슨 누명을 싯고 셰상의 머므러 쓸ᄃᆡ업ᄉ오니 만일 셜니 죽어야 아황 녀영을 조츠 놀고 져 ᄒ나이다 빅공니 위로 왈 ᄌ고로 현인 군ᄌ도 혹 참소을 만나며 슉녀 현부도 혹 누명을 엇ᄂ니 낭ᄌ도 일시 익운이라 너모 고집지 말고 노부의 무르믈 몰녀 싱각ᄒ라 ᄒ니 이의 졍씨 낭ᄌ을 붓드러 동별당으로 가 위로홀ᄉᆡ 낭지 흐르ᄂ니 눈물이오 지ᄂ니 한슘이라 졍씨긔 고왈 첩 갓튼 게집이온들 더러온 악명이 셰상의 나타ᄂ고 엇지 붓그럽지 아니리잇고 낭군이 도라오면 상ᄃᆡ홀 낫치 업ᄉ오믜 다만 죽어 셰샹을 잇고져 ᄒᄂ이다 ᄒ며 진쥬 갓든 눈물이 옷깃

〈10-뒤〉

슬 젹시거늘 졍씨 그 참혹ᄒᆫ 거동을 보고 왈 낭지 죽다ᄒ면 션군이 결단코 죽을 거시니 이런 답답ᄒᆫ 일이 어ᄃᆡ 잇스리요 ᄒ고 ᄌ탄ᄒ며 침소로 도라 가니라 이ᄯᅦ 츈힝이 그 모친 형상을 보고 울며 왈 모친은 죽지 마오 부친이 도라오시거든 원통ᄒᆫ 사졍이나 ᄒ고 죽으나 ᄉ나 ᄒ옵소셔 어머니 죽으면 동츈을 엇지ᄒ며 ᄂᆞ는 누울 밋고 살나 ᄒ오 ᄒ며 손을 잡고 방으로 드러가ᄉ이다 ᄒ니 낭지 마지못ᄒ여 방으로 드러가 츈힝을 겻ᄒᆡ 안치고 동츈을 졋 먹이며 치복을 ᄂᆡ여 입고 슬허 왈 츈힝아 나는 오날 죽으리로다 네 부친이 쳔 니 밧긔 잇셔 나 죽는 줄 모르며 나의 마음 둘 ᄃᆡ 업다 츈힝아 이 빅학션은 쳔ᄒᆞ지뵈라 치우면 더운 긔운이 나고 더우면 찬바람이 나나니 잘 간슈ᄒ엿 다가 동츈이 자라거든 쥬어라 슬푸다 흥진비릐요 고진감ᄂᆡ는 셰간상식라 하나 나의 팔지 긔험ᄒ여 쳔만몽ᄆᆡ 밧 누명을 싯고 너의 부친을 다시 못보고 황텬킥이 되니 엇지 눈을 감을이요 허믈며 너의 남ᄆᆡ을 ᄇᆞ리고 엇지 갈고 가련타 츈힝아 나 죽은 후 과히 슬허 말고 동츈을 보호ᄒ여 잘 잇거라 ᄒ며 누슈이우ᄒᆫ지라 츈힝이 낭ᄌ을 붓들고 왈 어머니 우지 마오 우는 소리의

내 간장이 스는 듯ᄒ니 우지 마오 ᄒ며 방셩되곡ᄒ다가 긔진ᄒ여 잠을 들거
늘 낭지 지원극통ᄒ물

니긔지 못ᄒ여 분긔 흉즁의 가득ᄒᄆᆡ 아모리 싱각ᄒ여도 죽어 구쳔 지하의
도라가 누명을 씻는 거시 올타 ᄒ고 ᄯᅩ 아히들 이러나면 분명 죽지 못ᄒ게
ᄒ리라 ᄒ며 가마니 츈ᄒᆡᆼ 등을 어로만져 불샹타 츈ᄒᆡᆼ 남ᄆᆡ야 나을 그리워
어이 살니 가련타 츈ᄒᆡᆼ아 너의 남ᄆᆡ을 두고 어이 가리 익닯다 나 밧는 십왕
이나 가르쳐 주소셔 츈ᄒᆡᆼ아 잘 잇거라 동츈이 잘 잇거라 슬프믈 이긔지
못ᄒ여 원앙침 도도 벼고 셤셤 옥슈로 드는 칼을 드러 가심을 질너 죽으니
문득 ᄐᆡ양이 무광ᄒ고 텬긔 효흑ᄒ며 쳔동소ᄅᆡ 진동ᄒ거늘 츈ᄒᆡᆼ이 놀나
ᄭᆡ여보니 가슴의 칼을 ᄭᅩᆺ고 누엇는지라 급히 소스쳐 보고 되경 실식ᄒ여
칼을 ᄲᅢ허 ᄂᆡ려 ᄒ려 ᄒ니 ᄲᅢ지지 아니ᄒ거늘 츈ᄒᆡᆼ이 낭ᄌᆞ의 낫츨 되히고 방셩되
곡 왈 어마니 이러나오 이런 일도 ᄯᅩ 어듸 잇는가 가련타 어마니 우리 남ᄆᆡ
을 두고 어듸로 가며 우리 남ᄆᆡ 누을 바라고 살나 ᄒ오 동츈이 어마니을
ᄎᆞ지면 무어시라 되답ᄒᄋᆞ릿가 어머니도 ᄎᆞ마 이런 일을 ᄒ오 ᄒ며 호텬고
지하여 망국인 듯하니 그 잔잉 참졀ᄒᆫ 경상을 볼진되 쳘셕 간장이라도 눈물
흘일 거시요 토목 심장이라도 슬허ᄒᆯ지라 빅공 부쳐와 노복 등이 드러와본
즉 낭ᄌᆞ의 가슴의 칼을 ᄭᅩᆺ고 누어거늘 창황방초ᄒ여 칼을 ᄲᅢ히려 ᄒ니 종시

ᄲᅢ지지 아니 ᄒ거늘 아무러 ᄒᆯ 줄 모로고 곡성이 진동ᄒ니 이ᄯᅥ 동츈이
어미 죽은 줄 모로고 졋만 먹으려 ᄒ고 몸을 흔들고 우니 츈ᄒᆡᆼ이 달ᄂᆡ여
밥을 쥬어도 먹지 아니ᄒ고 졋만 먹으려 ᄒ거늘 츈ᄒᆡᆼ이 동츈을 안고 울며
왈 우리 남ᄆᆡ도 어머니와 갓치 죽어 지하의 도라ᄀᆞᄌᆞ ᄒ고 둥글며 통곡ᄒ니

그 형상을 참아 보지 못헐너라 삼수일이 지난 후 빅공 부체 의논ᄒ되 낭지 이러케 죽어스이 션군이 도라와 낭ᄌ의 가슴을 보면 분명 우리 모히ᄒ여 죽인 줄노 알고 제 ᄯ흔 죽으려 홀 거시니 션군이 아니와셔 낭ᄌ 신체나 밧비 염장ᄒ여 엄격ᄒ미 올타 ᄒ고 빅공 부체 낭ᄌ 방의 드러가 소렴ᄒ려 흔즉 신체가 조곰도 움ᄌ기지 아니ᄒ니 즁인이 다라드러 아모리 운동ᄒ려 ᄒ여도 신체 ᄯ히 붓고 써러지지 아니ᄒ미 무가ᄂᆡ히라 빅공이 도로혀 죠심ᄒ물 마지아니ᄒ더라 이젹의 션군이 낭ᄌ의 간ᄒ물 듯고 마음을 구지 잡아 바로 경수의 올나가 쥬인을 쳥ᄒ고 과일을 당ᄒ미 팔도 션븨 구름 뫼듯ᄒ엿ᄂᆞᆫ지라 션군이 시지를 엽히 ᄭᅵ고 츈당듸의 드러가 현졔판을 바라본즉 선졔 편이 ᄒ여거늘 션군이 한 번 보고 일필휘지ᄒ여 일턴의 션장ᄒ니 샹이 슈만 쟝 시권을 보시다가 션군의 글의 다다라ᄂᆞᆫ 칭찬

〈12-앞〉

ᄒᄉ 왈 이 ᄉᆞ름의 글을 보진듸 문체ᄂᆞᆫ 이틱빅이요 필법은 조밍보라 ᄒ시고 ᄌᄌ 비졈의 귀귀 관쥬로다 쟝원으로 ᄲᅦ시고 비봉을 ᄯᅥ히시니 경샹도 안동 거ᄒᄂᆞᆫ 빅션군의 샹곤이라 ᄒ엿거늘 샹이 실ᄂᆡ를 직쵹ᄒ여 슈삼ᄎ 진퇴식인 후 승졍원 쥬셔을 졔슈ᄒ시니 션군이 ᄉ은슉빅 ᄒ고 졍원의 입직ᄒ엿더니 ᄎᆞ시를 당ᄒ여 집의 희보 젼홀 ᄲᅮᆫ 아니라 낭ᄌ를 이별흔 지 오릭민 회푀 간졀ᄒ여 밧비 노ᄌ로 ᄒ여곰 그 부모와 낭ᄌ의게 편지 보ᄂᆡ니 노ᄌ 나려가 편지을 드리거늘 샹공이 급히 ᄭᅥ혀본즉 ᄒ엿스되 쳔은을 입ᄉ와 쟝원 급졔ᄒ여 승졍원 쥬셔을 ᄒ여 방금 입직ᄒ엿ᄉ오니 감츅 무지ᄒ온지라 도문일은 금월 망간 즈음 될 거시니 그리 아읍소셔 ᄒ엿고 낭ᄌ의계 온 편지ᄂᆞᆫ 졍씨 가지고 울며 왈 츈힝 동츈아 이 편지ᄂᆞᆫ 네 아비가 네 어미게 흔 편지니 갓다가 잘 간슈ᄒ여라 ᄒ고 방셩듸곡ᄒ니 츈힝이 편지 가지고 빙소의 드러가 신체을 혼들며 편지울 펴들고 낭ᄌ 낫츨 한듸 다히 울며 왈 어머니 이러

나오 아버니게셔 편지 왓소 아바니가 장원ᄒ여 졍원 쥬셔을 하엿다 ᄒ는듸
엇지 이러나 줄겨ᄒ지 아니ᄒ오 어머니 아바니 소식 올나 쥬야 거졍ᄒ더니
오날 편지 왓것마는 엇지 반거 ᄒ시지 아니ᄒᄂ이가 나는

〈12-뒤〉

글을 못ᄒ기로 어머니 혼녕 압히셔 읽어 외지 못ᄒ오니 답답ᄒ여이다 ᄒ고
그 조모 졍씨를 잇그러 왈 이 편지 가지고 어머니 신쳬 압히 가 읽어 들니면
어미 혼빅이라도 감동헐 듯ᄒ외다 ᄒ거늘 졍씨 마지못ᄒ여 낭ᄌ 빙소의
가 편지를 읽으니 긔셔 왈 쥬셔 빅션군은 한 장 글월을 낭ᄌ 좌하의 부치ᄂ
니 그 ᄉ이 양친당 뫼시고 평안ᄒ시며 츈힝 남미도 무양ᄒ니잇가 복은 다힝
이 용문의 올나 일홈이 환노의 현달ᄒ니 쳔은이 망극ᄒ오나 다만 그듸를
이별ᄒ고 쳔리 밧긔 잇셔 ᄉ모ᄒ는 마음 간졀ᄒ도다 욕망이난망ᄒ니 그듸
의 용뫼 눈의 암암 ᄒ고 불ᄉ이ᄌᄉᄒ니 그듸의 셩음이 귀에 징징ᄒ도다
월식이 만졍ᄒ고 두견이 슬피 울 졔 츌문츌문 바라보니 운산은 만즁이요
녹슈는 션화로다 시벽달 찬바람의 외기러기 울고 갈 졔 반가온 낭ᄌ의 소식
을 기다리더니 챵망한 구름 밧긔 소슐한 풍졍쑌이로다 긱챵ᄒ릉의 슬솔이
산낭ᄒ니 운우 양듸의 초목도 소소로다 슬푸다 홍지비릭는 고금 샹시라
낭ᄌ의 화상이 이ᄉ이 날노 변식ᄒ니 무슴 연고 분명 잇시이도다 좌불안셕
식불감미ᄒ고 침불안셕ᄒ니 이 아니 가련ᄒ가

〈13-앞〉

일긱이 여슴취나 환노의 믹인 몸이 뜻과 갓지 못ᄒ도다 비장방의 션쥭장을
어더시면 즉셕 왕닉ᄒ련마는 그억 극난ᄒ니 아모도 홀일업다 바라ᄂ니 낭
ᄌ로다 공방독슉 셜위 말고 안심ᄒ여 지닉시면 몟날 못되어 반가온 셩회을
그 아니 위로ᄒ랴 녹양 츈풍의 ᄒ는 어이 더듸 가노 이내 몸의 두 나릭

업셔 흔이로다 언무진설 무궁ᄒ나 일필난긔 그치ᄂ이다 ᄒ엿더라 정씨 보기을 다ᄒᆫ 후 츈힝을 어루만지며 ᄃᆡ셩통곡 왈 슬푸다 너의 어미을 일코 어이 살고 네 어미 죽은 혼이라도 응당 슬어ᄒ리로다 츈힝이 울며 왈 어머니 아바니 편지 ᄉ연 드르시고 엇지 아모 말슴을 아니ᄒ시ᄂ이가 우리 남ᄆᆡ 살기 실스오니 밧비 다려가소셔 ᄒ며 슬히ᄒ더라 이ᄯᆡ 빅공 부쳬 상의ᄒ여 왈 션군이 나려오면 결단코 죽으려 ᄒ리니 엇지ᄒ면 장찻 조호리오 ᄒ며 탄식ᄒ더니 노즈 복의 이 괴ᄾᆡᆨ을 알고 엿ᄌᆞ오ᄃᆡ 져 지음긔 소상공을 뫼시고 용궁 갓슬 ᄯᆡ의 풍산의촌의 다다라는 쥬류화각의 치운이 영농ᄒ고 지당의 년홰 만발ᄒ고 동산의 모란이 셩게ᄒ여 츈풍을 ᄌᆞ랑ᄒ는 곳의 한 미인이 빅학을 춤츄이ᄆᆡ 그 동ᄂᆡ ᄉᆞ름더러 물른 즉 님진ᄉᆞ ᄃᆡᆨ 규슈라 ᄒ오니

소상공이 흔 번 바라보고 흠모ᄒ물 마지아니ᄒᆞᆺ 비회 주져 ᄒ시다가 도라오시던 비니 그ᄃᆡᆨ과 셩혼ᄒ시면 소상공이 소원을 일우물 깃거 ᄒ여 반다시 슉영낭ᄌᆞ을 이즐가 ᄒᄂ이다 빅공이 ᄃᆡ희 왈 네 말이 가장 올도다 님진ᄉᆞ는 날과 친흔 지가 오린니 닉 말을 괄ᄉᆡ 아니홀 거시오 ᄯᅩ 션군이 입신양명ᄒ여스ᄆᆡ 졍혼ᄒ기 쉬오리라 즉시 발힝ᄒ여 님진ᄉᆞ를 ᄎᆞ져 가니 님진ᄉᆡ 반겨 영졉ᄒ여 헌원을 맛친 후 션군의 득의ᄒ믈 하례ᄒ고 일변 쥬과을 ᄂᆡ여 ᄃᆡ졉ᄒ며 왈 형이 누지의 옹님ᄒ시니 감ᄉᆞᄒ여이다 빅공 왈 형의 말이 글토다 친구 심방이 응당흔 일이늘 누지라 일카르시니 이졔 오ᄆᆡ 불감ᄒ도다 ᄒ고 셔로 우으며 담소ᄒ더니 문득 빅공이 갈오ᄃᆡ 소졔 감히 의논홀 말이 잇스니 능히 용납헐소냐 님진ᄉᆡ 왈 드을만 ᄒ면 드을 거시니 밧비 이르라 빅공 왈 다름 아니라 ᄌᆞ식이 슉영낭ᄌᆞ와 연분을 ᄆᆡᆺ즈 금실지낙이 비할 ᄃᆡ 업셔 ᄌᆞ식 남ᄆᆡ를 두고 ᄌᆞ식이 과거 보라 갓더니 그 ᄉᆞ이 낭지 홀연 득병ᄒ여 모월 모일의 불힝이 죽어스ᄆᆡ 져 죽음도 불상ᄒ기 충냥 업거이와 션군이

ᄂᆞ려와 죽은 줄 알면 반다시 병이 날 듯ᄒᆞ기로 규슈

을 광구ᄒᆞ더니 드르즉 귀퇴의 어진 규쉬 잇다 ᄒᆞ오ᄆᆡ 소세의 무ᄂᆡ 비루ᄒᆞ물 ᄉᆡᆼ각지 아니ᄒᆞ고 감히 나아와 통혼ᄒᆞ오니 형이 물니치지 아닐가 바라ᄂᆞ이다 남진사 쳥파의 침울ᄒᆞ물 이욱히 ᄒᆞ다가 왈 쳔ᄒᆞᆫ 녀식이 잇스나 족히 영낭의 건즐을 밧드림즉지 아니ᄒᆞ고 ᄯᅩ 거년 칠월 망일의 우연히 녕낭과 낭ᄌᆞ을 보ᄆᆡ 월궁 션녀 반도 진상ᄒᆞᆫ 듯ᄒᆞ던 비라 만일 소제 허락ᄒᆞ엿다가 영낭의 마음이 합당치 못ᄒᆞ오면 녀식의 신셰 그 아니 가련ᄒᆞ리오 ᄒᆞ니 빅공이 그러ᄒᆞᆯ ᄂᆡ 업스모로 구지 쳥거ᄂᆞᆯ 남진시 마지못ᄒᆞ여 지삼 당부ᄒᆞ고 허락ᄒᆞᄂᆞᆫ지라 빅공이 불승ᄃᆡ희 왈 금월 망일의 션군이 귀퇴 문젼으로 지늘거시ᄆᆡ 그날 셩녜ᄒᆞᄆᆡ 무방ᄒᆞ다 ᄒᆞ고 하직ᄒᆞᆫ 후 집으로 도라와 부인더러 이 ᄉᆞ연을 젼ᄒᆞ고 즉시 녜물을 갓초와 납치ᄒᆞ고 빅공 부쳬 의논 왈 낭지 죽으물 션군의 모로고 ᄂᆞ려올 거시요 드러와 낭ᄌᆞ의 형상을 보면 그 곡졀을 무울 거시니 무어시라 ᄒᆞ리오 빅공 왈 그 일 ᄇᆞ로 이을 길 업스ᄆᆡ 여ᄎᆞ 여ᄎᆞ ᄂᆞ르미 조토다 ᄒᆞ고 셔로 약속ᄒᆞᆫ 후 션군의 ᄂᆡ려올 ᄂᆞᆯ을 기ᄃᆡ려 풍산촌으로 가려ᄒᆞ더라 각셜 이ᄯᅢ 션군 근친 슈

유을 어더 옥폐의 하직ᄒᆞ고 ᄂᆞ려올 ᄉᆡ 오ᄉᆞ와 그누의 쳥사관ᄃᆡ을 닙고 야ᄃᆡ의 옥홀을 잡고 어ᄉᆞ화을 빗기 곳고 지인 챵부와 이원 풍악 버려 셰고 쳥홍긔를 압셰우고 금안쥰마의 젼후 추종이 옹위ᄒᆞ여 ᄃᆡ로상으로 헌거롭게 ᄂᆞ려오니 도로 관광지 뉘 아니 적적 흠션ᄒᆞ리요 이럿틋 힝ᄒᆞ여 삼ᄉᆞ일 되ᄆᆡ 마음이 ᄌᆞ연 비창ᄒᆞ여 잠간 쥬막의셔 조으더니 문득 낭지 몸의 피을 흘니고 완연히 문을 열고 드러와 쥬셔의 겻ᄒᆡ 안저 이연히 울며 왈 낭군이 입신양명

ᄒ여 영화로히 도라오시니 시하의 즐겁기 층냥 업거니와 첩은 시운이 불ᄒᆡᆼ
ᄒ여 셰상을 바리고 황쳔긱이 되엿는지라 일젼의 낭군의 편지 ᄉ연을 듯ᄉ
온즉 낭군이 첩의게 ᄒᆡᆼᄒ온 마음이 지극ᄒ오나 ᄎ싱연분이 쳔박ᄒ와 발셔
옥명이 헌슈ᄒ여스니 구쳔의 혼빅이라도 지한이 되올지라 그러ᄒ나 첩의
원혼 되온 ᄉ연을 아모조록 신셜ᄒ물 낭군의게 부탁ᄒ나니 바라건ᄃᆡ 낭구
운 소홀이 아지 말고 이 원한을 푸러 쥬시면 죽은 혼빅이라도 졍ᄒ 귀신이
되리이다 ᄒ고 간ᄃᆡ업거늘 션군이 놀나 ᄭᆡ다르니 일신의 규한이 낭ᄌᄒ고
심신이 쉰뉼ᄒ여 진졍치 못ᄒ는지라 아모리 싱각ᄒ여도 그 곡졀을 취탁지
못ᄒᄆᆡ 인마을

직측ᄒ여 □도ᄒ여 여러날 만의 풍산촌의 이르러 숙소을 졍하고 식음을
폐ᄒ여 밤을 안져 기다리더니 문득 하인이 보되 ᄃᆡ샹공이 오시ᄂᆞ이다 ᄒ거
늘 쥬셰 즉시 졈문의 나아가 문후ᄒ고 뫼셔 방으로 드러가 가ᄂᆞ 안부를
못ᄌ오ᄆᆡ 빅공이 쥬져ᄒ며 혼실 무양ᄒ므로 션군의 과거ᄒ며 벼슬ᄒ ᄉ연
을 무러 깃거ᄒ며 이윽히 말ᄒ다가 션군더러 왈 남이 현달ᄒ면 양쳐을 두ᄆᆡ
고금 상시라 내 드르니 이곳 님진ᄉ의 ᄯᆞᆯ이 요조 숙녀다 ᄒ기로 내 이믜
님진ᄉ의게 허락 밧고 납치ᄒ여스니 이왕 이곳의 이르러스ᄆᆡ 명일의 아조
셩녜ᄒ고 집의 도라가ᄆᆡ 합당치 아니랴 ᄒ니 션군은 낭ᄌ 현몽 후로 졍신
장의ᄒ여 심신을 진졍치 못ᄒ 터의 그 부친의 말을 듯고 혀오ᄃᆡ 낭ᄌ의
죽을시 분명ᄒ지라 그런 고로 나을 그이고 님ᄂᆡ을 취켜ᄒ여 나죵을 위로코
져 ᄒᄆᆡ로다 ᄒ고 이의 고왈 이 이 말슴이 지당ᄒ시나 소ᄌ의 마음은 아직
급ᄒ지 아니ᄒ오니 ᄂᆡ두을 보이 졍혼ᄒ여도 늦지 아니ᄒ오니 다시 이르지
마읍소셔 ᄒ거늘 빅공이 그 회심치 아니ᄒᆯ 줄 알고 다시 ᄀᆡ구치 못ᄒ여
밤을 지닐 시 계명의 션군이 인마을 지촉ᄒ여 길의 올나 ᄒᆡᆼᄒᆯ 시 이ᄶ 님진

시 션군이 갓가히 왓스물 알고 션군의 히쳐로 오다가 길에셔 맛나

치하ᄒ여 슈어 슈작ᄒ고 분슈흔 후 빅공을 맛나미 빅공이 션군의 ᄉ연을
일너 왈 ᄉ셰 여ᄎᄒ미 잠간 기다리라 ᄒ고 션군 ᄯ라오니라 ᄎ시 션군이
밧비 힝ᄒ미 하속 등 그 곡졀을 몰나 가장 의아ᄒ는지라 션군이 집의 다다라
졍부인긔 현알ᄒ여 그간 압부 붓잡고 낭ᄌ의 거쳐을 뭇거늘 졍부인 ᄋᄌ의
영화로히 도라오물 도로혀 깃부미 업고 ᄋᄌ의 뭇는 말을 딕답훌 길이 삭막
ᄒ여 쥬져쥬져ᄒ는지라 션군이 더욱 의이ᄒ여 낭ᄌ의 방의 드러간즉 낭지
가슴의 칼을 ᄭᄎ고 누어는지라 션군이 흉결이 막혀 능히 우름을 이루지 못ᄒ
고 젼지도지히 나올 시 츈힝이 동츈을 안고 울며 닉다라 그 부친의 옷ᄌ락을
잡고 왈 아버니 우왜 이졔 왓소 어머니 발셔 죽어 염습도 못ᄒ고 지금 그져
잇스니 ᄎ마 셜워 못살깃소 ᄒ며 잇글고 낭ᄌ 빙소로 드러 가 어머니 그만
이러나오 아ᄇ니 왓소 그리 쥬야로 그리워ᄒ더니 엇지 안연 무심이 누엇소
ᄒ며 슬허 울거늘 션군이 능히 참지 못ᄒ여 일장을 통곡ᄒ다가 급히 졍당의
와 부모긔 그 곡졀을 무르니 빅공이 오열하여 이로딕 너 간 지 오륙일 된
후 일일은 낭ᄌ의 형영이 업기로 우리 부쳬 고이히 여겨 졔 방의 가 본즉
져 모양으로 누엇스미 불승딕경ᄒ여 그

곡졀을 알 길 업셔 헤아리미 이 필연 어인 놈이 션군이 업는 줄 알고 드러가
겁칙하려다가 칼노 낭ᄌ을 질너 죽인가 ᄒ여 칼을 ᄲᅢ히려 ᄒ나 즁인도 능히
ᄲᅢ이지 못ᄒ고 신쳬을 움직일 길 업셔 념습지 못ᄒ고 그져 두이 너을 기다리
미오 네겨 알겨 아니ᄒ문 네 듯고 놀나 병이 날가 념녀ᄒ여 님녀의 셩혼코져
ᄒ품 네 낭ᄌ의 죽으물 알기 젼의 슉녀을 어더 졍을 드리면 낭ᄌ의 죽으물

알지라도 마음을 위로홀가 싱각이 이리 ᄒᆞ미라 너는 모로미라 상치 말고 넘습홀 도리을 싱각ᄒᆞ라 션군이 그 말을 드르미 오시 막연ᄒᆞ여 엇지홀 줄 모로고 심음ᄒᆞ다가 빙소의 드러가 듸셩통곡ᄒᆞ다가 홀연 분긔 듸발ᄒᆞ여 이의 모든 노비을 일시의 결박ᄒᆞ여 안칠싯 미월이도 그 중의 든지라 션군이 ᄉᆞ미을 것고 빙소의 드러가 이불을 혀치고 본즉 낭ᄌᆞ의 용모와 일신이 산ᄉᆞ름 갓트여 조곰도 변ᄒᆞ미 업는지라 션군이 구축 왈 빅션군이 이르러스니 이 칼이 쌘지면 원슈을 갑허 원혼을 위로ᄒᆞ리라 ᄒᆞ고 칼을 쌘히미 그 칼이 문득 쌘지며 그 굼게셔 쳥죄 하나히 나오며 미월일늬 매월일늬 세 번 울고 나라가거늘 그계야 션군이 미월의 소의

줄 알고 불승분노ᄒᆞ여 급히 와당의 나와 형구를 버리고 모든 노복을 ᄎᆞ려로 장문ᄒᆞ니 소범 업는 놈년이야 무슴 말노 승복ᄒᆞ리오 이의 미월을 장문ᄒᆞ나 간악ᄒᆞᆫ 년이 쎌니 직초치 아니ᄒᆞ다가 일빅 장의 이르러는 쳘셕 갓튼 혈육인들 엇지 견듸리요 더욱 후린ᄒᆞ고 유혈이 셩쳔ᄒᆞ는지라 져도 헐릴업셔 긔긔 승복ᄒᆞ며 울며 일으듸 상공이 여ᄎᆞ여ᄎᆞᄒᆞ시기로 소비 맛ᄎᆞ 원통ᄒᆞᆫ 마음이 잇던 ᄎᆞ의 씌를 타 감히 간계를 힝ᄒᆞ미니 동모ᄒᆞ던 놈은 돌이로소이다 ᄒᆞ거늘 션군이 노긔 츙쳔ᄒᆞ여 돌이를 쏘 쟝문ᄒᆞ니 돌이 미월의 금을 밧고 그 지회듸로 횡게ᄒᆞᆫ 밧긔 다른 죄는 업노라 항복하거늘 션군이 이의 칼을 들고 나아가 미월의 목을 베인 후 빅을 가르고 간을 늬여 낭ᄌᆞ의 신쳬 압히 놋코 두어 쥴 졔문 지어 이리 우니 제문에 왈 셩인도 □욱ᄒᆞ고 슉녀도 봉참ᄒᆞᆷ믄 고왕금늬의 비비유지라 ᄒᆞ니 낭ᄌᆞ 갓튼 지원 극통ᄒᆞᆫ 일이 어듸 다시 잇스리오 오회라 도시 션군의 타시니 슈원 슈귀리요 오늘늘 미월의 원슈는 갑히거니와 낭ᄌᆞ의 화용월틱을 듸시 보리오 다만 션군이 죽어 지ᄒᆞ의 가 낭ᄌᆞ을 조츨거시 부모에게

불회되니 나의 쳐지 불ᄒ리로다 ᄒ고 □□□을 맛치미 신체을 어로만지며
일장 통곡흔 후 돌이를 본읍의 보닉여 절도 경비하니라 이ᄶᅵ 빅공 부쳬
션군더러 바로 아르지 안니ᄒ엇다가 일이 이 갓치 탄노ᄒ믈 보고 도로혀
무류ᄒ여 아모 말도 못ᄒ거ᄂᆞᆯ 션군이 형안이셩으로 지삼 위로ᄒ고 엄습
졔구 준비ᄒ여 빙소의 드러가 반염ᄒ리 홀 시 신체 요지 부동이라 홀일업셔
반념을 못ᄒ고 뉴인을 다 물니치고 쳔군이 홀노 빙소의셔 쵹을 밝히고 누어
장우 지탄을 ᄒ다가 어언간 잠을 드러더니 문득 낭지 화복셩식으로 완연히
드러와 션군긔 ᄉ레 왈 낭군의 도량으로 쳡의 원슈을 갑허 쥬시니 그 은혜
결초보은ᄒ여도 오히려 다 갑지 못ᄒ리로다 작일의 옥졔 조회 바드실ᄉᆡ
쳡을 명쵸ᄒ사 ᄶᅮ지져 갈아ᄉᄃᆡ 네 션군과 맛늘 긔한이 잇거늘 능히 참지
못ᄒ고 십년을 견긔ᄒ여 인연을 믹ᄌᆞᆺ는 고로 인간의 ᄂᆞ려가 임의흔 일노
비명횡ᄉᄒ믹니 장찻 누을 원하며 누울 한ᄒ리요 ᄒ시믹 쳡이 ᄉ죄ᄒ엿고
옥졔 명을 어긔은 죄는 만ᄉ무셕이오나 그런 익을 앙ᄒ오믹 죡징이 되옵고

ᄯᅩ 션군이 쳡을 위ᄒ여 죽고져 ᄒ오니 바라건ᄃᆡ 다시 쳡을 셰상의 닉여
보닉ᄉ 션군과 미진흔 인연을 밋게 ᄒ여쥬소셔 쳔만 익걸ᄒ온즉 옥졔게셔
궁측히 여기ᄉ 지신더러 ᄒ교ᄒᄉ 왈 슉영의 죄는 그만ᄒ여도 죡히 징게
될 거시니 다시 인간의 닉여보닉여 미진흔 연분을 잇게 ᄒ라 ᄒ시고 념나왕
의게 하교ᄒᄉ 슉영을 밧비 닉여 보ᄂᆞ라 ᄒ시니 념나왕이 엿ᄌᆞ오ᄃᆡ 하교ᄃᆡ
로 ᄒ오려니와 슉영이 죽어 죄를 속헐 긔한이 못 되여ᄉ오니 잇틀만 지닉오
면 닉여보닉리이다 ᄒ니 옥졔게셔 그리ᄒ라 ᄒ시고 ᄯᅩ 남극셩을 명ᄒᄉ
슈한을 졍ᄒ신즉 남극셩이 팔십을 졍ᄒ여 삼인이 동일 승쳔ᄒ게 하엿기로
쳡이 옥졔게 엿ᄌᆞ오되 션군과 쳡ᄲᅮᆫ이여늘 엇지 삼인이라 ᄒᄂᆞ이고 흔즉

옥졔 말슴이 너의 ᄌ연 삼인이 되리니 천긔을 누셜치 못ᄒ리라 ᄒ시고 셔가
여릐를 명ᄒᄉ ᄌ식 겸지ᄒ라 ᄒ신즉 셔가여릐 삼남을 졍ᄒ여ᄉ오니 낭군
은 아직 과샹치 말고 슈일만 기다리소셔 ᄒ고 간듸업거늘 션군이 씌여 마음
의 가장 창연ᄒ나 그 몽ᄉ을 싱각ᄒ고 □□□□

부ᄒ여 가마니 슈일만 기다리니 익일을 당ᄒ여 션군이 맛춤 밧긔 나갓다가
드러가 본즉 낭ᄌ 도라누이거늘 션군이 놀나 신체을 만져본즉 온긔 완연ᄒ
여 싱기 잇는지라 심중의 듸희ᄒ여 일변 부모을 쳥ᄒ여 삼과을 다려 입에
흘리며 슈족을 쥐무르니 니욱ᄒ여 낭ᄌ 눈을 써 좌우을 돌니보거늘 구고와
션군의 즐거ᄒ믈 엇지 층냥ᄒ리요 잇ᄯ 츈힝이 동츈을 안고 낭ᄌ의 겻히
잇다가 그 ᄉ라나믈 보고 한텬희거ᄒ여 져 셜워ᄒ든 ᄉ연을 다 ᄒ거늘 우
으며 이러 안ᄌ니 일실 샹하 즐겨ᄒ믄 일으로 말고 원근이 이 말을 듯고
다 와 치하ᄒᄆ 이로 슈옥키 어렵더라 이러구러 슈일이 지나ᄆ 잔치 빈셜
ᄒ여 친쳑 빈긱을 원도 업시 다 쳥쳥ᄒ여 즐길시 지인으로 지조보며 창부
로 소릐을 식이ᄆ 풍악소릐 운소의 ᄉ못더라 각셜 이젹의 님진ᄉ 집의셔
슉영 낭ᄌ의 부싱ᄒ믈 듯고 납치을 화퇴ᄒ고 달니 구혼ᄒ려ᄒ더니 쳐지
이 ᄉ연을 듯고 부모긔 고왈 녀직되여 의혼ᄒᄆ 납치을 바다시면 그 집
ᄉ롬이 분명ᄒ지

라 빅싱이 상쳐흔 쥴 알고 부모게셔 허락ᄒ엿더니 그녀 지싱ᄒ여신즉 국법
의 양쳐을 두지 못ᄒᄆ 절혼홀 의ᄉ는 두지 못ᄒ려니와 소녀의 졍진즉 밍셰
코 다른 가문의는 아니 갈 터이오니 그런 말슴은 다시 마옵소셔 ᄒ거늘
님진ᄉ 부쳬 이 말을 드러러 어이 업셔 가치 아닌 쥴노 일으고셔 광구ᄒ더니

그 후의가 한 데 잇셔 의논 분분ᄒᆞ거늘 님소계 듯고 부모기 고왈 이왕의도 고ᄒᆞ엿거니와 혼ᄉᆞ 이럿틋 살난ᄒᆞᆷ은 도시 소녀의 팔ᄌᆡ 그박ᄒᆞ온 연괴라 비록 닉ᄌᆡ라도 일언이 중쳔금이라 집심이 이믜 금셕 갓ᄉᆞ오미 종신토록 부모 슬ᄒᆞ의셔 일싱을 안과ᄒᆞ미 원이여늘 이졔 또 혼ᄉᆞ을 의논ᄒᆞ시니 이는 부모의계 바라는 ᄇᆡ 아니라 부모기 불회될지라도 ᄎᆞ라리 ᄌᆞ쳐ᄒᆞ여 빅싱을 줏고져 ᄒᆞ오니 부모는 혼ᄉᆞ의 일 단명ᄒᆞ소 소네을 일연의 치워두소셔 ᄒᆞ고 ᄉᆞᄀᆡ 밍녈ᄒᆞ거늘 님진ᄉᆞ 부쳬 이 말을 드로미 그 쥬의울 종시 앗지 못ᄒᆞᆯ 줄 알고 다시 의논을 아니ᄒᆞ나 심즁의 ᄌᆞ연 근심이 되는지라 일일은 남진ᄉᆞ 빅공을 □□ 그 ᄌᆞᄇᆡ 깅싱ᄒᆞ을 치하나 ᄒᆞ고 오

리라 ᄒᆞ이 □□ 모라 빅공을 ᄎᆞᄌᆞ가니 빅공이 반겨 마ᄌᆞ 좌정혼 후 님진시 갈오ᄃᆡ ᄌᆞ고로 ᄉᆞᄌᆞ는 불가부싱이라 ᄒᆞ더니 형의 ᄌᆞ부는 깅싱ᄒᆞᆷ은 고금의 희환혼 일이니 형의 복이 거록ᄒᆞᄆᆞᆯ 치하ᄒᆞ거니와 소졔는 산 ᄌᆞ식을 죽이기 쉬오니 가위화복이 부츈이로다 빅공이 놀나 그 연고을 무르니 님진시 여아의 젼후 셜화을 닐닐히 이ᄅᆞ거늘 빅공이 칭찬 왈 아름답도다 규슈의 조슈 져럿틋 ᄒᆞ거늘 우리로 말미아마 일싱 폐인이 될진ᄃᆡ 우리 음덕의 후죄ᄒᆞ미 젹지 아니리니 장차 엇지ᄒᆞ면 조흐리요 이ᄯᆡ 션군이 시츄ᄒᆞ여 슈작ᄒᆞᄆᆞᆯ 다 드러는지라 이의 님진ᄉᆞ을 ᄃᆡ하여 왈 귀 소져의 금옥 갓흔 말ᄉᆞᆷ을 듯ᄉᆞ온 즉 고인이 죡히 붓그럽지 아니ᄒᆞ오나 긔셰 앙난이라 국법의 유쳐취쳐ᄒᆞ는 률이 잇ᄉᆞ오니 의논ᄒᆞᆯ ᄇᆡ 아니오 ᄀᆞᄉᆞ 냥쳐을 두는 법이 잇ᄉᆞ오나 귀 소졔 엇지 질겨 남의 부실이 되고져 ᄒᆞ리잇가 ᄉᆞ셰 이러 ᄒᆞ오미 다만 우리 죄악을 짓고 잇슬 ᄯᅮ름이로소이다 님진시 탄왈 법녜 만일 냥쳐을 둘진ᄃᆡ 부실된들 엇지 ᄉᆞ양ᄒᆞ리오마는 이믜 업는 일을 의논ᄒᆞ여 무엇ᄒᆞ리요 ᄒᆞ고

다른 슈작ᄒ다가 하직ᄒ고 도라가니라 초셜 션군이 낭즈 침실에 드러가 님녀의 셜화을 젼ᄒ여 일ᄏ르니 낭지 아름다이 여겨 왈 져 규쉬 고집이 여일ᄒ여 셰상 졔홀 지경이 될진듸 우리 남의게 젹악이 될지라 싱각컨듸 쉬운 일이 잇스니 낭군은 ᄒ 번 거조ᄒ여 보미 맛당홀가 ᄒᄂ이다 션군이 혼연 왈 무슴 일이뇨 낭지 왈 옥졔게셔 우리 삼인이 동일 승쳔ᄒ리라 ᄒ시던 일인즉 필연 님녀를 응ᄒ미라 이미 쳔졍이 잇스미 엇지 가히 도망ᄒ리요 낭군은 모로미 우리 집 젼후 ᄉ연과 님녀의 시죵 셜화을 미진ᄒ여 쥬상긔 상소ᄒ면 쥬상게셔 반드시 이상이 여기ᄉ 특별히 ᄉ혼ᄒ실 거시니 초 소위 셩인의 권되라 하나혼 국가의 졍졀ᄒ시미요 하ᄂ혼 님녜의 원한을 희셕ᄒ미 되리니 엇지 아름답지 아니리요 ᄒ니 션군이 문득 ᄭ다라 응낙ᄒ고 즉시 치힝ᄒ여 샹경ᄒ여 옥제의 입ᄂᆡ 슉비ᄒ고 슈일 쉬여 낭즈의 ᄉ연과 님녀의 셜화을 일일이 베펴 샹소ᄒ듸 샹이 칭찬 왈 낭즈의 일은 쳔고의 희환ᄒ 비니 졍녈부인 직쳡 쥬라 ᄒ시고 님녀의 졀기 쏘 아름다오니 특

별이 빅션군과 결혼ᄒ라 ᄒ시고 슉녈부인 직쳡을 쥬시니 션군이 ᄉ은 ᄒ고 슈유를 어더 밧비 환가ᄒ이 이 ᄉ연을 남가의 통ᄒ니 진시 희츌망의ᄒ이 튁일 셩녜홀시 신부의 화용월틱 진짓 슉녜라 구가의 도라와 효봉구고ᄒ고 승슌군즈ᄒ며 낭즈로 더브러 시기 샹득ᄒ여 슈유 불니러라 일실이 화락ᄒ여 그릴 것시 업시 셰월을 보ᄂ더니 빅공 부뷔 텬연으로 셰상을 ᄇ리니 싱의 부쳬 인㦤과녜ᄒ여 션산의 안장ᄒ고 싱이 시묘ᄒ니라 니러구러 광음이 홀홀ᄒ여 졍녈은 ᄉ남일녀 싱ᄒ고 슉녈은 삼남일녀 싱ᄒ니 다 부풍모습ᄒ여 긔긔 옥인군지요 현녀슉완이라 남가여혼ᄒ여 즈손이 션션ᄒ고 가셰 요부ᄒ여 만셕군 일홈을 엇고 복녹이 무흠ᄒ더니 일일은 듸연을 비셜ᄒ여

즈녀 부손을 다리고 삼일을 즐기더니 홀연 상운이 스면으로 둘너드러오며
룡의 소릐 진동ᄒᆞ는 곳의 일위 션관이 나려와 불너 왈 션군이 인간 즈미
엇더ᄒᆞ뇨 그듸의 삼인이 샹쳔ᄒᆞᆯ 긔약이 오날이니 밧비 가즈ᄒᆞ거늘 션군
삼인이 일시의 샹쳔ᄒᆞ니 힝년이 팔십이라 즈녀 등이 공중을 바라고 벽용□
□ᄒᆞ고 션산의 안쟝ᄒᆞ니라

셔 명샹젼 단

슉영낭ᄌ젼 단(국립중앙도서관 16장본)

　　〈슉영낭ᄌ젼 단〉은 16장(31면)으로 이루어진 작품으로, 한남서림에서 1920년에 경판 16장본을 영인하였다. 한 면에 15줄, 한 줄에 23~25자 내외의 글자로 인쇄되어 있으며, 표지 안팎과 판권지가 명확히 확인된다. 표제는 〈淑英娘子傳〉이고, 내제는 〈슉영낭ᄌ젼단〉이다. 시대 배경은 세종조이며, 경판 28장본, 20장본과 내용이 대동소이하다. 영인 상태가 좋아서, 훼손되고 낙장이 많은 여타 경판 이본들의 문면(文面)을 재구(再構)하는 데에 도움이 된다. 다만 이 이본은 어휘, 문장 등 문면의 축약이 심해서 선본(善本)으로 다루기에 어려운 점이 있다. 현재 전하는 경판 숙영낭자전 이본들 가운데 가장 장수(張數)가 적고 후행(後行)한 이본으로 평가된다.

출처: 국립중앙도서관, 『고서목록』 1, 1970(古朝 48-59)

〈3〉

슉영낭ᄌ젼 단

화셜 세종조 ᄢᅵ의 경상도 안동 ᄯᅡ히 한 션비 잇스되 셩은 빅이요 명은 상곤이라 부인 졍씨로 더부러 동쥬 이십여 년의 일기 조속이 업셔 쥬야 슬허ᄒᆞ더니 명산ᄃᆡ찰의 기도ᄒᆞᆫ 후 긔몽을 엇고 일ᄌᆞ를 싱ᄒᆞ여 졈졈 ᄌᆞ라ᄆᆡ 용뫼 쥰슈ᄒᆞ고 셩되 온유ᄒᆞ며 문필이 유여ᄒᆞᆫ지라 그 부뫼 쳔금 갓치 ᄋᆡ지즁지ᄒᆞ여 일홈을 션군이라 ᄒᆞ고 그와 갓튼 비필를 어더 슬하의 ᄌᆡ미를 보고져 ᄒᆞ여 널니 구ᄒᆞ되 의합ᄒᆞᆫ 곳이 업셔 ᄆᆡ양 근심ᄒᆞ더니 이ᄯᆡ는 션군의 나히 이팔이라 츈일을 당ᄒᆞ여 셔당의셔 글 읽더니 ᄌᆞ연 몸이 곤뇌ᄒᆞ여 궤을 지여 조을 ᄉᆡ 문득 녹의홍상ᄒᆞᆫ 낭ᄌᆞ 문을 열고 드러와 직ᄇᆡᄒᆞ고 겻히 안지며 갈오되 그ᄃᆡ는 나을 몰나보시ᄂᆞ니가 ᄂᆡ 이졔 오믄 다름 아니라 과연 텬상연분이 잇기로 ᄎᆞ져 왓나이다 션군이 갈오되 나는 인간 속ᄀᆡᆨ이요 그ᄃᆡ는 텬샹 션녀여늘 엇지 연분 잇다 ᄒᆞᄂᆞ요 낭ᄌᆡ 갈오되 낭군이 본ᄃᆡ 하늘의 비 맛튼 션관으로 비 그릇 쥰 죄로 인간의 ᄂᆞ려 왓스오니 일후 ᄌᆞ연 상봉홀 ᄯᅢ 잇스리이다 ᄒᆞ고 문득 간ᄃᆡ업

〈4〉

거늘 션군이 기이 녀겨 ᄭᆡ다르니 남가일몽이요 이향이 방즁의 옹위ᄒᆞᆫ지라 그늘붓터 낭ᄌᆞ의 고은 양ᄌᆞ 눈의 분명ᄒᆞ고 맑은 소ᄅᆡ 귀의 졍녕ᄒᆞ여 욕망이 난망이요 불ᄉᆞ이ᄌᆞ시라 무어슬 일흔 듯 여취여광ᄒᆞ여 인ᄒᆞ여 용뫼 초췌ᄒᆞ고 긔식이 엄엄ᄒᆞ거늘 부뫼 우려ᄒᆞ여 문왈 네 병근 심상치 아니ᄒᆞ니 무슨 소회 잇거든 바로 이르라 션군 왈 별노 소회 업스오나 ᄌᆞ연 심긔 불평허무로 그러ᄒᆞ오니 부모는 괴렴 마옵소셔 ᄒᆞ고 셔당으로 물너와 고요이 누어 낭ᄌᆞ만 싱각ᄒᆞ고 만ᄉᆞ 무심이러니 문득 낭ᄌᆡ 압히 와 안지며 위로 왈 낭군이 날노 말ᄆᆡ아마 져럿툿 셩병ᄒᆞ여스니 쳡의 마음이 미안ᄒᆞ고 가셰 ᄯᅩ한 빈한

ㅎ민 근심되는 고로 첩의 화상과 금동자 한 쌍을 가져왓사오니 이 화상은
낭군 침실의 두어 밤이면 안고 즈고 나지면 병풍의 거려두시고 심회을 풀게
ㅎ소셔 ㅎ거늘 션군이 반겨 그 손을 잡고 말ㅎ고져 홀 즈음의 문득 간듸업고
씌여 본즉 화상과 동즈 겻희 노여거늘 션군이 그이 여기며 금동즈는 상
우희

5

안치고 화상은 병풍의 거려두고 쥬야 십이시로 상듸ㅎ는지라 각도 각읍
스름이 이 소문을 듯고 일으되 빅션군의 집의 긔이훈 보비 잇다 ㅎ고 각각
치단을 갓초와 가지고 닷토와 구경ㅎ니 그러ㅎ므로 가셰 점점 요부ㅎ느
션군은 일거월져의 싱각느니 오직 낭지라 가련타 병입골수ㅎ여스니 뉘라
셔 살녀닐고 이젹의 낭지 싱각ㅎ민 져 션군이 져 갓치 심어ㅎ니 안연부동
헐길 업다 ㅎ고 션군의게 현몽ㅎ여 왈 낭군이 첩을 싱각ㅎ여 셩병ㅎ여스니
첩이 가장 감격ㅎ온지라 낭군 듸 시녀 미월이 가히 건즐 소임을 감당홀
거시민 아직 방슈를 졍ㅎ여 젹막훈 심회을 위로ㅎ소셔 ㅎ거늘 션군이 씌다
르니 침상 일몽이라 마지못ㅎ여 미월을 불너 잉첩을 샴아 져기 울회을 소창
ㅎ느 일편단심이 낭즈의게만 잇는지라 월명공산의 잔나비 수파람ㅎ고 두
견이 불여귀라 슬피울 졔 장부의 샹스ㅎ는 간장 구븨구븨 다 스는도다 니럿
툿 달이 가고 날이 오민 쥬야 스모ㅎ는 병이 고황의

든지라 그 부뫼 션군의 병셰 점점 깁허 가물 보고 우황 초조ㅎ여 빅 가지
문복과 쳔 가지의 약의 아니 밋츤 곳이 업스나 맛춤늬 츠회 업스민 다만
눈물노 소일 ㅎ더라 츠시 낭지 싱각ㅎ민 낭군의 병이 빅약이 무효ㅎ니 젼싱
연분이 즁허나 속졀업시 되리로다 ㅎ고 이의 션군의게 현몽ㅎ여 왈 우리

단취 긔약이 머러기로 아직 각쳐ᄒᆞ엿더니 낭군이 져럿툿 뇌심초ᄉᆞᄒᆞᄆᆡ 쳡심이 편치 못ᄒᆞᆫ지라 낭군이 쳡을 셩이 보고져 ᄒᆞ거든 옥년동으로 차져오소셔 ᄒᆞ고 가거늘 션군이 ᄭᆡ여 싱각ᄒᆞᄆᆡ 졍신이 황홀ᄒᆞ여 힝홀 부을 아지 못홀지라 이의 부모긔 엿ᄌᆞ오ᄃᆡ 근일 희이 심긔 울젹ᄒᆞ와 침식불감ᄒᆞ오ᄆᆡ 명산ᄃᆡ쳔의 유람ᄒᆞ와 슈회을 소창코져 ᄒᆞ온지라 옥년동은 산쳔경긔 졀승ᄒᆞ다 ᄒᆞ오니 슈삼일 허비ᄒᆞ여 한번 구경ᄒᆞ고 도라오고져 ᄒᆞ나이다 부뫼 ᄃᆡ경 왈 네 실셩ᄒᆞ여도다 져럿툿 셩치 못ᄒᆞᆫ ᄉᆞ름이 엇지 문밧글 나리요 ᄒᆞ며 붓들고 노치 아니 ᄒᆞ거늘 션군이 ᄉᆞ미을 썰치고 ᄂᆡ닷거늘 부뫼 허일 업셔 ᄂᆡ여보ᄂᆡ는지라 션군이 인모ᄒᆞ

<7>

년 동으로 힝하여 갈 ᄉᆡ 갈ᄉᆞ록 옥년동을 춧지 못ᄒᆞᄆᆡ 민울ᄒᆞᆫ 마음을 니기지 못ᄒᆞ여 하늘긔 축원하여 왈 소소ᄒᆞᆫ 명쳔은 이 경샹을 구버ᅟᅵᆸ피소서 옥년동 잇는 곳을 인도ᄒᆞ여이다 ᄒᆞ고 졈졈 나아가더니 한 곳의 다다라ᄂᆞ 사양 지산ᄒᆞ고 셕죄투림이라 산은 쳡쳡 쳔봉 옥슈ᄂᆞ 진진빅곡이라 ᄃᆡ당의 년해 만발ᄒᆞ고 심곡의 요란이 셩개라 화간졉무ᄂᆞ 분분셜이오 뉴샹잉비ᄂᆞ 편편금이라 충암졀벽간의 폭포슈ᄂᆞ 하슈을 취여ᄃᆡᆫ 듯 명ᄉᆞ 쳥계샹의 돌다리ᄂᆞ 오작교와 방불ᄒᆞ다 좌우고면ᄒᆞ며 들어가니 별유텬지 비인간이라 션군이 이갓튼 풍경을 보ᄆᆡ 심신이 샹쾌ᄒᆞ여 우화이등션 ᄒᆞᆫ 듯 희긔 자연 산용슈출ᄒᆞ여 횡심일경 드러가니 쥬란화각이 의의표 못ᄒᆞ고 분벽ᄉᆞ창은 환연 조요ᄒᆞᆫ 곳의 금ᄌᆞ로 현판의 ᄡᅵ이되 옥년동이라 ᄒᆞ여거늘 션군이 불승ᄃᆡ희ᄒᆞ여 부로 당상의 올나가니 한 동ᄌᆡ 피셕 왈 그ᄃᆡᄂᆞ 엇던 속긱이완ᄃᆡ 감히 션경을 범ᄒᆞ엿ᄂᆞ요 션군이 공슌이 답왈 나ᄂᆞ 유산긱으로셔

산쳔풍광을 탕ㅎ여 길을 일코 그릇 션경을 범ㅎ여스니 션낭은 용셔ㅎ소셔 낭직 졍식 왈 그듸는 몸을 앗기거든 속히 나가라 더듸지 말나 션군이 이 말을 드르미 의시 삭막ㅎ여 혜오듸 이쪅을 어긔오면 다시 만ᄂ기 어려오미 다시 슈작ㅎ여 그 ᄉ긔을 탐지ㅎ여 보리라 ㅎ고 졈졈 나아가 안지며 갈오듸 낭ᄌ는 엇지 보고 이듸지 괄시ㅎᄂᆫ뇨 낭직 쳥이불문ㅎ고 방으로 드러가며 문을 닷거늘 션군이 무연 쥬져ㅎ다가 홀길업셔 하직ㅎ고 층게의 ᄂ려셔거 늘 낭직 그졔야 운면화안을 화히ㅎ고 화란을 빗겨셔셔 단슌호치을 밧기ㅎ 고 종용히 불너 왈 낭군은 가지 말고 내 말솜 들으소셔 낭군은 종시 지식이 업도다 아모리 쳔졍연분이 잇슨들 엇지 일언의 허락ㅎ리오 ㅎ고 오르기을 쳥ㅎ거늘 션군이 그 말을 드르미 깃부물 이긔지 못ㅎ여 급히 당상의 올나 좌졍흔 후 흔 번 ᄇ라보미 용모는 부샹명이 두려시 볏공의 걸녓는 듯 틱도는 근분 모란이 흡연히 조로을 쯰엿는 듯 볏싼 아미는 츈산의 빗겻는 듯 냥긔 셩모는 츄화

의 잠겻는 듯 셤셤 셰요는 츈풍의 양위 휘듯는 듯 쳡쳡 츄슌은 잉뫼단ᄉ를 먹음은 듯ㅎ니 쳔고무빵이요 츠셰의 독보ㅎ지라 마음의 황홀난측ㅎ여 혜 오듸 오늘늘 이 갓튼 셔아을 듸ㅎ미 이졔 죽어도 다시 한이 업스리로다 ㅎ고 그리던 졍회 셜화ㅎ니 낭직 갈오듸 쳡 갓튼 아녀ᄌ을 ᄉ렴ㅎ여 병을 일우니 엇지 장뷔라 칭ㅎ리요 그러나 우리 맛늘 긔한이 삼년이 격ㅎ여스니 그쪅 쳥조로 미파을 보고 샹봉으로 뉵녜을 미ᄌ 빅년동낙ㅎ려니와 만일 이졔 몸을 허흔즉 텬긔누셜ㅎ미 되리니 낭군은 아직 안심ㅎ여 쯱을 기듸리 소셔 션군이 갈오듸 일긱이 여삼취라 ㅎ니 삼년을 엇지 고듸ㅎ리요 내 이졔 그져 도라가면 잔병이 조셕의 이스리니 늬 몸이 죽어 황쳔긱이 되면 낭ᄌ의

일신인들 엇지 온젼ᄒ리요 낭ᄌ는 나의 졍셰을 싱각ᄒ여 불이 든 나부와 그물의 결닌 고기을 구ᄒ라 ᄒ며 만단이걸ᄒ니 여ᄎ 그 형상을 보믹 오히려 가궁ᄒ지라 훌일업셔 마음을 일루혀믹 옥안의 화식이 무루 녹은지라 션군 이 그 옥슈를 잡고

〈10〉

침니의 나아가 운우지낙을 닐우니 그 견젼 졍을 이로 츙양치 못훌너라 이의 낭ᄌ 갈오딕 이계는 쳡의 몸이 부졍ᄒ여 엇지 곳의 머무지 못훌지니 낭군과 흔가지로 가리라 ᄒ고 쳥파의 잇그러닉여 옥년곳의 올나 안고 션군이 비힝 하여 집의 드러온니 ᄌ연 츄종이 만터라 이젹의 빅공 부뷔 션군을 닉여보닉고 넘예노이지 아니하여 ᄉ름을 노허 그 종젹을 ᄎᄌ나 옥년동 잇는 션군을 엇지 알니요 놀이 밝으믹 션군이 일 미인을 다리고 드러와 부모 젼의 현알ᄒ거늘 그 부뫼 곡졀를 몰나 ᄌ시 무르니 션군 젼후 ᄉ연을 고ᄒ는지라 그 부뫼 깃거 ᄒ여 낭ᄌ를 솗펴보니 화려흔 용뫼와 아릿싸온 ᄌ질이 다시 인간 의는 업는 빅라 겨유 공경긕딕ᄒ고 쳐소을 동별당의 졍ᄒ여 금슬지낙을 이을시 션군이 낭ᄌ로 더부러 슈유불니ᄒ고 학업을 젼폐ᄒ니 빅공이 민망히 녀기ᄂ 본딕 귀흔 ᄌ식인 고로 지이부지ᄒ고 바려 두더라 니럿틋 셰월 여류ᄒ여 이믜 팔년 된지라 ᄌ식 남믹을 두어ᄉ되 쏠의 일홈은 츈힝이니 나히 팔셰라 위

〈11〉

인이 영오총민ᄒ고 아들 일홈은 동츈이니 나히 삼셰라 년ᄒ여 부풍모습ᄒ믹 가닉 화낙ᄒ여 다시 그릴 거시 업는지라 이에 동산에 졍ᄌ을 짓고 화조월 셕의 냥인이 산졍의 왕닉ᄒ며 칠현금을 희롱ᄒ고 노릭로 화답ᄒ여 셔로 질기며 비회고면ᄒ여 쳥홍이 도도훌시 그 부뫼 보고 두굿게 왈 너의 두

ᄉᆞ름은 천샹연분이 젹실ᄒᆞ도다 ᄒᆞ고 션군을 불너 일오ᄃᆡ 이번의 알셩과 뵌다ᄒᆞ니 너도 올나가 과거을 보아 요ᄒᆡᆼ 참방ᄒᆞ면 네 부모 영화롭고 조상을 빗ᄂᆡ미 아니되랴 ᄒᆞ며 길를 지촉ᄒᆞ니 션군 왈 우리 젼답이 슈쳔 셕직이요 노비 쳔여 귀라 심지지소락과 어목지소호을 임의ᄃᆡ로 훌터이여늘 무슴 부족ᄒᆞ미잇셔 ᄯᅩ 급졔을 바라리잇고 만일 집을 ᄯᅥ나오면 낭ᄌᆞ로 더브러 슈삭 이별이 되가시오니 ᄉᆞ졍이 졀박ᄒᆞ여이다 ᄒᆞ고 동별당의 이르러 낭ᄌᆞ다러 부친과 문답ᄒᆞ던 말을 젼ᄒᆞ니 낭지 념용 ᄃᆡ왈 낭군의 말이 그르도다 셰샹 나미 입신양명ᄒᆞ여 부뫼긔 영화뵈미 쟝부의 ᄶᅥᆺᄶᅥᆺᄒᆞᆫ 비여늘 이졔 낭군이 규즁 쳐ᄌᆞ를 젼연ᄒᆞ여 남아이 당당ᄒᆞᆫ 일 폐코져 ᄒᆞ면 부모의게 불회될 ᄲᅳᆫ더러 과인의 ᄭᅮ지람이 죵시 넙의게 도라올지니 ᄇᆞ라건ᄃᆡ 낭군은 지삼 싱각ᄒᆞ여 과ᄒᆡᆼ을 밧비 ᄎᆞ려 남의 우음을 취치 마르소셔 ᄒᆞ고 반견을 쥰비ᄒᆞ여 쥬며 왈 낭군이 금번 과거을 못ᄒᆞ고 도라오면 쳡이 ᄉᆞ지 못ᄒᆞ리니 낭

〈12〉

군은 조금도 괘렴 말고 발ᄒᆡᆼᄒᆞ소셔 ᄒᆞ거늘 션군이 그 말을 드르ᄆᆡ 언언이 졀당ᄒᆞᆫ지라 마지못ᄒᆞ여 부모긔 하직ᄒᆞ여 낭ᄌᆞ를 도라보아 왈 군ᄃᆡ 부모을 극진히 봉양ᄒᆞ며 어린 ᄌᆞ녀을 잘 보호ᄒᆞ여 나 도라오기을 기다리라 ᄒᆞ고 ᄯᅥ날 ᄉᆡ 흔 거름 도라셔고 두 거름의 도라보니 낭지 중문의 나와 원노의 보즁하믈 지삼 당부ᄒᆞ며 비회을 금치 못ᄒᆞ거늘 션군이 ᄯᅩ한 슈심이 면면안ᄒᆞ여 겨우 길의 올나 죵일도록 삼십 니을 갓ᄂᆞᆫ지라 슉소을 졍ᄒᆞ고 셕반을 바드ᄆᆡ 오직 낭ᄌᆞ을 싱각ᄒᆞ여 음식이 다지 아니ᄒᆞ니 부득이 상을 물니거늘 하인이 민망이 녀겨 갈오ᄃᆡ 식ᄉᆞ을 져럿툿 녕냑 ᄒᆞ시고 쳔니 원졍을 득달ᄒᆞ시려 ᄒᆞᄂᆞ잇가 션군 왈 ᄌᆞ연 그러ᄒᆞ여라 ᄒᆞ고 젹막ᄒᆞᆫ 긱관의 홀노 심신 슈란ᄒᆞ여 낭ᄌᆞ의 일신이 겻히 안졋는 듯 여견물져이요 소ᄅᆡ 들니는 듯 ᄉᆞ쳥 불쳥이라 여죄졈견ᄒᆞ여 마음을 졍치 못ᄒᆞᆫ지라 이경 말 삼경 초의 신발을

둘메고 집의 도라와 단장을 너머 낭ᄌ의 방의 들어가니 낭ᄌ 뒤경 왈 이 일이 엇지흔 일이니잇가 오날 길을 힝치 아니ᄒ나이가 션군 왈 금일 힝하여 겨우 삼십 니 가 슉소을 정ᄒ고 다만 싱각ᄂ니 그듸 ᄲᅢᆫ이라 쳡쳡 비회를 금치 못ᄒ여 음식을 전폐ᄒ믹 힝여 노즁의셔 병이 될

〈13〉

가 염녀되여 그듸로 더부러 심회 풀고 ᄒ여 왓노라 ᄒ고 낭ᄌ의 손을 잇그러 원낭금니의 나아가 밤이 밧도록 정회을 푸는지라 이젹의 빅공이 션군을 경셩의 보닉고 집안의 도젹을 ᄉᆞᆯ피려 ᄒ고 쳥녀장을 집고 단장 안으로 단녀 동별당의 다다라는 낭ᄌ의 방의 남ᄌ의 소릭 은은이 들니거늘 빅공이 이윽 히 듯다가 가마니 혀오듸 낭ᄌ의 빙옥지심과 승빅지졀노 엇지 외간 남ᄌ을 ᄉᆞ통ᄒ여 음힝지ᄉᆞ를 감닙ᄒ리오 그러ᄒᄂ 셰샹ᄉᆞ을 이루 측냥치 못ᄒ리 라 ᄒ고 가마니 ᄉᆞ창 압히 나아가 귀을 기우려 드른즉 낭지 이윽히 말허다가 갈오듸 싀부계셔 박긔 와 게신가시보니 낭군은 몸을 침금의 감츄소셔 ᄒ며 다시 아희을 달닉여 왈 너희 아바니는 장원급졔ᄒ여 영홰로이 도라오는이 라 ᄒ고 아희을 어루만지거늘 빅공이 크게 의심ᄒ고 급히 침소로 도라오니 라 이ᄯᅥ 낭지 빅공의 엿듯는 양을 발셔 아러는지라 션군더러 이로듸 시아바 니겨셔 창밧긔 엿듯고 가 계시니 낭군 온 줄 아라계실지라 낭군은 쳡을 유념치 마르시고 경셩의 올너가 셩불셩불게 ᄒ고 과거를 보아 부모의 바라 신 마음을 져바리지 마르시고 쳡으로 ᄒ여금 불민흔 시비을 면케ᄒ소셔 싱각건듸 낭군이 쳡을 ᄉᆞ렴

〈14〉

ᄒ여 여러 번 왕닉홀 졔 지 만ᄒ니 만일 그러홀진듸 쟝부의 도리 아니요 ᄯᅩ 부뫼 아르시면 결단코 쳡이 죄을 당홀 듯 ᄒ오니 낭군은 젼후 ᄉᆞ리을

헤아려스 속히 샹경ᄒ소셔 ᄒ며 길을 직촉ᄒ니 션군이 드르ᄆᆡ 말이 다 합당
ᄒᆫ지라 이의 작별ᄒ고 그 숙소로 도라오니 하인이 아직 잠을 ᄭᆡ지 아니
ᄒ여더라 이튼날 길의 올나 겨우 오십 니 가 숙소을 졍ᄒ고 월명긱창의
젹막히 안져스ᄆᆡ 낭ᄌᆞ의 형용이 안젼의 삼삼ᄒ여 잠을 일우지 못ᄒ고 쳔만
가지로 싱각ᄒ여도 울결ᄒᆫ 마음을 것잡지 못ᄒ여 이의 표연이 집의 도라와
낭ᄌᆞ의 방의 드러가니 낭지 놀나 갈오ᄃᆡ 낭군이 쳡의 간ᄒᆞ믈 듯지 아니
ᄒ시고 이럿틋 왕ᄂᆡᄒ시다가 쳔금 귀체 긱즁의셔 병을 어드면 엇지ᄒ려
ᄒ신잇가 낭군이 만일 쳡을 잇지 못ᄒ시거는 후일 쳡이 낭군 숙소로 차져가
리이다 션군 왈 그ᄃᆡ는 규즁녀지라 엇지 도로 힝역을 임의로 ᄒ리오 낭지
ᄒᆞᆯ일업셔 강잉 ᄃᆡ왈 회포나 푸스이다 ᄒ고 또 화상을 쥬며 왈 이 화상은
쳡의 용뫼오니 힝즁의 두어다가 만일 빗치 변ᄒ거든 쳡이 편치 못ᄒᆫ 줄
아옵소셔 ᄒ며 ᄉᆡ로 이별ᄒᆞᆯ ᄉᆡ 잇ᄶᆡ 빅공이 마음의 고이히 너겨 다시 동별당
의 가 귀을 기우려 드른즉 또 남ᄌᆞ의 슈쟉ᄒᆞ는 소ᄅᆡ 분명ᄒᆞᆫ지라 빅공이
혀오ᄃᆡ 고이ᄒ고 고이ᄒ

<15>

도다 ᄂᆡ집이 장원이 놉고 상하 이목이 번다ᄒᆞᄆᆡ 외인이 간ᄃᆡ로 출입을 못
ᄒ거늘 엇지 슈일을 두고 낭ᄌᆞ의 방의셔 남ᄌᆞ의 소ᄅᆡᄂᆞ니 반다시 흉악ᄒᆫ
놈이 잇셔 낭ᄌᆞ로 통간ᄒᆞ미로다 ᄒ고 처소로 도라가 ᄌᆞ탄 왈 낭ᄌᆞ의 졍결노
이런 힝실을 ᄒ니 일로 볼진ᄃᆡ 옥셕을 분간키 어렵도다 ᄒ며 의혹 만단의유
예 미결이라 이의 부인 불너 이 ᄉᆞ연을 일너 왈 그 진가을 아지 못ᄒ고
의외 만일 불미지ᄉᆞ잇소면 장찻 엇지ᄒ리요 부인 왈 상공은 잘못 드러계시
도라 현부의 힝실은 빅옥 갓튀여 그러ᄒᆞᆯ 니 업스ᄆᆡ 다시 부졍ᄒᆫ 말 마르소셔
빅공 왈 나도 져의 일을 알기로 의아 즁의 잇ᄂᆞ니 ᄃᆡ져 져을 불너 ᄎᆡ문ᄒ여
그 ᄉᆞ긔을 ᄉᆞᆲ펴보ᄉᆞ이다 ᄒ고 낭ᄌᆞ을 불너 문왈 이스이 집안이 젹뇨ᄒᆞᄆᆡ

도젹을 살피랴 ᄒᆞ고 집안을 두루 도라 네 방의 간즉 방 중의셔 남아의 음셩
이 은은히 들니미 내 가장 고이히 여겨 도라와 싱각ᄒᆞ니 그러홀 니 만무ᄒᆞᆫ
고로 그 잇튼날 ᄯᅩ 가셔 드른 즉 역여시 남ᄌᆞ의 소릭 낭ᄌᆞᄒᆞ니 이 아니
고이ᄒᆞ냐 ᄉᆞᆼ간 종실직고ᄒᆞ라 낭지 변식 되왈 밤이 오면 츈힝 동츈을 다리
고 미월노 더부러 말슴ᄒᆞ엿거니와 엇지 외간 남지 잇셔 말슴ᄒᆞ여ᄉᆞ오리잇
가 이는 쳔만의외 말슴이니이다 ᄒᆞ거늘 빅공이 드르미 마음을 젹의 노ᄒᆞ나
일이 고이ᄒᆞ여 미월을 즉시 불너 문왈 네가 이 ᄉᆞ

<16>

이 낭ᄌᆞ 방의 가 ᄌᆞ나냐 미월이 엿ᄌᆞ오되 요ᄉᆞ이 소인의 몸이 곤ᄒᆞ기로
낭ᄌᆞ 방의 가지 못ᄒᆞ여ᄂᆞ이다 빅공이 쳥파의 더욱 슈샹이 넉여 미월을 ᄭᅮ지
져 갈오되 이ᄉᆞ이 고이ᄒᆞᆫ 일 잇기로 놀나 고이희 녀겨 낭ᄌᆞ 더러 므른즉
널노 더브러 한 가지로 ᄌᆞ며 슈작ᄒᆞ엿다 ᄒᆞ고 너는 가지 아니ᄒᆞ엿다 ᄒᆞ니
두 말이 갓지 아니미 낭자의 외인과 ᄉᆞ통ᄒᆞ미 젹실ᄒᆞ니 너는 모로미 착실이
ᄉᆞᆲ펴 그 왕ᄂᆡᄒᆞ는 놈을 잡아 고ᄒᆞ라 ᄒᆞ니 미월이 슈명ᄒᆞ고 아모리 쥬야
상직ᄒᆞᆫ들 그름ᄌᆞ도 업는 도젹을 잡으리요 이는 불졀 업시 미월노 ᄒᆞ여곰
간긔을 발뵈게 ᄒᆞ는 증죄라 미월이 이의 싱각ᄒᆞ되 소상공이 낭ᄌᆞ로 더브러
작빈ᄒᆞᆫ 후로 지우금 나을 도라보지 아이ᄒᆞ니 엇지 이달지 아니ᄒᆞ리오 이ᄯᅢ
를 타 낭ᄌᆞ을 오미하면 가히 나의 젹원을 셜ᄒᆞ리라 ᄒᆞ고 금은 슈쳔 냥을
도젹ᄒᆞ여 가지고 져의 동뉴을 모화 의논ᄒᆞ여 갈오되 금은 슈쳔 냥을 줄
거시니 뉘 ᄂᆞ를 위ᄒᆞ여 능히 묘게을 힝홀고 그 중의 한 놈이 잇스되 일홈은
돌이니 본딕 셩졍이 흉완ᄒᆞ고 호방ᄒᆞᆫ 놈이라 이 말를 듯고 직물을 탐ᄒᆞ여
쾌연이 응낙ᄒᆞ고 니닷거늘 미월이 깃거ᄒᆞ여 돌이을 잇글고 종용ᄒᆞᆫ 모으로
가셔 일오되 닉 ᄉᆞ졍이 다름 아니라 우리 소상

공이 나를 방슈로 부리더니 낭즈로 더브러 작비흔 후로 장춧 팔년이 되도록
한 번도 도라 보는 비 업스니 나의 마음이 엇지 분연치 아니ᄒ리오 이런
고로 낭즈을 히ᄒ여 셜치코져 ᄒᄂ니 그딕는 나의 말을 어긔오지 말나 ᄒ고
이날 밤의 돌이을 다리고 동별당 문밧긔 셰우고 이로딕 그딕는 여긔 잇스면
닉 샹공 쳐소의 드러가 여ᄎ여ᄎ하면 샹공이 필연 분노ᄒ여 그딕을 잡으려
흘 거시니 그딕는 거짓 낭즈의 방으로셔 나오는 쳬ᄒ고 문을 열고 다라나되
소흘이 말나 ᄒ고 급히 상공 쳐소의 가 고ᄒ되 샹공이 소인으로 하여곰
동별당을 슈직ᄒ라 ᄒ시미 분부 뫼옵고 밤마다 삷피옵더니 과연 오날밤의
보온즉 엇던 놈이 드러가 낭즈로 더브러 희롱 낭즈ᄒ옵시기 소인이 가마니
듯ᄉ오니 낭직 그놈더러 하옵기을 소상공 오시거든 쥭이고 직물을 도적하
여 가지고 한가지로 ᄉ즈 ᄒ옵기 소인이 듯고 불승분히ᄒ와 밧비 와 고ᄒᄂ
이다 ᄒ거늘 상공이 이 말을 듯고 분긔딕발ᄒ여 칼을 가져 문을 열고 닉다르
니 과연 엇던 놈이 문득 낭즈의 방으로셔 문을 열고 쒸어 닉다라 단쟝을
너머 도망ᄒ거늘 빅공이 불승분노ᄒ여 쳐소로 도라와 밤을 안져 기딕려
원촌의 계명셩

이 들니미 이의 비복 등을 불너 좌우의 셰우고 ᄎ려로 엄문ᄒ여 왈 내 집이
장원이 놉고 외인이 임의로 출입을 못ᄒᄂ지라 너의 놈 중의 어늬 놈이
감이 낭즈와 ᄉ통ᄒᄂ지라 종실직초ᄒ라 ᄒ며 낭즈을 잡아오라 ᄒ니 민월
먼져 닉다라 동별당의 시문을 열고 소릭을 크게 질너 왈 낭즈는 무슴 잠을
깁히 드럿ᄂ이가 지금 샹공게셔 낭즈을 잡아오라 ᄒ시니 밧비 가ᄉ이다
ᄒ니 낭직 놀나며 문왈 이 심야의 엇지흔 일노 이리 요란이구ᄂ뇨 ᄒ며
문을 열고 보미 비복 등이 문밧긔 가득 ᄒ엿거늘 낭직 다시 문왈 무슴 일이

잇느냐 노복이 디왈 낭즈는 엇던 놈과 통간ᄒ다가 이미흔 우리 등을 중히
슈장ᄒ게 ᄒᄂ이잇가 무죄흔 우리 등을 쑤지람 들니지 말고 어셔 가스이다
ᄒ며 긔박이 팀심ᄒ거늘 낭지 천만 몽미 밧긔 말을 드르미 혼빅이 비월ᄒ고
간담이 셔늘ᄒ여 엇지홀 줄 모로는 중 지촉이 셩화 갓튼지라 급히 샹공
압히 ᄂ아가 복지ᄒ여 엿자오디 무슴 죄 잇습건디 이 지경의 이르나이가
빅공이 디로 왈 슈일 전의 여츠여츠 슈샹흔 일이 잇기로 너더러 무른 즉
네 말이 낭군이 써난 후 적막ᄒ기로 미월노 더브러 담화ᄒ엿다 ᄒ미 내
반신반의ᄒ여 미월 불너 츄문흔즉 제 디답이 요스이 일졀 네 방의 가지
아니ᄒ여다 ᄒ니

〈19〉
필연 곡졀이 잇는 일이기로 여러 날 그찰흔즉 엇던 놈이 여츠여츠할시 분명
ᄒ거늘 네 무슴 낫츨 들고 발명코져 ᄒ는다 낭지 울며 발명ᄒ니 빅공이
디질 왈 내 귀로 친이 듯고 눈으로 본 일 종시 긔망ᄒ니 엇지 통히치 아니
ᄒ리요 냥반의 집의 이런 일 잇기는 드믄 빈니 너와 상통ᄒ든 놈 셩명을
쓸니 고ᄒ라 ᄒ며 호령이 셔리 가튼지라 낭지 안싁이 씩씩ᄒ여 왈 아무리
뉵녀 빅냥을 갓초지 못ᄒ온 즈뷔온들 이런 말슴 ᄒ시ᄂ잇가 발명 무로ᄒ오
나 셰셰 통촉ᄒ옵소셔 이 몸이 비록 인간의 잇스온들 빙옥 갓튼 졍졀노
더러온 말슴을 듯스오리잇가 영쳔슈가 머러 귀을 씻지 못ᄒ오미 한이 되옵
나니 다만 죽어 모로고졔 한이다 빅공이 분노ᄒ여 노즈을 호령ᄒ여 낭즈을
결박ᄒ라 ᄒ니 노지 일시의 다라드러 낭즈의 머리을 산발ᄒ여 계하의 안치
니 그 경샹이 가장 가련ᄒ더라 빅공이 디로질왈 네 죄상은 만스무셕이니
스통흔 놈 밧비 일으라 ᄒ고 미로 치니 빙옥 갓튼 귀밋히 흐르나니 눈물이요
옥 갓튼 일신이 소스나니 유혈이라 낭지 이쩨을 당ᄒ여 헐일업셔 졍신을
차려 왈 힝즈 낭군이 첩을 잇지 못ᄒ여 발힝ᄒ던 날 겨우 삼십 니를 슉소을

경호고 밤의 도라와 다녀가온 후

또 이튼날 밤의 왓습기로 첩이 안ᄉᄒ고 간ᄒ여 보닐 시 어린 소견의는
혹 구고의 견칙이 잇슬가 져어ᄒ여 낭군 거취을 숨거 보니엿더니 조물이
뮈이 녀기시고 귀신이 식긔ᄒ여 가히 씻지 못ᄒᆯ 누명을 엇ᄉ오니 발명ᄒᆯ
길 업ᄉ옴 소소ᄒᆫ 명쳔이 찰징이 되시옵니다 빅공이 졈졈 되로ᄒ여 집장
놈을 호령ᄒ여 민미고찰하여 칠 시 낭ᄌᆞ ᄒᆞᆯ길업셔 하늘을 우얼어 통곡 왈
유유창텬은 무죄ᄒ온 이내 마음을 삷피소셔 오월비상지원과 심년불우지
원을 뉘라셔 푸러니리오 ᄒ며 업더지거늘 즌고 뎡씨 그 경상 보고 울며
빅공더러 왈 녯말의 일너스되 글셰줄을 업치고 다시 담지 못ᄒᆫ다 ᄒ오니
샹공은 ᄌᆞ셔이 보지 못ᄒᆞ고 빅옥 무하 갓튼 졀부을 무단히 음힝으로 표박
ᄒ시니 엇지 가히 셔계지탄이 업스리잇가 ᄒ며 나리다라 낭ᄌᆞ을 안고 되셩
통곡 왈 너의 슝빅지졀을 내 아는 비라 오날날 이 경상은 몽미의도 싱각지
못ᄒᆯ 일이니 엇지 지원극통치 아니ᄒ랴 낭ᄌᆞ 왈 옛말의 일너스되 음힝지셜
은 신셜키 어렵다 ᄒ옵ᄂᆞ니 동히슈로도 씻지 못ᄒᆯ 누명을 엇고 엇지 구구
히 살기를 도모ᄒ리요 ᄒ며 통곡ᄒ거늘 뎡씨 만단기유ᄒ되 낭ᄌᆞ 종시 듯지
안코 문득 옥잠을 비

여 들고 하늘게 졀ᄒ고 비러 왈 지공무ᄉᄒᄉᆞ신 황텬는 구버삷피소셔 첩이
만일 외인 통관ᄒᆫ 일 잇거든 이 옥잠이 첩의 가슴의 빅이고 만일 이미ᄒ옵거
든 이 옥잠이 셤돌의 빅히소셔 ᄒ며 옥잠을 공중의 더지고 업듸여더니 이윽
고 그 옥잠이 나려지며 셤돌의 박히는지라 그계야 일가 상하 되경실식ᄒ
여 신긔히 녀기며 낭ᄌᆞ의 원억ᄒᄆᆞᆯ 알더라 이의 빅공이 나리다라 낭ᄌᆞ의

손을 잡고 비러 왈 늙그니 지식이 업셔 착흔 며느리의 졍졀을 모르고 망녕된 거죵을 흐여스니 그 허물은 만번 죽어도 젹지 못흘지라 브라건딕 낭즈는 나의 용녈흔물 용셔흐고 안심흐라 낭지 이연 통곡 왈 쳡이 가업슨 누명을 싯고 셰상의 머므러 쓸딕업스오니 만일 쌸니 죽어야 아황 녀영을 조츠 놀고 져 흐나이다 빅공니 위로 왈 즈고로 현인군즈도 혹 참소을 만나며 슉녀현부 도 혹 누명을 엇느니 낭즈도 일시 익운이라 너모 고집지 말고 노부의 무르물 몰녀 싱각흐라 흐니 이의 졍씨 낭즈을 붓드러 동별당으로 가 위로홀 식 낭지 흐르느니 눈물이오 지느니 한숨이라 졍씨긔 고왈 쳡 갓튼 게집이온들 더러온 악명이 셰상의 나타느고 엇지 붓그럽지 아니리잇고 낭군이 도라오 면 샹딕홀 낫치 업스오믹 다만 죽어 셰상을 잇고져 흐느이다 흐며 진쥬 갓든 눈물이 옷깃

〈22〉

슬 젹시거늘 졍씨 그 참혹흔 거동을 보고 왈 낭지 죽다흐면 션군이 결단코 죽을 거시니 이런 답답흔 일이 어듸잇스리요 흐고 즈탄흐며 침소로 도라 가니라 이쩍 츈힝이 그 모친 형샹을 보고 울며 왈 모친은 죽지 마오 부친이 도라오시거든 원통흔 사졍이나 흐고 죽으나 스나 흐옵소셔 어머니 죽으면 동츈을 엇지흐며 느는 누울 밋고 살나 흐오 흐며 손을 잡고 방으로 드러가스 이다 흐니 낭지 마지못흐여 방으로 드러가 츈힝을 겻히 안치고 동츈을 졋 먹이며 치복을 닉여 입고 슬허 왈 츈힝아 나는 오날 죽으리로다 네 부친이 쳔니 밧긔 잇셔 나 죽는 줄 모르며 나의 마음 둘 딕 업다 츈힝아 이 빅학션은 쳔흐지뵈라 치우면 더운 긔운이 나고 더우면 찬바람이 나나니 잘 간슈흐엿 다가 동츈이 자라거든 쥬어라 슬푸다 홍지비리요 고진감닉는 셰간상식라 하나 나의 팔지 긔험흐여 쳔만 몽믹 밧 누명을 싯고 너의 부친을 다시 못보 고 황텬긱이 되니 엇지 눈을 감을이요 허물며 너의 남믹을 브리고 엇지

갈고 가련타 츈힝아 나 죽은 후 과히 슬허 말고 동츈을 보호ᄒ여 잘 잇거라 ᄒ며 누슈여우ᄒ지라 츈힝이 낭ᄌ을 붓들고 왈 어머니 우지 마오 우는 소릭의 내 간쟝이 스는 듯ᄒ니 우지 마오 ᄒ며 방셩딕곡ᄒ다가 긔진ᄒ여 잠을 들거늘 낭지 지원극통ᄒ물

〈23〉

니긔지 못ᄒ여 싱각ᄒ믹 죽는이만 갓지 못ᄒ이라 쏘 아희드리 이러나면 분명 죽지 못ᄒ게 ᄒ리라 ᄒ며 가마니 츈힝 동츈을 어로만져 왈 불샹ᄒ다 나를 그리워 어이 살니 츈힝아 잘 잇거라 동츈아 잘 잇거라 슬프믈 니긔지 못ᄒ여 원앙침 도도 벼고 셤셤옥슈로 드는 칼을 드러 가슴을 질너 죽으니 천긔 혼흑ᄒ며 천동소릭 진동ᄒ거늘 동츈이 놀나 씩여보니 가슴의 칼을 곳고 누엇는지라 딕경ᄒ여 칼을 쎅히되 쌘지지 아니ᄒ거늘 츈힝이 낭ᄌ의 쎗슬 딕히고 딕곡 왈 어머니 이러나오 이런 일도 쏘 어딕 잇는가 가련타 어머니 우리 남믹 누를 바라고 슬나 ᄒ오 동츈이 어머니를 ᄎ지면 무어시라 딕답ᄒ오릿가 ᄒ며 호천통곡하니 그 잔잉ᄒ 경상을 볼진딕 뉘 아니 슬허ᄒ리요 빅공 부쳐와 노복 등이 드러와 낭ᄌ의 형상을 보고 창황방초ᄒ여 칼을 쎅히려 ᄒ니 종시 쌘지지 아니ᄒ거늘 이씩 동츈이 어미 죽은 줄 모로고 졋만 먹으려 ᄒ고 몸을 흔들고 우니 츈힝이 달닉여 밥을 쥬어도 먹지 아니ᄒ고 졋만 먹으려 ᄒ거늘 츈힝이 동츈을 안고 울며 왈 우리 남믹도 어머니와 갓치 죽ᄌ ᄒ고 둥

〈24〉

글며 통곡ᄒ니 그 형상을 ᄎᆞᆷ아 보지 못헐너라 슈일 후 빅공 부체 의논ᄒ되 션군이 도라와 보면 분명 우리 모히ᄒ여 죽인 줄노 알고 졔 쏘ᄒ 죽으려 홀 거시니 밧비 낭ᄌ 신체나 염장ᄒ여 엄젹ᄒ미 올타 ᄒ고 소렴ᄒ려 ᄒ즉

신체가 죠곰도 움즈기지 아니ᄒ니 즁인이 다라드러 아모리 운동ᄒ여도 쓰
히 붓고 써러지지 아니ᄒᄆᆡ 빅공이 도로혀 죠심ᄒ더라 이젹의 션군이 경ᄉ
의 올나가 과일을 당ᄒᄆᆡ 시지를 씨고 츈당ᄃᆡ의 드러가 글졔를 보고 일필휘
지ᄒ여 일쳔의 션쟝ᄒ니 샹이 보시고 쟝원으로 ᄲᅦ히고 비봉을 쩌혀시니
경샹도 안동 거ᄒᄂᆞᆫ 빅션군 부ᄂᆞᆫ 샹곤이라 샹이 실ᄂᆡ를 지쵹ᄒ여 슈삼ᄎᆞ
진퇴시간 후 승졍원 쥬셔를 졔슈ᄒ시니 션군이 ᄉᆞ은슉ᄇᆡᄒ고 졍원의 입직
ᄒ엿더니 ᄎᆞ시를 당ᄒ여 낭ᄌᆞ를 이별ᄒᆞᆫ지 오ᄅᆡᄆᆡ 회ᄑᆡ 간졀ᄒ여 그 부모와
낭ᄌᆞ의게 편지ᄒ니 노ᄌᆡ 나려가 편지를 드리거ᄂᆞᆯ 빅공이 쩌혀본즉 ᄒᆞ엿ᄉᆞ
되 쳔은을 입ᄉᆞ와 쟝원급졔ᄒ여 승졍원 쥬셔를 ᄒ여 비셔 입직ᄒᆞ엿ᄉᆞ오며
도문일은 금월 망간 될 거시니 그리 아옵소셔 ᄒᆞ엿고 낭ᄌᆞ의게 온 편지ᄂᆞᆫ
츈ᄒᆡᆼ이 그 조요 뎡씨를 잇그러 왈 이 편지 가지고

어머니 신쳬 압희 가 읽어 들니면 어미 혼ᄇᆡᆨ이라도 감동헐 듯ᄒ외다 뎡씨
마지못ᄒ여 낭ᄌᆞ 빙소의 가 편지를 읽으니 기 셔의 왈 쥬셔 빅션군은 한
쟝 글을 낭ᄌᆞ 좌하의 올니나니 그 ᄉᆞ이 양친당 뫼시고 평안ᄒ시며 츈ᄒᆡᆼ
남ᄆᆡ도 무양ᄒᆞ니잇가 복은 다ᄒᆡᆼ이 용문의 올나 쳔은이 망극ᄒ오나 다만
그ᄃᆡ를 이별ᄒ고 쳔리 박게 이셔 ᄉᆞ모ᄒᄂᆞᆫ 마음 간졀ᄒ도다 그ᄃᆡ의 용뫼
눈의 암암 ᄒ고 불ᄉᆞ이ᄌᆞᄉᆞ로다 슬프다 낭ᄌᆞ의 화샹이 날노 변ᄉᆡᆨᄒ니 무슴
연괴 잇도다 일일이여슴츈ᄒ나 환로의 ᄆᆡ인 몸이 ᄯᅳ과 갓지 못ᄒ도다 헐말
무궁ᄒ나 일필난긔 긋치ᄂᆞ이다 ᄒᆞ엿더라 뎡씨 보기를 다ᄒᆞᄆᆡ 츈ᄒᆡᆼ이 울며
왈 어머니 아바니 편지 ᄉᆞ연 드ᄅᆞ시고 엇지 아모 말ᄉᆞᆷ을 아니 ᄒ시오 우리
남ᄆᆡ 살기 실ᄉᆞ오니 밧비 다려가소셔 ᄒ며 우더라 이ᄯᅦ 빅공 부쳬 싱각ᄒᆞ되
션군이 나려오면 반다시 죽으리라 ᄒ며 근심ᄒᆞ더니 노ᄌᆡ 엿ᄌᆞ오ᄃᆡ 져 즈음
게 소샹공을 뫼시고 용궁 갓ᄉᆞᆯ ᄯᅦ의 풍산의 촌의 다다라ᄂᆞᆫ 쥬류화각의 치운

이 영농ᄒ고 지당의 연ᄒᆡ만발ᄒ엿는ᄃᆡ 한 미인이 ᄇᆡᆨ학을 춤츄이ᄆᆡ 그 동ᄂᆡ ᄉᆞ름더러 우론 즉 님진ᄉᆞᄃᆡᆨ 규슈라 ᄒ오니 소샹공이 한 번 바라보고

〈26〉

흠모ᄒ시다가 도라오시든 비오니 그ᄃᆡᆨ과 셩혼ᄒ시면 소샹공이 반다시 소원 일우믈 깃거 낭ᄌᆞ를 이즐가 ᄒᄂᆞ이다 ᄇᆡᆨ공이 ᄃᆡ희ᄒ여 즉시 님진ᄉᆞ를 ᄎᆞ져 가니 진ᄉᆞ 반겨 영졉ᄒ여 헌원을 맛친 후 션군의 득의ᄒ믈 하례ᄒ고 셔로 이욱이 담소ᄒ더니 ᄇᆡᆨ공 왈 소졔 감히 의논헐 말이 잇스나 능히 용납헐소냐 진ᄉᆞ 왈 밧비 이르라 ᄇᆡᆨ공 왈 다름 아니라 ᄌᆞ식이 슉영낭ᄌᆞ와 연분을 ᄆᆡ 금실지낙이 비헐 ᄃᆡ 업더니 ᄌᆞ식이 과거 보러간 후 그 ᄉᆞ이 호련 득병ᄒ여 죽으ᄆᆡ ᄌᆞ식의 혼ᄉᆞ를 광구ᄒ더니 드른즉 귀ᄃᆡᆨ의 어진 규슈 잇다 ᄒᄆᆡ 감히 통혼ᄒ오니 용납ᄒ시라 진ᄉᆞ 쳥파의 왈 쳔헌 녀식이 잇스나 소졔 허락ᄒ엿다가 만일 영낭의 마음이 합당치 못 ᄒ오면 녀식의 신셰 그 아니 가련ᄒ리오 ᄇᆡᆨ공이 구지 쳥ᄒ니 진ᄉᆞ 마지못ᄒ여 ᄌᆡ삼 당부ᄒ고 허락ᄒ는지라 ᄇᆡᆨ공이 ᄃᆡ희ᄒ여 왈 금월 망일의 션군이 귀ᄃᆡᆨ 문젼으로 지날거시ᄆᆡ 그날 셩녜ᄒᄆᆡ 무방ᄒ니 이다 ᄒ고 하직흔 후 집의 도라와 녜물을 갓초와 납치ᄒ고 션군의 나려올 날을 기다려 풍산촌으로 가려ᄒ더라 각셜 이ᄯᆡ 션군 근친 슈유을 어더 나려올ᄉᆡ 이원풍악이며 쳥홍기를 압셰우고 금안쥰마의 젼후 추종이 옹

〈27〉

위ᄒ여 나려오니 관광지 흠션치 아니리 업더라 이럿훗 힝ᄒᆞᄆᆡ ᄌᆞ연 비창ᄒ여 쥬막의셔 잠간 조으더니 문득 낭지 몸의 피를 흘니고 드러와 울며 왈 낭군이 영화로이 도라오시니 즐겁습거니와 쳡은 시운이 불힝ᄒ여 황쳔긱이 되엿는지라 일젼의 낭군의 편지 ᄉᆞ연을 둣ᄉᆞ온즉 낭군이 힝의ᄒ시는

마음이 지극후나 추싱연분이 천박후와 이리 되엿수오니 첩의 원한을 푸러 쥬시면 죽은 혼빅이 되도 경흔 귀신이 되리이다 후고 문득 간데업거늘 션군 이 씨다르니 심신이 션늘후여 아모리 싱각후나 그 곡졀을 취탁지 못후미 인마를 지측후여 풍산촌의 이르러 숙소를 졍하고 밤을 지니더니 문득 하인 이 보후되 되샹공이 오시느이다 쥬셰 즉시 나아가 문후후고 뫼셔 방으로 드러가 가니 안부를 뭇즈오미 빅공이 쥬져후며 무양초모조일컷고 션군의 벼슬흔 무러 깃거후며 남이 현달후면 양쳐를 두미 고금상시라 니 임의 님진 스의 쭐과 졍혼고 납치하엿스니 명일의 셩녜후고 집의 도라가미 합당치 아니리 션군이 낭지 현몽흔 후로 심신을 졍치 못후더니 이 말슴을 듯고 엿즈오되 일후 셩녜후여도 늣지 아니후오니 다시 이르

<28>

지 마읍소셔 빅공이 그 회심치 아니홀 줄 알고 길의 올나 힝홀 시 이쩌 님진시 빅공을 맛나미 빅공이 션군의 스연을 말후며 잠간 기다리라 환가후 니라 추시 션군이 집의 도라와 명씨 부인게 현알흔 후 낭즈 방의 드러간즉 낭지 가슴의 칼을 쏫고 누엇거늘 션군이 전지도지 울 시 츈힝이 동츈을 안고 울며 니다라 그 부친의 옷슬 줍고 왈 아버니 우왜 이졔야 왓소 어머니 발셔 죽어 염습도 못후고 지금 그져 잇스니 추마 슬어 못살깃소 후며 잇글고 빙소로 드러 가 어머니 그만 이러 나오 아버니 왓소 그리 쥬야로 그리워 후더니 엇지 안연무심이 누 엇소 후며 울거늘 션군이 일장을 통곡후다가 급히 졍당의 와 부모게 곡졀을 무르니 빅공이 오열하며 이르되 네 나간 후 일일은 낭즈의 형영이 업기로 고히 여겨 가 본즉 져 모양으로 누엇스미 그 곡졀을 몰나 헤아리미 웬놈이 드러가 겁칙후려다가 져 지경이 된가 후여 칼을 쎼히려 후되 쌘지지 아니후고 신쳬를 움직일 길 업셔 염습지 못후고 그져 두엇스니 네 염습홀 도리을 싱각후라 션군이 분긔딘발후여 모든 노비

를 결박홀ᄉᆡ 그 즁의 ᄆᆡ월이든지라 션군이 빙소의 드러가 본즉 낭

〈29〉

ᄌᆞ의 용모와 일신이 산 ᄉᆞ름 갓흐여 조금도 변ᄒᆞ미 업ᄂᆞᆫ지라 션군이 비러 왈 이 칼이 ᄲᆡ지면 원슈를 갑허 원혼을 위로 ᄒᆞ리라 ᄒᆞ고 칼을 ᄲᅦ혀니 문득 ᄲᆡ지며 그 굼게셔 쳥죄 하나히 나오며 ᄆᆡ월일ᄂᆡ 매월일ᄂᆡ 세 번 울고 나라가더니 ᄯᅩ 쳥죠 하나히 나오며 매월일ᄂᆡ 셰 번 울고 나라가거ᄂᆞᆯ 그졔야 션군이 ᄆᆡ월의 소의 쥴 알고 분노ᄒᆞ여 급히 형구를 버리고 모든 노복을 ᄎᆞ례로 징문ᄒᆞ니 이의 ᄆᆡ월을 장문ᄒᆞ여 일ᄇᆡᆨ 장의 이ᄅᆞ어는 ᄀᆡᄀᆡ승복ᄒᆞ며 울며 이ᄅᆞ되 상공이 여ᄎᆞ여ᄎᆞᄒᆞ시기로 소비 원통ᄒᆞᆫ 마음이 잇든 ᄎᆞ의 ᄯᅵ를 타 감히 간계를 힝ᄒᆞ미니 동모ᄒᆞᆫ 놈은 돌이로쇼이다 션군이 ᄯᅩ 돌이를 장문ᄒᆞ니 돌이 ᄆᆡ월의 금을 밧고 횡게ᄒᆞᆫ 밧게 다른 죄는 업나이다 션군이 ᄃᆡ로ᄒᆞ여 칼을 드러 ᄆᆡ월을 버힌 후 ᄇᆡ를 갈나 간을 ᄂᆡ여 낭ᄌᆞ의 신체 압히 노코 졔문 지어 졔ᄒᆞᆫ 후 돌이를 본읍의 보ᄂᆡ여 절도의 정ᄇᆡ하니라 이ᄯᅢ ᄇᆡᆨ공 부쳬 일이 탄로ᄒᆞ물 보고 도로혀 무류히 여기더라 션군이 빙소의 촉을 밝히고 누엇더니 비몽ᄉᆞ몽 간의 문득 낭ᄌᆡ 드러와 션군게 ᄉᆞ례 왈 낭군이 쳡의 원슈를 갑허 쥬시니 그 은혜 ᄇᆡᆨ골난망이로소이다 작일 옥제게셔 쳡을 명초ᄒᆞ사

〈30〉

ᄉᆞ지져 가라ᄉᆞᄃᆡ 네 션군과 맛날 긔한이 잇거ᄂᆞᆯ 십년을 젼긔ᄒᆞ여 인연을 ᄆᆡᄌᆞ는 고로 이ᄆᆡᄒᆞᆫ 일노 비명횡ᄉᆞᄒᆞ미니 누를 한ᄒᆞ리오 ᄒᆞ시ᄆᆡ 쳡이 ᄉᆞ죄ᄒᆞ고 다시 세상의 ᄂᆡ여 보ᄂᆡ여 션군과 미진ᄒᆞᆫ 인연을 ᄆᆡᆺ게 ᄒᆞ소셔 ᄒᆞᆫᄃᆡ 옥제긔셔 긍칙히 여기ᄉᆞ 지신더러 ᄒᆞ교ᄒᆞᄉᆞ 왈 슉영낭ᄌᆞ를 다시 인간의 ᄂᆡ여보ᄂᆡ여 미진ᄒᆞᆫ 연분을 잇게 ᄒᆞ라 ᄒᆞ시고 염나왕의게 하교ᄒᆞᄉᆞ 밧비

니여 보느라 하시니 염왕이 엿즈오딕 슉영의 죄를 속혈 긔한이 못되엿스오
니 이틀만 지니오면 니여보니리이다 ᄒ니 옥졔 그리ᄒ라 ᄒ시고 쏘 남극셩
을 명ᄒ스 슈한을 졍ᄒ신즉 팔십을 졍ᄒ여 슘인이 동일 승쳔ᄒ게 하엿기로
쳡이 옥졔긔 엿즈오되 션군과 쳡 ᄲᅮᆫ이여늘 엇지 슘인이라 ᄒ니 잇고 옥졔
말슴이 너의 즈연 슘인이 되리니 쳔긔를 누셜치 못ᄒ리라 ᄒ시고 셔기여릭
를 명ᄒ스 즈식 슘남을 졈지 ᄒ엿스오니 낭군은 슈일만 기다리소셔 ᄒ고
간딕업거늘 션군이 ᄭᅢ여 그 몽스를 고히 여기더니 과연 그늘 낭즈 도라
누엇거늘 딕회ᄒ여 일변 부모를 쳥ᄒ고 슘과를 디려 입의 흘리고 슈족을
쥐무르니 낭즈 눈을 써 좌우를 돌니보거늘 일기 즐거ᄒ물 엇지다 층냥ᄒ리
오 이러

<31>

구러 슈일이 지나믹 친쳑을 모와 잔치ᄒ니라 이젹의 님진시 낭즈의 부싱ᄒ
물 듯고 타쳐의 구혼ᄒ더니 님소졔 이 스연을 듯고 부모게 고왈 녀즈의
혼ᄒ믹 납치를 바다시면 그 집 스름이오니 그런 말슴은 다시 마웁소셔 ᄒ고
스긔 밍열ᄒ거늘 진스 부쳬 다시 의논을 아니ᄒ나 심즁의 즈연 근심ᄒ더니
일일은 님진시 빅공의게 그 즈부 깅싱ᄒ물 치하ᄒ고져 ᄒ여 나귀를 모라
빅공을 ᄎᆞᆺ즈가니 빅공이 반겨 마즈 좌졍 후 진시 왈 형의 즈부 깅싱ᄒᆷ믄
고금의 희한헌 일이니 형의 복이 거룩ᄒ거니와 소졔는 산 즈식을 쥭이기
쉬오니 기위화복이 부춘이로다 빅공이 놀나 그 연고을 뭇즈니 님진시 녀아
의 젼후 슈말흘 젼ᄒ거늘 빅공 쳥찬 왈 아름답다 규슈의 결긔 져럿훗 ᄒ거늘
우리로 말믹아마 일싱 페인이 될진딕 우리 엇지 후셰의 조흐리요 이쩍 션군
이 지최ᄒ여 슈작ᄒ물 다 드럿는지라 이의 님진스를 딕하여 왈 귀 소져의
금옥 갓흔 말스온즉 고인이 죽히 붓그럽지 아니ᄒ나 기셰 양난이
되 국법의 유쳐취쳑하나 니가 잇스오니 의논헐 빅 아니 귀 소졔 잇지 남의

부실이 되고져 ᄒ리잇가 ᄉ셰 이러ᄒ오민 다만 우

<32>

리 죄악을 짓고 잇슬 ᄯ름이로소이다 님진ᄉ 탄왈 네 만일 양쳐를 둘진딩 부실된들 엇지 ᄉ양ᄒ리요마는 임의 업는 일을 의논ᄒ여 무엇ᄒ리오 ᄒ고 하직ᄒ고 도라가너라 ᄎ셜 션군이 낭ᄌ 침실에 드러가 님녀의 셜화를 젼한 니 낭지 아름다이 여겨 왈 져 규쉬 고집이 여일ᄒ면 우리 님의게 젹악이 될지라 원컨딩 쉬온 일이 잇스니 낭ᄌ은 ᄒᆫ 번 거조ᄒ여 보미 맛당홀가 ᄒ나이다 션군이 혼연 왈 무슴 일니뇨 낭지 왈 옥졔긔셔 우리 ᄉ인이 동일 승쳔ᄒ리라 ᄒ시든 일인즉 필연 님녀를 응ᄒ미라 아마 젼졍이 잇스미 엇지 가히 도망ᄒ리요 낭군은 모로미 우리 집 젼후 ᄉ연과 님여의 시종 셜화를 비잔ᄒ여 쥬상긔 상소ᄒ면 상이 반다시 이상이 여가ᄉ 특별니 ᄉ혼ᄒ실 거이니 ᄎᄒ 위셩의 권되라 하나혼 국가의 졍졀ᄒ시미요 하나혼 님녀의 원한을 희셕ᄒ미되리니 엇지 알음답지 아니ᄒ리요 션군이 응낙ᄒ고 즉시 치힝ᄒ여 경ᄉ의 올나가 상게 숙비ᄒ고 슈일 후 낭ᄌ의 ᄉ연과 님녀의 셜화 를 일일이 상소흔 뒤 상이 층찬 왈 낭ᄌ의 일은 쳔고의 희한헌 비니 졍녈부 인 직쳡을 쥬시고 님녀의 졀기 ᄯ 아

<33>

름다오니 특별이 빅션군과 결혼ᄒ라 ᄒ시고 숙녈부인 직쳡을 쥬시니 션군 이 ᄉ은 ᄒ고 슈유를 어더 밧비 환가ᄒ이 이 ᄉ연을 님부의 통ᄒ니 진ᄉ 딩회ᄒ여 퇴일 셩녜홀ᄉ 신부의 화용월티 진짓 숙네라 구가의 도라와 효봉 구고ᄒ고 승슌군ᄌᄒ며 낭ᄌ로 더브러 의긔 상죽ᄒ여 슈유 불니러라 일실 이 화락ᄒ여 셰월을 보닉더니 빅공 부뷔 쳔연을 셰상을 바리니 싱의 부쳬 슬허ᄒ며 션산의 안장ᄒ고 시묘ᄒ니라 이리구러 광음이 홀홀ᄒ여 졍녈은

스남일녀를 싱흐고 슉녈은 삼남일녀를 싱흐니 다 부풍모습흐여 일세 유인
군지온 현녀슉완이라 남가여혼흐여 즈손이 션션흐며 가세 요부흐고 복녹
이 무흠흐더니 일일은 딕연을 비셜흐여 즈녀을 모이며 종족을 다리고 슴일
을 질기더니 홀연 상운이 스면으로 둘너드러오며 용의 소릭 진동흐는 곳의
일위 션관이 나려와 불너 왈 션군이 인간직미 엇더흐뇨 그딕의 슘인이 상쳔
홀 긔약이 오날이니 밧비 가즈흐거늘 션군 부쳐 슘인이 일시의 상쳔흐니
힝년이 팔십이라 즈녀 등이 이통흐며 션산의 허장흐니라

特別 淑英娘子傳

별숙영낭즈뎐

부록 감응편 삼권

제일회 빅션군이 텬연을 차져옥연동에셔 낭즈을 만나셔로질기다

숙 화셜셰종조씨에 경상도 안동짜히 혼셩비잇스되 셩은 빅이오 명은 상군이라

영 부인뎡씨로 더브러 동쥬 이십여년에 일기소속아 업셔쥬야슬허ᄒᆞ더니 명산터

낭 찰에 긔도ᄒᆞ며 텬디일월셩신게 암쥭ᄒᆞ얏더니 긔몽을 엇고 일즈를 싱ᄒᆞ야 졈

즈 즈라미 용뫼쥰슈ᄒᆞ고 셩되 온유ᄒᆞ며 문여필이 유여훈지라그부뷔 쳔금

뎐 곳치 이즁ᄒᆞ야 일홈을 션군이라ᄒᆞ고 즈를 현즁이라ᄒᆞ다 졈々 즈라나ᄒᆞ냑

관에 이르미 부뫼 져즈든 비필을 어드슬ᄒᆞ여 즈미를 보고즈ᄒᆞ야 널니구혼

ᄒᆞ되 혼곳도 합당혼 곳이업셔 ᄆᆞ양군심ᄒᆞ더나 ᄎᆞ시ᄂᆞᆫ츈풍가졀이라 션군이

1 셔당에셔 글을닑더니 즈연 몽이 곤ᄒᆞ야 궤를지혀 됴을셔 문득 뷕의홍상혼

(특별)숙영낭ᄌ뎐(신구서림본)

　　〈특별 숙영낭ᄌ뎐〉은 국립중앙도서관에 소장되어 있는 이본으로, 신구서림에서 1915년에 출판된 것이다. 내표지의 목차를 제외하고 총 22장(43면)으로 이루어져 있으며, 6회의 장회체로 구성되어 있다. 활자본 〈숙영낭자전〉 이본 중 가장 이른 시기에 출판된 작품이며, 판본 뒤의 서지사항은 '저작겸 발행처 박건회(朴健會), 인쇄자 김성표(金聖构), 인쇄소 성문사(誠文社), 발행소 신구서림(新舊書林)'이다. 작품의 시간적 배경은 세종 때이며, 백상군에 대한 설명은 등장하지 않는다. 전체적으로 경판본의 내용과 대동소이하다. 자결한 낭자는 빈소에게 재생하고, 낭자는 후에 선군에게 임소저와의 혼인을 권하며 이를 성상께 상소하도록 하는데, 이를 들은 주상은 숙영에게 정렬부인, 임소저에게 숙렬부인의 직첩을 하사한다. 이는 필사본 계열의 이본과 다른 경판본과 활자본의 특징이며, 동시에 변화한 시대상의 반영이라고 볼 수 있다. 이 이본에는 재생한 낭자가 선경으로 돌아가는 부분이 등장하지 않고, 이야기가 끝난 후 감응편을 착실히 보라는 서술자의 설명이 이어져 있다.

출처: 국립중앙도서관 (3634-2-82(1))

特別 淑英娘子傳 目錄

특별 숙영낭ᄌ뎐 목록

特別 淑英娘子傳 目錄終

특별 숙영낭ᄌ뎐 목록종

〈1〉

特別 淑英娘子傳

특별 숙영낭ᄌ뎐

부록 감응편 삼권

졔일회 빅션군이 텬연을 차져 옥연동에셔 낭ᄌ을 만나 셔로 질긔다

화셜 셰종조 씨에 경상도 안동짜히 ᄒᆫ 션비 잇스되 셩은 빅이오 명은 상군이라 부인 뎡씨로 더브러 동쥬 이십여년에 일긔 ᄉ속이 업셔 쥬야 슬허ᄒ더니 명산듸찰에 긔도ᄒ며 텬디 일월 셩신게 암축ᄒ얏더니 긔몽을 엇고 알ᄌ를 싱ᄒ야 졈졈 ᄌ라미 용뫼 쥰슈ᄒ고 셩되 온유ᄒ며 문여필이 유여ᄒᆫ지라 그 부뷔 천금ᄀᆞ치 익즁ᄒ야 일홈을 션군이라 ᄒ고 ᄌ를 현즁이라ᄒ다 졈졈

주라 나히 냑관에 이르미 부뫼 져갓튼 빅필을 어더 슬하에 주미를 보고주
호야 넡니 구혼호되 흔 곳도 합당흔 곳이 업셔 미양 근심호더니 추시는
츈풍가졀이라 션군이 셔당에셔 글을 닑더니 주연 몸이 곤호야 궤를 지혀
됴을시 믄득 록의홍상흔

〈2〉

낭지 지계를 녈고 드러와 지비호며 겻히 안주 닐오되 랑군은 쳡을 몰나
보시느니잇가 쳡이 이에 추져 이르믄 다름 아니라 과연 텬연이 잇기로 추져
왔느이다 션군이 답 왈 나는 진셰 쇽긱이오 그되는 텬상션녀여날 엇지 연분
이 잇다호나뇨 낭지 갈오되 랑군이 하날에 비쥬는 션관으로 비를 그릇 준
죄로 인간에 젹강호얏스나 일후 상봉홀 날이 잇스오리이다 호고 믄득 간되
업거늘 션군이 긔이히 녁여 그 종젹이 묘연호고 여향이 오히려 스라지지
아니호야 졍히 여유쇼실호야 호더니 믄득 씌다르니 남가 일몽이오 오히려
음용이 이목에 암암 징이오 불스이주식라 마음으로 진졍치 못호야 인호야
용뫼 초최호고 긔식이 엄엄호거늘 부뫼 그 긔식을 보고 크게 우려호야 문
왈 네 병곡이 심상치 아니호니 무슴 쇼회잇거든 모로미 바로 이르라 션군
왈 별로 쇼회 업스오니 부모는 과려치 마르시믈 바라느이다 호고 이에 셔당
으로 믈너와 고요히 누어 오직 낭즈만 싱각호고 만사에 무심이러니 믄득
낭지 압히와셔 안지며 위로 왈 랑군이 날

〈3〉

로 말미암아 져러툿 셩병호얏스니 엇지 쳡의 마음이 편호리잇고 ...러흔
고로 쳡의 화상과 금동주 흔쌍을 가져 갓스니 이 화상은 랑군 ... 에 두어
밤이면 안고주고 낫이면 병풍에 거러두웨 심회를 덜게 호쇼셔 ...거늘 션군
이 반겨 그 손을 줍고 졍히 말을 호고져 홀 지음에 믄득 ... 업고 씌여본

즉 화상과 동지 겻히 노엿거늘 션군이 크게 의이히 녁여 금동즈는 상우히 안치고 화상은 병풍에 거러두고 쥬야 십이시로 상디ᄒᆞ야 잇ᄂᆞ지라 ᄎᆞ시 각도각읍 ᄉᆞ람이 이 쇼문을 듯고 져마다 닐오디 빅션군의 집에 긔이ᄒᆞᆫ 보비 잇다ᄒᆞ고 각각 치닷을 ᄀᆞᆺ초아 가지고 닷토아 구경ᄒᆞ니 그러ᄒᆞ므로 가셰 졈졈 부요ᄒᆞ나 션군은 일거월져에 다만 싱각나니 낭지라 가련타 션군이 병닙골슈 ᄒᆞ얏ᄉᆞ니 뉘 능히 살녀낼고 이젹에 낭지 싱각ᄒᆞ미 졍히 션군이 날을 싱각ᄒᆞ야 심려ᄒᆞ미 이럿툿ᄒᆞ니 엇지 안연부동ᄒᆞ리오 ᄒᆞ고 션군의게 현몽ᄒᆞ야 왈 랑군이 쳡을 싱각ᄒᆞ야 셩병ᄒᆞ얏ᄉᆞ니 쳡이 가장 감격ᄒᆞ온지라 랑군디 시녀 미월이 가히 랑군의 건질을 쇼임홀만 ᄒᆞ온지라 아직 방슈를 졍ᄒᆞ야 젹막ᄒᆞᆫ 심회를 위로ᄒᆞ쇼셔 ᄒᆞ거날 션군이

〈4〉

듯기를 다 못ᄒᆞ야 ᄭᅢ다르니 침상일몽이라 마지못ᄒᆞ야 미월로 잉쳡을 슴아 져기 울회를 쇼창ᄒᆞ나 일편단심이 낭즈의게만 잇더라 일월노 상ᄉᆞ지심이 ᄒᆞᆫ ᄯᅢ도 잇지 못ᄒᆞ야 월명공산에 잔나븨 수파람ᄒᆞ고 두견이 블여귀라 슬피 울제 장부의 상ᄉᆞᄒᆞᄂᆞᆫ 간장이 구븨구븨 다 녹ᄂᆞ지라 이러툿 달이 가고 날이 오미 쥬야 ᄉᆞ모ᄒᆞᄂᆞᆫ 병이 고항에 드ᄂᆞ지라 그 부뫼 션군의 병이 졈졈 위즁ᄒᆞᆯᆯᆯ 보고 우황초조ᄒᆞ야 빅가지로 문복과 쳔가지의 약에 아니 미친 곳지 업스 나 맛춤니 득효 업스니 눈물로 셰월을 보니더라 ᄎᆞ시 낭지 싱각ᄒᆞ미 랑군의 병이 빅약이 무효ᄒᆞ니 젼싱연분은 즁ᄒᆞ나 속졀업시 되리로다 ᄒᆞ고 이에 션군의게 현몽ᄒᆞ야 왈 우리 아직 긔약이 머럿기로 각리ᄒᆞ얏더니 랑군이 져러툿 노심초ᄉᆞ하미 쳡은 심이 블편ᄒᆞ온지라 랑군이 나을 보고ᄌᆞ ᄒᆞ시거 든 옥연동으로 ᄎᆞ져오쇼셔 ᄒᆞ고 간디업거늘 션군이 ᄭᅢ여 싱각ᄒᆞ미 졍신이 황홀ᄒᆞ야 향홀 발을 아지 못홀지라 이에 부모게 엿즈오디 건일에 희이 심긔 울젹ᄒᆞ와 침식이 불안ᄒᆞ오미 명산대쳔에 유람ᄒᆞ와 수회를 쇼창코ᄌᆞ ᄒᆞ옵

눈지라 옥년동은 산천경기

〈5〉

졀승타ᄒ오니 슈슌일 유람ᄒ고 즉시 도라오고즈 ᄒᄂ이다 부뫼 디경 왈
네 실셩ᄒ얏도다 져러틋 셩치 못흔 아히 엇지 문밧게 나리오ᄒ고 붓들고
노치 아니ᄒᄂ지라 션군이 듯지 아니코 부듸 가고즈 ᄒ거늘 부뫼 홀일업셔
ᄂ녀 보ᄂ니라 션군이 일필쳥려를 타고 일기 셔동을 다리고 동다히로 갈
ᄉᆡ 갈ᄉᆞ록 길이 ᄎᆞ아ᄒ야 졍히 옥년동을 ᄎᆞ지 못ᄒᄆᆡ 민울흔 ᄆᆞ음을 니기지
못ᄒ야 하날게 축슈ᄒ야 왈 초초흔 명텬은 이 경상을 가련이 넉이ᄉ 옥년동
가는 길을 인도ᄒ쇼셔ᄒ고 졈졈 나아가더니 흔 곳에 다다라는 셕양이 직산
ᄒ고 셕됴투림이라 쳥산은 쳡쳡쳔봉이오 류슈는 잔잔빅곡이라 지당에 련
홰만발ᄒ고 심곡에 모란이 셩기라 화간졉무는 분분셜이오 류상잉비는 편
펴금이라 층암졀벽간에 폭포슈는 하슈를 휘여딘 듯ᄒ고 명ᄉᆞ 쳥계상에 돌
다리는 오작교와 방불ᄒ다 좌우를 고면ᄒ며 드러가니 별유텬디비인간이라
ᄉᆡᆼ이 이 ᄀᆞᆺ튼 풍경을 보ᄆᆡ 심신이 상쾌ᄒ야 우화등션홀 듯 희긔즈연 산용츌
ᄒ야 힝심일경 드러가니 쥬란화각이 운리에 표묘ᄒ고 분벽ᄉᆞ창은 화련됴
요ᄒ얏ᄂᆫᄃᆡ 금즈로 현판에 박엿

〈6〉

스되 옥년동이라 ᄒ얏거늘 ᄉᆡᆼ이 블승대희ᄒ야 바로 당상에 을나가니 흔
낭지 잇셔 문 왈 그듸는 엇던 속긱이완듸 감히 션경을 범ᄒ얏ᄂᆢ뇨 ᄉᆡᆼ이
공슌이 듸 왈 나는 유산긱으로셔 산쳔풍경을 탐ᄒ야 길을 일고 그릇 션경을
범ᄒ얏스니 션낭은 모르미 용셔ᄒ쇼셔 낭지 졍ᄉᆡᆨ 왈 그듸는 몸을 앗기거든
ᄲᆞᆯ니 나가고 지완치 말나 ᄉᆡᆼ이 ᄎᆞ언을 드르ᄆᆡ 의ᄉᆡᆨ 삭막ᄒ야 헤오듸 만닐
이 긔회를 닐흘진듸 다시 ᄯᅢ를 만나기 어려오리니 다시 슈작ᄒ야 ᄉᆞ긔를

탐지ᄒ리라 ᄒ고 졈졈 나아가 안즈며 왈 낭즈는 스람을 이다지 괄시ᄒᄂ뇨 낭지 쳥이불문ᄒ고 방즁으로 드러가고 ᄂ미러 브도 아니ᄒᄂ지라 싱이 믁연 쥬져ᄒ다가 홀 길 업셔 칭계에 나려셔니 낭지 그졔야 옥면화안을 화히ᄒ고 화란에 빗겨셔셔 단슌호치를 반기ᄒ고 죵용이 블너 왈 랑군은 가지말고 내 말씀을 드르쇼셔 랑군은 죵시 지식업도다 ᄋ모리 텬졍년분이 잇슨들 엇지 일언에 허락ᄒ리오 ᄒ고 모로미 더듸 마지믈 혐의치 마르시고 오르쇼셔 션군이 그 말을 드르믹 희불ᄌ승ᄒ야 이에 승당좌졍ᄒ믹 믄득 바라보건듸 낭즈의 화용은 운간명월이 벽공에 걸엿는 듯 틱

〈7〉

도는 금본 모란이 흡연이 조로를 씌엿는 듯ᄒ고 일쌍 츄파는 경슈ᄀ고 셤셤 셰료는 츈풍에 양류 휘드는 듯 쳡쳡 쥬슌은 잉뮈 단스를 먹으믄 듯ᄒ니 쳔고무쌍이오 츠세에 독보홀 졀듸가인이라 마음에 황홀난칙ᄒ야 혜오듸 오날날에 이갓튼 션녀를 듸ᄒ미 금셕슈스나 무한이라 ᄒ고 그리든 졍회를 베풀미 낭지 굴오듸 날 ᄀ튼 아녀즈를 스모ᄒ스 이러툿ᄒ야 병을 일우니 엇지 방쥐라 칭ᄒ리오 그러나 우리 만날 긔약이 슴년이 격ᄒ얏스니 그ᄯᅵ 쳥조로 믹파를 슴고 상봉으로 류례를 믜져 빅년동락ᄒ려니와 만일 오늘날 몸을 허흔 즉 텬긔를 누셜ᄒ미 되어 텬앙이 잇스리니 랑군은 아직 안심ᄒ야 ᄯᅵ를 기ᄯ리쇼셔 션군 왈 일긱이 여슴취라 일시인들 엇지 견듸리오 내 이졔 그져 도라가면 자명이 조셕에 잇스리니 이 니 몸이 죽어 황텬긱이 될지라 낭즈의 일시인들 엇지 온젼ᄒ리오 낭즈는 나의 졍셰를 싱각ᄒ야 그믈에 걸닌 고기를 구ᄒ라 만단이걸ᄒ니 낭지 그 형상을 보믹 오직 가긍흔지라 홀 일 업셔 ᄆ음을 도로히믹 옥안에 화싴이 무르녹난지라 싱이 그 옥슈를 즙고 침셕에 나아가니 운우지락을 닐운지라 그 졀졀흔 졍을

〈8〉

일오 측량치 못홀네라 이의 낭지 글오되 임의 첩에 몸이 부정ᄒᆞ얏스니 이에
머믈지 못홀지라 랑군과 흔가지로 가리라ᄒᆞ고 쳥노시를 닛그러 늬여틋고
싱도 ᄯᅩ흔 쳥려를 타고 병힝ᄒᆞ야 집에 도라오니 ᄌᆞ연 츄종이 만터라 이젹에
빅공부뷔 션군을 늬여보늬고 넘녀를 노치못ᄒᆞ야 노복을 ᄉᆞ쳐로 노와 ᄎᆞ지
되 맛츰늬 종젹을 ᄎᆞᆺ지 못ᄒᆞ야 졍히 울민ᄒᆞ니 하회를 셕람ᄒᆞ라

졔이회 알셩과 보라 가다가 두 번이나 집에 도라오고 빅공이 슈삼ᄎᆞ 창밧게
셔 엿듯다

직셜 빅궁부뷔 션군의 종젹을 몰나 졍히 울민ᄒᆞ더니 일일은 문젼이 들네며
션군이 홀연 오듸로 조ᄎᆞ 오는 줄을 모로게 이르러 부모 젼에 현알ᄒᆞ거늘
빅공부뷔 망지쇼조ᄒᆞ야 밧비 그 손을 줍고 그ᄉᆞ이 어늬 ᄯᅡ히 유락ᄒᆞ야 늙은
부모를 문에 의지ᄒᆞ야 바라는 눈이 ᄶᅮ러지게 ᄒᆞ얏ᄂᆞ뇨 ᄒᆞ며 지난 바를 힐문
ᄒᆞ니 공지 옥년동에 가 낭ᄌᆞ를 만나 도라온 말을 셰셰히 고ᄒᆞ며 일변 낭ᄌᆞ를
인도ᄒᆞ야 부모게 비알ᄒᆞ게 ᄒᆞ니 낭지 년보를 움즉여 부모게 비알ᄒᆞ니 공의
부뷔 쳔만몽외에 이런

〈9〉

긔이흔 일을 당ᄒᆞ야 낭ᄌᆞ를 슬펴보니 화려흔 톄모와 아리짜온 화용이 다시
인간에는 업는지라 불승즁이ᄒᆞ야 침소를 동별당에 졍ᄒᆞ니라 싱이 낭ᄌᆞ로
더브러 금슬지락을 닐우미 슈유블리ᄒᆞ고 학업을 젼폐ᄒᆞ니 빅공이 민망이
녀겨ᄒᆞ나 션군을 극히 이즁ᄒᆞ는 고로 바려두니라 니러구러 셰월이 물 흐르
는 것 ᄀᆞᆺᄒᆞ야 님의 팔년이 된지라 낭지 일ᄌᆞ일녀를 싱ᄒᆞ니 녀ᄌᆞ의 일홈은
츈앵이니 방년이 팔 셰라 위인이 영혜 총명ᄒᆞ고 ᄋᆞ들의 일홈은 동츈이니

나히 습 셰라 다 부풍모습ᄒ야 가닉의 화긔 ᄀ득ᄒ야 다시 그릴 거시 업ᄂᆞᆫ지라 이의 동편에 정ᄌᆞ를 짓고 화됴월셕에 량인이 산정에 올나 칠현금을 희롱ᄒ고 노릭를 화답ᄒ야 셔로 즐기며 풍류ᄒ야 쳥홍이 도도ᄒᆞᆯ 시 빅공부뷔이 거동을 보고 두굿기믈 마지안야 왈 너의 량인이 텬상년분이 비경토다ᄒ고 싱을 불너 왈 금번에 알셩과를 뵌다ᄒ니 너는 모로미 응과ᄒᆞ미 맛당ᄒᆞ도다 요ᄒᆡᆼ 창방ᄒᆞᆯ진ᄃᆡ 네 부뫼 녕화롭고 ᄯᅩᄒᆞᆫ 됴션을 빗닉미 아니되랴 ᄒ며 길을 지촉ᄒ니 션군 왈 우리 젼답이 슈쳔셕직이오 노비 쳔여귀라 심지지쇼락과 이목지소호를 님의ᄃᆡ로 ᄒᆞᆯ 거시어늘 무슴 부족ᄒᆞ미

잇셔 급계를 바라리 잇고 만닐 집을 ᄯᅥ나오면 낭ᄌᆞ로 더브러 슈삭 리별이 되깃ᄉᆞ오니 ᄉᆞ졍이 졀박ᄒ야이다 ᄒ고 동별당에 니르러 부친과 문답ᄉᆞ를 이르니 낭ᄌᆡ 념용 ᄃᆡ왈 랑군의 말이 그르도다 남이 츌셰ᄒᆞ미 닙신양명ᄒ야 이현부모ᄒᆞ미 셧셧ᄒᆞᆫ 빅어늘 이졔 랑군이 규즁쳐ᄌᆞ를 권연ᄒ야 남ᄋᆞ의 당당ᄒᆞᆫ 일을 폐코ᄌᆞᄒ니 이ᄂᆞᆫ 불효될 ᄲᅮᆫ더러 타인의 ᄭᅮ지람이 맛ᄎᆞᆷᄂᆡ 쳡의게 도라오리니 바라건ᄃᆡ 랑군은 지슘 싱각ᄒ야 과ᄒᆡᆼ을 밧비 ᄎᆞ려 남의 우음을 취치 마르쇼셔ᄒ고 반젼을 준비ᄒ야쥬며 왈 랑군이 금번 과거를 못ᄒ고 도라오면 쳡이 ᄉᆞ지 못ᄒ리니 랑군은 조금도 다른 일을 과렴치 말고 밧비 발ᄒᆡᆼᄒᆞ소셔 ᄒ거을 싱이 그말을 드르미 언언이 졀졀ᄒ지라 마지못ᄒ야 부모게 하직ᄒ고 낭ᄌᆞ를 도라보아 왈 그ᄃᆡ는 부모를 극진이 봉양ᄒ야 나의 도라오기를 기다리라 ᄒ고 ᄯᅥ날 시 ᄒᆞᆫ 거름에 셔고 두 거름에 도라보니 낭ᄌᆡ 즁문에 ᄂᆞ와 원로에 보즁ᄒᆞᆷ믈 당부ᄒ며 비회를 금치 못ᄒ거늘 션군이 ᄯᅩᄒᆞᆫ 슈식이 만안ᄒ야 울기를 마지아니코 종일토록 ᄒᆡᆼᄒ며 겨오 슴십 리를 갓ᄂᆞᆫ지라 슉쇼를 졍ᄒ고 셕박을 올이미 오직 낭ᄌᆞ를 싱각ᄒ니

음식이 달지 아니ᄒᆞᆫ지라 부득이 두어 슐을 하져ᄒᆞ고 즉시 믈ᄂᆞ거늘 하인이
민망이 녀겨 닐오ᄃᆡ 식ᄉᆞ를 져러틋시 간략히 ᄒᆞ시고 엇지 쳔리 원졍을 득달
ᄒᆞ려 ᄒᆞ시ᄂᆞ니잇고 싱이 일오ᄃᆡ 아모리 진식코ᄌᆞ ᄒᆞ나 ᄌᆞ연 그러ᄒᆞ도다 ᄒᆞ
니 하인이 불승민망ᄒᆞ야 ᄒᆞ더라 싱이 ᄎᆞ시 적막ᄒᆞᆫ 긱관에 잇셔 심신이 슈란
ᄒᆞ야 낭ᄌᆞ의 일신이 겻히 안진 듯허여 견불견이오 쇼ᄅᆡ 들ᄂᆞᆫ 듯 ᄉᆞ쳥불쳥
이라 여좌침셕ᄒᆞ야 마음을 졍치 못ᄒᆞᄂᆞᆫ지라 ᄎᆞ야 이경에 신발을 들메고
집에 도라와 가만니 장원을 넘어 낭ᄌᆞ의 방에 드러가니 낭지 ᄃᆡ경 왈 이
일이 엇진 일이니잇고 오늘 길을 ᄒᆡᆼ치 아니ᄒᆞ니잇가 싱 왈 죵일 ᄒᆡᆼᄒᆞ야
겨오 ᄉᆞ십 리를 가셔 슉쇼를 졍ᄒᆞ고 다만 싱각ᄂᆞ니 그ᄃᆡ ᄲᅮᆫ이라 쳡쳡ᄒᆞᆫ
비회를 바야흐로 금치 못ᄒᆞ야 음식이 달지 아니ᄒᆞ니 ᄒᆡᆼ혀 로즁에셔 병이
날가 져허ᄒᆞ야 그ᄃᆡ로 더브러 심회를 풀고ᄌᆞ ᄒᆞ야 왓노라 ᄒᆞ고 낭ᄌᆞ의 옥슈
를 닛그러 와상에 ᄂᆞ아가 금리에 몸을 더져 낭ᄌᆞ로 더브로 죵야토록 즐겨
졍회를 프ᄂᆞᆫ지라 이젹에 빅공이 ᄋᆞᄌᆞ를 경셩에 보ᄂᆡ고 집안에 도젹을 슬피
려ᄒᆞ야 쳥녀쟝을 집고 장원 안흐로 도라단니며 동졍을 슬피려 ᄒᆞ다가 동

별당에 다ᄃᆞ르니 므득 낭ᄌᆞ의 방에 남ᄍᆞ의 말소ᄅᆡ 은은이 들ᄂᆞ거늘 빅공이
이윽히 듯다ᄀᆞ 가만니 혜오ᄃᆡ 낭ᄌᆞᄂᆞᆫ 빙옥지심과 숑빅지졀이 잇거늘 엇지
외간 남ᄌᆞ를 ᄉᆞ통ᄒᆞ야 음ᄒᆡᆼ지ᄉᆞ를 감심ᄒᆞ리오 그러나 셰상ᄉᆞ를 측양치 못
ᄒᆞ리라 ᄒᆞ고 가만이 ᄉᆞ창 압히 ᄂᆞ아가 귀를 기우리고 들은 즉 낭지 니윽히
말ᄒᆞ다가 닐오ᄃᆡ 싀부게셔 밧게 와 계신가 시보니 랑군은 몸을 금침에 금초
소셔 ᄒᆞ며 다시 아히를 달ᄂᆡ여 왈 너희 아바니ᄂᆞᆫ 장원급뎨ᄒᆞ야 녕활로이
도라오ᄂᆞᆫ니라 ᄒᆞ고 아히를 얼르만지거늘 빅공이 크게 의심ᄒᆞ야 급히 침소
로 도라오니라 ᄎᆞ시 낭지 빅공에 녓듯ᄂᆞᆫ 양을 발셔 아랏ᄂᆞᆫ지라 싱ᄃᆞ려 닐오

딕 존귀 창밧게셔 엿둣고 가셔스니 랑군이 도라온 쥴 아라 계신지라 랑군은
쳡을 유련치 마르시고 경셩에 올나가 셩불셩을 불계ᄒ고 과거을 보아 부모
의 바라시ᄂᆞ 마음을 져바리지 마르시고 쳡으로 ᄒᆞ야곰 불민ᄒᆞᆫ 시비를 면케
ᄒᆞ소셔 싱각건딕 랑군이 쳡을 ᄉᆞ렴ᄒᆞ야 여러 번 출입ᄒᆞᆯ 마음을 두려ᄒᆞ미라
만일 니러ᄒᆞᆯ진딕 이ᄂᆞᆫ 군ᄌᆞ의 도리 아니오 ᄯᅩ 부뫼 아르시면 결단코 쳡의게
죄칙이 ᄂᆞ릴 둣ᄒᆞ오니 랑군은 빅번 싱각ᄒᆞᄉᆞ 급

〈13〉

히 상경ᄒᆞ쇼셔 ᄒᆞ며 길홀 ᄌᆡ촉ᄒᆞ니 션군이 듯기를 다ᄒᆞ미 언즉시애라 이의
결연ᄒᆞᆷ믈 억졔ᄒᆞ야 낭ᄌᆞ를 리별ᄒᆞ고 그 슉쇼로 도라오니 하인이 아직 ᄌᆞᆷ을
ᄭᆡ지 아니ᄒᆞ얏더라 평명에 길에 올나 겨우 오십 리를 가 슉쇼를 졍ᄒᆞ고
월명긱창에 젹막히 안잣스니 낭ᄌᆞ의 형용이 안젼에 삼삼ᄒᆞ야 ᄌᆞᆷ을 일오지
못ᄒᆞ고 쳔만가지로 싱각ᄒᆞ미 ᄯᅩ 울결ᄒᆞᆷ믈 것줍지 못ᄒᆞ야 이에 표연이 집에
도란와 낭ᄌᆞ의 방의 드러가니 낭지 놀나 갈오딕 랑군이 쳡의 간ᄒᆞᄂᆞᆫ 말을
듯지 아니시고 니럿툿 왕림ᄒᆞ시ᄂᆞ니잇가 쳔금 귀쳬 긱즁에셔 병을 어드시
면 엇지ᄒᆞ려 ᄒᆞ시ᄂᆞ니잇가 랑군이 만일 쳡을 닛지 못ᄒᆞ시거든 후일 쳡이
랑군 슉소로 ᄎᆞ쳐가리이다 싱 왈 낭ᄌᆞᄂᆞᆫ 규즁녀ᄌᆡ라 엇지 도로 왕림을 님의
로 ᄒᆞ리오 낭지 홀일업셔 강잉 ᄃᆡ왈 회포ᄂᆞᆫ 푸소셔ᄒᆞ고 화상을 주며 왈
이 화상은 쳡의 용모오니 힝즁에 가졋다가 만일 빗치 변ᄒᆞ거든 쳡이 편치
못ᄒᆞᆷ믈 아르소셔 ᄒᆞ고 ᄉᆡ로이 리별ᄒᆞᆯ ᄉᆡ ᄎᆞ시 빅공이 마음에 고이히 녀겨
다시 동별당에 가 귀를 기우려 드르즉 ᄯᅩ 남ᄌᆞ의 소ᄅᆡ 분명ᄒᆞᆫ지라 빅공이
ᄂᆡ심에 혜오딕 고이코 고이ᄒᆞ도다 내 집이 장원이 놉고 상하 니목이 번

〈14〉

다ᄒᆞ미 외인이 간딕로 출입지 못ᄒᆞᆯ 거시어늘 엇지 슈일을 두고 낭ᄌᆞ의 방즁

에셔 남즈의 말소릭 나는고 이는 반다시 흉악흔 놈이 잇셔 낭즈로 통간흐미
로다 흐고 쳐소로 도라와 ᄎ탄 왈 낭즈의 정절노 니런 힝실을 흐니 일노
볼진ᄃᆡ 욱셕을 분간키 어렵도다 흐고 의혹이 만단흐야 유예미결이라 이에
부인을 불너 이 ᄉ연을 닐너 왈 그 진가를 아지 못흐고 의외의 만일 볼미지
ᄉ가 잇스면 장ᄎᆞ 엇지 흐리오 부인 왈 상공이 잘못 드러계시도다 현부의
힝실은 빅옥 갓트여 그러흘 일이 업스리이다 니런 말을 다시 마르소셔 공
왈 나도 져 일을 심히 의아흐는 빅니 ᄃᆡ져 져를 불너 힐문흘 거시로ᄃᆡ 내
져 알믈 정렬흔 녀즈로 알기로 지금 젹실치 못흐미 잇슬가 흐야 쥬져흐얏더
니 금일은 단쳥코 져를 불너 힐문흐야 보ᄉ이다 흐고 이에 낭즈를 불너
문 왈 이ᄉ이 집안이 젹젹흐미 내 후졍을 두루 도라 네 방 근쳐에 니르니
그 방즁의셔 남즈의 음셩이 은은이 들이니 내 고이히 녁여 도라와 싱각흐니
그러흘리 만무흔 고로 그 이튼날 ᄯᅩ 가셔 드르즉 젼과 갓치 남지의 말소릭
낭즈흐니 이 아니 고이흐냐 ᄉ싱간 즉고흐라 낭지 변싴 ᄃᆡ 왈 밤이 오면
츈잉 동츈

〈15〉

등을 다리고 미월노 더부러 말씀흐얏습거니와 엇지 외간 남지 잇셔 말씀흐
얏스오리잇가 이는 쳔만의외지ᄉᆞᆺ니이다 공이 들르미 마음을 죾간 미드나
일이 고이흐야 미월을 즉시 불너 문 왈 네 이ᄉ이 낭즈 방에 가 ᄉ환흐얏느
냐 미월이 엿즈오ᄃᆡ 소녀의 몸이 곤흐기로 낭즈 방에 가지 못흐얏느이다
빅공이 쳥파에 더옥 슈상이 녀겨 미월을 불너 ᄭ우지져 왈 이ᄉ이 고이흔
일이 잇기로 놀나고 의심되여 낭즈 다려 무르즉 널노 더부러 흔가지로 즈며
슈작흐얏다 흐고 너다려 무르니 가지 아니흐다 얏흐야 두말이 갓지 아니흐
니 이는 낭즈의 외인상통흐미 젹실흔지라 너는 모로미 착실이 슬펴 왕ᄅᆡ
흐는 놈을 잡아 고흐라 미월이 슈명흐고 아모리 쥬야로 상직흔들 그림즈도

업눈 도젹을 엇지 잡으리오 이눈 부졀업시 미월노 ᄒ야곰 간계를 발케ᄒ미라 미월이 이에 싱각ᄒ되 소상공이 낭ᄌ로 더부러 작비ᄒᆫ 후로 나를 도라보지 아니ᄒ니 엇지 익달지 아니ᄒ리오 내 맛당히 이 ᄴᅥ를 타셔 낭ᄌ를 소졔ᄒ리라 ᄒ니 필경 엇지된고 하회를 분셕ᄒ라

졔삼회 미월의 음히로 도리을 동별당으로 인도ᄒ야 루명을 씨우다

<16>

직셜 미월이 본되 이 ᄴᅥ를 타 낭ᄌ를 쇼졔ᄒ야 결단코 나의 젹년단장ᄒ던 원을 풀니라ᄒ고 금은 슈천량을 도젹ᄒ야 가지고 물뢰악소년을 모와 의논왈 뉘 가히 날을 위ᄒ야 묘계를 힝ᄒ면 이 은ᄌ 슈천량을 줄거시니 렬위중에 뉘가 히힝홀고 그 중에 ᄒᆫ 놈이 팔을 쏨니며 왈 내 당ᄒ리라 ᄒ니 셩명은 도리라 본되 셩졍이 흉완ᄒ고 가장 호방ᄒᆫ 놈이러라 ᄎ언을 듯고 직물을 탐ᄒ야 쾌히 웅낙ᄒ고 내 다른 비라 미월이 깃거 도리를 닛글고 종용ᄒᆫ 곳으로 가 닐오되 내 다른 ᄉᆞ졍이 아니라 우리 쇼상공이 날를 쇼실노 두어 졍을 두터이 ᄒ더니 낭ᄌ로 더브러 작비ᄒᆫ 후로 이졔 팔년이 되도록 ᄒᆫ 번도 도라보지 아이니 나의 ᄆᆞ음이 엇지 분연치 아니ᄒ리오 실로 낭ᄌ를 음히ᄒ야 셜치코ᄌ ᄒᄂᆞ니 그되는 나의 말을 명심ᄒ야 나의 지휘되로 ᄒ라 ᄒ니 도리 언언 웅낙ᄒ거늘 미월이 ᄎ야에 도리를 다리고 동별당에 드러가 후문을 열고 밧게 셰우며 왈 그되눈 여긔 잇스라 내 상공 쳐소에 드러가 여ᄎᆞ여ᄎᆞᄒ면 상공이 필연 분로ᄒ야 그되를 잡으라 홀 거시니 그되는 낭ᄌ의 방중으로셔 나오는 쳬 ᄒ고 문을 열고 나가되 부되 쇼홀이 말

<17>

나ᄒ고 급히 빅공게 나아가 고ᄒ되 상공이 쇼쳡으로 ᄒ야곰 동별당을 슈직

ᄒ라 ᄒ시ᄆᆡ 밤마다 슬피옵더니 금야에 과연 엇던 놈이 드러가 낭ᄌᆞ와 더브러 희락이 낭ᄌᆞᄒᆞ옵기로 감히 아니 고치 못ᄒᆞ오ᄆᆡ 대강들은 ᄃᆡ로 고ᄒᆞ오리이다 쇼첩이 고이ᄒᆞᆫ 긔식을 보고 진가를 알녀ᄒᆞ야 낙함 뒤희가 여어 듯ᄉᆞ온즉 낭지 그놈다려 이르기를 쇼상공이 오시거든 즉시 죽인 후 직물을 도적ᄒᆞ야 가지고 다라나 홈게 술ᄌᆞ ᄒᆞ온즉 듯기에 하 ᄉᆞᆷ직ᄒᆞ온지라 이런 말ᄊᆞᆷ을 듯고 엇지 안져서 참혹ᄒᆞ온 관경을 보리잇고 이런 바 대강을 고ᄒᆞᄂᆡ이다 빅공이 듯기를 다 못ᄒᆞ야 분긔대발ᄒᆞ야 칼을 가지고 문을 열며 ᄂᆡ다르니 과연 엇던 놈이 믄득 낭지의 방으로셔 문을 열고 쒸여 ᄂᆡ다라 장원을 너머 도망ᄒᆞ거늘 공이 불승분로ᄒᆞ야 도적을 실포ᄒᆞ고 홀 일 업시 쳐쇼로 도라와 밤을 시올 ᄉᆡ 미명에 비복 등을 불너 뉴우에 셰우고 ᄎᆞ례로 엄문ᄒᆞ야 왈 내 집이 댱원이 놉고 외인이 임의로 츌입지 못ᄒᆞ거늘 너히 놈 중에 어던 놈이 감히 낭ᄌᆞ와 ᄉᆞ통ᄒᆞᆫ고 죵실 직초ᄒᆞ라ᄒᆞ며 낭ᄌᆞ를 잡아오라ᄒᆞ니 ᄆᆡ월이 몬져 ᄂᆡ다라 동별당에 가 문을 열고 소ᄅᆡ를 크게 질너 왈 낭

<18>

ᄌᆞᄂᆞᆫ 무ᄉᆞᆷ 줌을 깁히 드럿ᄂᆞ뇨 지금 상공게셔 낭ᄌᆞ를 잡아오라 ᄒᆞ시니 밧비 가 보소셔 낭지 놀라 문 왈 이 심야에 엇지 이리 요란이 구ᄂᆞ뇨 ᄒᆞ고 문을 열고 보니 비복등이 문 밧게 가득ᄒᆞ얏거늘 낭지 왈 무슴 일이 잇느냐 노복이 ᄃᆡ 왈 낭ᄌᆞᄂᆞᆫ 엇던 놈과 통간ᄒᆞᄂᆞᆫ가 이미ᄒᆞᆫ 우리 등으로 즁장을 밧게ᄒᆞᄂᆞ뇨 아등을 ᄭᅮ지람 들지 말고 어셔 밧비 가ᄉᆞ이다 ᄒᆞ며 구박이 틱심ᄒᆞ거늘 낭지 쳔만 몽매 밧이 말을 드르니 혼빅이 비월ᄒᆞ고 간담이 셔늘ᄒᆞ야 엇지홀 쥴 모르ᄂᆞᆫ 중 직촉이 셩화 갓튼지라 급히 상공 압혜 ᄂᆞ아가 복디 주왈 첩이 무슴 죄 잇습건ᄃᆡ 이 지경에 이르ᄂᆞ니잇고 공이 대로 왈 슈일 젼에 여ᄎᆞ여ᄎᆞ 슈상ᄒᆞᆫ 일이 잇기로 너다려 무른 즉 네 말이 랑군이 ᄯᅥ난 후 젹막ᄒᆞ기로 ᄆᆡ월노 더브러 담화ᄒᆞ얏다 ᄒᆞ매 내 반신반의ᄒᆞ야 ᄆᆡ월을 불너 치문ᄒᆞᆫ 즉

졔 되답이 일졀 네 방에 가지 아니 ᄒ얏다 ᄒ니 필연 곡졀이 잇ᄂ 일이기로 ᄌ셰히 긔찰ᄒ 즉 엇던 놈이 여ᄎ여ᄎᄒ시 분명ᄒ거날 네 무슴 낫ᄎ들고 감히 발명코ᄌ ᄒᄂ뇨 낭지 울며 발명ᄒ되 공이 엇지 무언을 고지 들르시ᄂ 뇨 ᄒ되 공이 되질 왈 내 귀로 친히 듯고 눈으로 본 일이라 네 죵시 긔망ᄒ니 엇지 통

<19>
히치 아니ᄒ리오 냥반의 집에 이런 일이 잇기ᄂ 큰 변이라 상통ᄒ든 놈의 셩명을 ᄲ니 고ᄒ라 ᄒ며 호령이 셔리 갓ᄒ지라 낭지 안ᄉ이 씩씩ᄒ야 왈 아모리 류례 빅량으로 맛지 못ᄒ 며ᄂ리라 ᄒᄉ 이런 말ᄉᆷ을 ᄒ시ᄂᄂ잇가 발명 무로오나 셰셰히 통쵹ᄒ야 보옵소셔 이 몸이 비록 인간에 잇ᄉ온들 쳡의 빙옥갓튼 졍졀로 더러온 말ᄉᆷ을 듯ᄉ오리잇가 영쳔슈가 머러 귀를 씻지 못ᄒ온미 한이 되옵ᄂ이 다만 죽어 모르고ᄌ ᄒ옵ᄂ이다 공이 익익되 로ᄒ야 노ᄌ를 호령ᄒ야 낭ᄌ를 결박ᄒ라ᄒ니 노지 일시에 다라드러 낭ᄌ 의 머리를 산발ᄒ야 계하에 안치니 그 경상이 참불인견이러라 공이 되셩즐 왈 네 죄상은 만ᄉ무셕이니 ᄉ통ᄒ던 놈을 밧비 이르라ᄒ고 ᄆᆡ를 드러치니 빅옥갓튼 귀밋히 흐르ᄂ니 눈물이오 옥ᄀᆺ튼 일신에 소ᄉᄂ니 류혈이라 낭 지 ᄎᄉ를 당ᄒ야 ᄒ 일 업시 정신을 찰혀 왈 향ᄌ 랑군이 쳡을 닛지 못ᄒ야 발힝ᄒ든 날 겨오 삼십리를 가 슉쇼ᄒ고 밤에 도라와 단녀간 후 ᄯ 이튼날 밤에 왓ᄉ기로 쳡이 한ᄉᄒ고 간ᄒ야 보낼 ᄉᆡ 어린 쇼견에ᄂ 혹 구고게 견칙이 잇실가 져허ᄒ야 랑군 거취를 은회ᄒ야 보닛

<20>
ᄉᆸ더니 조물이 무이녁이고 귀신이 싀긔ᄒ야 가히 씻지 못ᄒ올 누명을 닙ᄉ 오니 발명 무로오나 구말리 명텬은 찰시ᄒ옵ᄂ니 통쵹ᄒ옵소셔 빅공이 졈

겸 딕로ᄒᆞ야 집장노복을 호령ᄒᆞ야 미미 고찰ᄒᆞ야 칠시 낭지 홀 일 업셔
하늘을 우러러 통곡 왈 유유창텬은 무죄ᄒᆞᆫ 이ᄂᆡ 마음을 구버 살피옵소셔
오월 비상지원과 십년불우지원을 뉘라셔 푸러ᄂᆡ리오 ᄒᆞ고 이의업더져 긔
식ᄒᆞ거늘 존고 정씨 그 형상을 보고 울며 빅공ᄃᆞ려 왈 녯말에 닐너스되
그릇 셰물을 업치고 다시 담지 못ᄒᆞ온다 ᄒᆞ오니 상공은 ᄌᆞ셰히 보지 못ᄒᆞ고
빅옥 무ᄒᆞᆫ 졀부를 무단이 음힝ᄒᆞ다 ᄒᆞ고 포박ᄒᆞ미 여ᄎᆞᄒᆞ시니 엇지 가히
후회 지탄이 업ᄉᆞ오리잇고 ᄒᆞ고 나리다라 낭ᄌᆞ를 안고 대셩통곡 왈 너희
송빅지졀은 내 아는 비라 오늘날 이 경상은 몽매에도 싱각지 못ᄒᆞᆫ 일이니
엇지 지원극통치 아니리오 낭지 울며 딕 왈 녯말에 음힝지졀은 신셜키 어렵
다ᄒᆞ오니 동ᄒᆡ슈를 기우려 씻못 홀 누명을 엇고 엇지 구구히 살기를 도모ᄒᆞ
오리잇고 ᄒᆞ고 통곡ᄒᆞ기를 마지아니ᄒᆞ니 졍시 만단기유ᄒᆞ딕 낭지 종시 듯
지 아니ᄒᆞ고 믄득 옥잠을 ᄲᅡ혀 들고 하늘게 졀ᄒᆞ며 축 왈 지공

〈21〉

무ᄉᆞᄒᆞ신 황텬은 구버살피소셔 첩이 만일 외인으로 통간ᄒᆞᆫ 일이 잇거든
이 옥잠이 첩의 가슴에 박히고 만일 이미ᄒᆞ옵거든 옥잠이 셤돌에 박히소셔
ᄒᆞ며 옥잠을 공즁에 더지고 업듸 엿더니 옥잠이 ᄂᆞ려오며 셤돌에 박히는지
라 그졔야 상히 다 대경실식ᄒᆞ야 크게 신긔히 녁이며 낭ᄌᆞ의 원억ᄒᆞᆷ을 알더
라 빅공이 ᄎᆞ경을 보고 부지불각에 나리다라 낭ᄌᆞ의 손을 줍고 비러 왈
늙으니 지식이 업셔 착ᄒᆞᆫ 며ᄂᆞ리를 모로고 망녕된 거조를 ᄒᆞ얏스니 그 명졀
을 모로고 니러틋 ᄒᆞ미라 내 허물은 만 번 죽어도 속지 못홀 비니 바라건딕
현부는 나의 허물을 용셔ᄒᆞ고 안심ᄒᆞ라 낭지 이연 통곡 왈 첩이 가업는
누명을 실고 셰상에 머므러 쓸 딕 업는지라 이졔 죽어 아황 녀영의 혼령을
조ᄎᆞ려 ᄒᆞᄂᆞ이다 ᄒᆞ고 종시 살 ᄯᅳᆺ이 업셔 ᄒᆞ거늘 빅공이 위로 왈 ᄌᆞ고로
현인군지 혹 참소를 만나며 슉녀 현부도 혹 누명을 엇ᄂᆞ니 현부도 ᄯᅩᄒᆞᆫ

일시 운익이라 너무 고집지 말고 로부의 무류ᄒ믈 싱각ᄒ라ᄒ니 졍시 낭ᄌ를 붓드러 동별당으로 가 위로홀 ᄉᆡ 낭ᄌ 흐르ᄂᆞ니 눈물이오 지ᄂᆞ니 한심이라 이의 부인게 고 왈 쳡ᄀᆞ튼 계집이라도 악명이 셰상에 낫

〈22〉

타나고 엇지 붓그럽지 아니ᄒ리오 랑군이 도라오면 상ᄃᆡ홀 낫치 업ᄉ오리니 다만 죽어 셰상을 모르고ᄌ ᄒᄂ이다 ᄒ며 진쥬ᄀᆞ튼 눈물이 옷갓을 젹시거늘 부인이 그 참혹ᄒᆫ 거동을 보고 왈 낭ᄌ 죽다ᄒ면 아직 결단코 ᄯᅩᄒᆫ ᄯᅡᆯ 죽을 거시니 이런 답답ᄒᆫ 일이 어ᄃᆡ 잇스리오 ᄒ며 침소로 도라가ᄂᆞ라 이 ᄯᅢ에 춘잉이 그 모친 형상을 보고 울며 왈 모친은 죽지 말고 부친이 도라오시거든 원ᄒᆫ 수졍이나 ᄒ고 죽으나 ᄉᆞ나 ᄒᆞ옵소셔 모친이 불힝ᄒ면 동춘을 엇지ᄒ며 나ᄂᆞᆫ 누를 밋고 살나ᄒ오 모친의 손을 잡고 방으로 드러가기를 권ᄒ니 낭ᄌ 마지못ᄒᆞ야 방으로 드러가 춘잉을 겻ᄒ 안치고 동춘을 졋먹이며 치복을 ᄂᆡ여닙고 슬허 왈 춘잉아 나ᄂᆞᆫ 죽으리로다 ᄒ니 낭ᄌ의 ᄉᆞ싱이 하여오 분셕ᄒ라

졔사회 낭ᄌ 루명 씨스려 스사로 죽고 션군이 장원ᄒᆫ 후 부모 젼 상셔ᄒ다

ᄎᆞ셜 낭ᄌ 슬허 왈 춘잉아 나ᄂᆞᆫ 죽으리로다 너의 부친이 쳔리 밧게 잇셔 나 죽ᄂᆞᆫ 일을 모르니 속졀 업시 나의 ᄆᆞ음 둘ᄃᆡ 업다 춘잉아 이 빅학션을 진짓 텬하 긔뵈

〈23〉

라 치우면 더운 긔운이 나고 더오면 셔늘ᄒᆫ 긔운이 나ᄂᆞ니 졀 간슈ᄒᆞ얏다가 동춘이 ᄌᆞ라거든 젼ᄒᆞ야라 슬프다 홍진비릭와 고진감릭ᄂᆞᆫ 셰간상식라 ᄒ

나 나의 팔지 긔험ᄒ야 천망몽미 밧누명을 실고 너히 부친을 다시 보지 못ᄒ며 황텬 긱이 되니 엇지 눈을 감으리오 가련타 춘잉아 나 죽은 후 과도히 슬허 말고 동츈을 보호ᄒ야 줄 잇시라 ᄒ며 누쉬여우ᄒ며 긔졀ᄒᄂ지라 춘잉이 모친을 붓들고 낫츨 ᄃᆡ여 늣기며 ᄒᄂ 말이 어마니 이 말숨이 웬말이오 어마니 우지마오 어마니 우ᄂ 소릭의 ᄂᆡ 간장이 믜여지오 어마니 우지마오 ᄒ며 방셩대곡 ᄒ다가 긔진ᄒ야 줌을 들거늘 낭지 지원극통ᄒ물 이긔지 못ᄒ야 분긔 흉즁에 가득ᄒ미 아모리 싱각ᄒ야도 죽어 구텬지하에 도라가 누명을 셋ᄂ 거시 올타ᄒ고 ᄯᅩ ᄋ히드리 이러나면 분명 죽지 못ᄀ게 ᄒ리라 ᄒ고 가만이 츈잉 등을 어루만져 왈 불상ᄒ다 츈잉아 나를 긔리워 어이 살니 가련ᄒ다 동츈아 내 너히 량아를 두고 엇지 가리 익달다 나 가ᄂ 십왕이나 가르쳐 주려모나 슬프물 니긔지 못ᄒ야 금침을 도도고 셤셤옥슈로 드ᄂ 칼을 드러 가슴을 질너 죽으니 문득 틱양이 무광ᄒ고

〈24〉

텬디 혼흑ᄒ며 텬동소릭 진동ᄒ거늘 츈잉이 놀나 ᄭᆡ여보니 모친의 가슴에 칼을 ᄭᅩᆺ고 누엇거늘 급히 소소로쳐 보고 대경실식ᄒ야 칼을 ᄲᅢ히려 ᄒ니 ᄲᅢ지지 아니커늘 춘잉이 모친의 낫츨 다히고 방셩대곡 왈 어만니 이러나오 이런 일노 ᄯᅩ 잇ᄂ가 하나님도 무심ᄒ다 가련ᄒ다 어마니여 우리 남미를 두고 어ᄃᆡ로 가시며 우리 남미 누를 의지ᄒ야 살나ᄒ오 동츈이가 어만니를 ᄎᆞ즈면 무슴 말노 달닉리오 어만니ᄂ 참아 못홀 노릇도 ᄒ오ᄒ며 호텬고디 ᄒ며 망극이통ᄒ니 그 잔잉참졀ᄒ 졍상을 볼진ᄃᆡ 철셕간장이라도 눈물을 흘일 거시오 토목심장이라도 가히 슬허홀 비라 빅공 부쳐와 노복 등이 드러와 살펴본 즉 낭지 가슴에 칼을 ᄭᅩᆺ고 누엇거늘 창황망조ᄒ야 칼을 ᄲᅢ히려 ᄒ나 종시 ᄲᅢ지지 아니ᄒᄂ지라 아모리 홀 줄 모르고 다만 곡셩이 진동ᄒ니 이 ᄯᅢ 동츈이 어미 죽으믈 모르고 졋만 먹으려ᄒ고 몸을 흔들며 우니 춘잉이

달닉여 밥을 쥬어도 먹지 아니ᄒᆞ고 졋만 먹으려 ᄒᆞ거늘 츈잉이 동츈을 안고
울며 일르디 우리 남미도 어만니와 ᄀᆞ치 죽어 디하에 도라가ᄌ ᄒᆞ고 이호통
곡ᄒᆞ니 그 형상을 춤아 보지 못홀네라 슴

〈25〉

ᄉ일 후에 공의 부체 의론ᄒᆞ되 낭지 이러틋 춤혹히 죽엇스니 아지 도라와
낭ᄌ의 가슴을 보면 필경 우리 모히ᄒᆞ야 죽인 줄노 알고 제 ᄯᅩᄒᆞᆫ 죽으려
홀거시니 ᄋᆞ직 오기젼에 낭ᄌ의 신쳬나 밧비 영장ᄒᆞ야 엄젹ᄒᆞᄆᆡ 올타ᄒᆞ고
공에 부쳬 낭ᄌ 방에 드러가 쇼렴ᄒᆞ려ᄒᆞᆫ 즉 ᄯᅩᄒᆞᆫ 이상ᄒᆞ야 신쳬가 조금도
움즉이지 아니ᄒᆞ니 무가닉히라 빅공이 도로혀 우민ᄒᆞ야 초조ᄒᆞ더라 ᄎᆞᄉᆞᆯ
션군이 낭ᄌ의 간언으로 좃ᄎ 마음을 구지 잡아 경ᄉ로 올나가 쥬인을 졍ᄒᆞ
고 과일을 기드려 당ᄒᆞ니 팔도 션빅 운집ᄒᆞᄂᆞᆫ지라 싱이 ᄯᅩᄒᆞᆫ 시지를 엽희ᄭᅵ
고 츈당디에 드러가 현졔판을 바라본 즉 글졔를 거럿ᄂᆞᆫ지라 일필휘지ᄒᆞ야
션장ᄒᆞ니 ᄎᆞ시 상이 수만장 시젼을 드려보시다가 싱의 글에 다ᄃᆞ라는 칭찬
ᄒᆞᄉᆞ 왈 ᄎᆞ인의 글을 보니 문쳬는 리빅이오 필법은 조밍보라 ᄒᆞ시고 ᄌᆞᄌᆞ비
졈에 귀귀관주를 주시며 장원을 쌘이시고 비봉을 써이시니 경상도 안동거
ᄒᆞᄂᆞᆫ 빅션군이라 ᄒᆞ얏거늘 상이 신릭를 직쵹ᄒᆞᄉᆞ 슈삼ᄎᆞ 진퇴ᄒᆞ시고 승졍
원쥬셔를 ᄒᆞ이시니 션군이

〈26〉

ᄉ은슉빅ᄒᆞ고 졍원에 닙직ᄒᆞ얏더니 과거ᄒᆞᆫ 긔별을 집에 젼홀 쌘더러 낭ᄌ
를 리별ᄒᆞᆫ지 오릭미 회포 간졀ᄒᆞᆫ지라 밧비 노ᄌ로 ᄒᆞ야곰 부모게 상셔ᄒᆞ고
낭ᄌ에게 평셔를 붓치니 노지 여러날 만에 본부에 이르러 금월을 올이니
빅공이 급히 써히미 ᄒᆞ얏스디 소직 텬은을 닙ᄉ와 장원급졔ᄒᆞ야 승졍원
쥬셔를 ᄒᆞ와 방금 닙직ᄒᆞ얏ᄉᆞ오니 감츅무디 ᄒᆞ온지라 도문일ᄌᆞᄂᆞᆫ 금월 망

간이 되올거시오니 그리 아옵쇼셔 ᄒᆞ얏고 낭ᄌᆞ에게 온 편지를 정부인이 가지고 울며 왈 츈잉 동츈아 이 편지는 네 아비가 네 어미에게 ᄒᆞᆫ 편지니 갓다가 잘 간슈ᄒᆞ라 ᄒᆞ고 방셩대곡ᄒᆞ니 츈잉이 편지를 가지고 빙소에 드러가 신체를 흔들며 편지를 펴들고 낫츨 다히고 울며 왈 어만니 이러나오 아바지계셔 편지 왓소 아바지가 장원ᄒᆞ야 승졍원 쥬셔를 ᄒᆞ얏다ᄒᆞ니 엇지 이러나 즐기시지 아니ᄒᆞ고 어만니가 아바지 소식을 몰나 쥬야 근심ᄒᆞ시더니 금일 편지 왓건마는 엇지 반기지 아니ᄒᆞ시는니잇가 나는 글을 못 보기로 어만니 혼령 압히셔 넑어 외지 못ᄒᆞ오니 답답ᄒᆞ야 이다ᄒᆞ고 조모를 닛그러 왈 이 편지를 가지고 어먼니 신령 압히셔 넑어 들니면

<27>

어만니 혼빅이라도 감동홀 듯 ᄒᆞ외다 ᄒᆞ거늘 부인이 마지못ᄒᆞ야 낭ᄌᆞ 빙소에 가셔 편지를 넑으니 기셔에 왈

쥬셔 빅션군은 ᄒᆞᆫ장 글월을 낭ᄌᆞ 좌하에 붓치느니 그 ᄉᆞ이 량위존당 뫼시고 평안ᄒᆞ시며 츈잉 남미도 무량ᄒᆞ시니잇가 복은 다ᄒᆡᆼ이 룡문에 올나 일홈이 환조에 현달ᄒᆞ오니 텬은이 망극ᄒᆞ오나 다만 그ᄃᆡ를 리별ᄒᆞ고 쳔리밧게 잇셔 ᄉᆞ모ᄒᆞ는 마음 간졀ᄒᆞ도다 농망이 난망ᄒᆞ니 그ᄃᆡ의 용뫼 눈에 암암ᄒᆞ고 블슈이 ᄌᆞᄉᆞᄒᆞ니 그ᄃᆡ의 셩음이 귀에 칭칭ᄒᆞ도다 월식이 만졍ᄒᆞ고 두견이 슬피 울 졔 츌문망 고향만 바라보니 운산은 만즁이오 록슈는 쳔화로다 ᄉᆞᆨ벽달 밧게 쇼슬ᄒᆞᆫ 풍경 ᄲᅮ이로다 긱창의 실솔이 살난ᄒᆞ니 운우낭ᄃᆡ에 초곡도 소소ᄒᆞ다 슬프다 홍진비릭는 고금상ᄉᆞ라 낭ᄌᆞ의 화상이 이ᄉᆞ이 날노 변ᄉᆞᆨᄒᆞ니 무슴 연괴 잇스미라 좌불안셕이오 침식이 블편ᄒᆞ니 이 아니 가련ᄒᆞᆫ가 일각이 여슴츄ᄒᆞ나 환조의 ᄆᆡ인 몸이 ᄯᅳᆺ과 ᄀᆞᆺ지 못ᄒᆞ도다 비장방의 션쥭장을

〈28〉

어덧스면 됴셕왕릭 ᄒ련마ᄂ 홀 일 업고 홀 일 업다 바라나니 낭직로다
공방독슉 설워 말고 안심ᄒ야 지ᄂ면 몃날이 다 못되야셔 반가온 경회를
그 아니 위로ᄒ랴 록양츈풍에 ᄒᄂ 어이 더듸 가나 이ᄂ 몸의 날기 업셔
한이로다 언무진셜 무궁ᄒ나 일필난긔ᄒ야 긋치노라 ᄒ얏더라
츠시 경부인이 보기를 다ᄒ 후에 츈잉을 어로만져 듸셩통곡 왈 슬프다 너의
어미를 일코 어이슬고 네 어미 죽은 혼이라도 응당 슬허ᄒ리로다 츈잉이
울며 왈 어만니 아바니 편지 ᄉ연 드르시고 엇지 아모 말씀을 아니ᄒ시ᄂ니
잇가 우리 남ᄆ 슬기실ᄉ오니 밧비 다려가소셔 ᄒ며 슬허ᄒᄆ를 마지아니ᄒ
더라 이ᄯ 빅공 부체 상의ᄒ야 왈 션군이 ᄂ려오면 결단코 죽으려 ᄒ리니
엇지ᄒ여야 장촛 됴흐리오 ᄒ며 탄식ᄒᄆ를 마지아니ᄒ더니 노ᄌ 복이 이
긔쇠을 알고 엿ᄌ오듸 져즈음게 쇼상공이 룡궁으로 가실 ᄯ에 풍산외촉에
다다라ᄂ 쥬란화각에 치옥이 녕농ᄒ고 지당에 연화 만발ᄒ며 동산에 모란
이 셩기ᄒ야 춘쇠을 ᄌ랑ᄒᄂ 곳의 ᄒ 미인이 빅학으로 츔츄이ᄆ 그 동리
ᄉ람다려 무른 즉 림진ᄉ퇵 규슈로라 ᄒ

〈29〉

오니 쇼상공이 ᄒ 번 바라보시고 흠모ᄒᄆ를 마지아니ᄉ 비회주져ᄒ시다가
도라오신일이 잇ᄉ오니 소인의 천견에ᄂ 그듸과 셩혼ᄒ시면 쇼상공이 소
원이르믈 깃거ᄒᄉ 반듯시 슉영낭ᄌ를 이즈실가 ᄒᄂ이다 빅공이 대회 왈
네 말이 가장 올토다 림진ᄉᄂ 날과 친흔지라 내 말을 괄시치 아닐 듯ᄒ고
션군이 닙신양명ᄒᄆ 졍혼ᄒ기 쉬오리라ᄒ고 즉시 발힝ᄒ야 림진ᄉ를 ᄎ
져가니 하회를 분셕ᄒ라

제오회 션군을 위로ᄎ로 림씨와 약혼ᄒ고 미월을 죽여 원수을 갑다

ᄎ셜 빅공이 발힝ᄒ야 림진ᄉ를 ᄎ져가니 림진ᄾ 마져 영졉ᄒ야 한훤을
필ᄒᄆᆡ 션군에 득의ᄒᄆᆞᆯ 하례ᄒ고 쥬과를 ᄂᆡ여 ᄃᆡ졉ᄒ며 왈 형이 루디에
왕님ᄒ시니 감ᄉᄒ여이다 빅공 왈 형의 말이 그르도다 친우심방이 의례홀
일이어늘 루디라 닐ᄏ르시니 도로혀 불감ᄒ도다 ᄒ고 셔로 우으며 담소ᄒ
더니 문득 빅공이 글오ᄃᆡ 소졔 감히 의론홀 말ᄉᆞᆷ이 잇스니 능히 응낙홀소냐
림진ᄾ 왈 들을 만ᄒ면 들을 거시니 밧비 닐으라 빅공 왈 다름이 아니라
ᄌᆞ식이 슉영낭ᄌᆞ로 년분

<30>

을 미ᄌ 금슬지룩이 비홀ᄃᆡ 업셔 ᄌᆞ식 남ᄆᆡ를 두고 션이 과거를 보라 갓더니
그 ᄉᆞ이 낭지 홀연 득병ᄒ야 모월모일에 불힝이 ᄉᆞᄒ니 져 마음도 불상ᄒ기
측냥업거니와 션군이 ᄂᆞ려와 죽은 쥴 알면 반ᄃᆞ시 병이 날 듯 ᄒ기로 규슈를
광구ᄒ더니 듯ᄉᆞ온 즉 귀ᄐᆡᆨ에 어진 규쉬 잇다ᄒ오ᄆᆡ 소뎨의 몸이 비루ᄒᄆᆞᆯ
싱각지 못ᄒ고 감히 귀ᄐᆡᆨ으로써 구혼ᄒᄂᆞ니 형이 믈니치지 아닐가 바라ᄂᆞ
이다 림진ᄾ 듯기를 다ᄒᄆᆡ 침음냥구에 글오ᄃᆡ 천ᄒᆞᆫ 녀식이 잇스나 족히
령낭의 건질을 밧드럼 즉지 아니ᄒ고 ᄯᅩ 거년 칠월 망일에 우연이 령낭을
보ᄆᆡ 낭ᄌᆞ와 월궁션녀 반도 진상ᄒᆞᆫ 듯ᄒᆞ던 비라 만일 소뎨 허혼ᄒᆞ얏ᄃᆞ가
령랑 마음에 불합ᄒ면 녀식의 신셰 그 아니 가련ᄒ리오 빅공 왈 그럴리
업ᄂᆞ이다 ᄒ고 직슴 쳥ᄒ거늘 림진ᄾ 마지못ᄒ야 허락ᄒᄂᆞᆫ지라 빅공이 블
승대희ᄒ야 왈 금월 망일에 션군이 귀ᄐᆡᆨ 문젼으로 지늘 거시니 그날 셩례ᄒ
ᄆᆡ 무방ᄒ니 형의 여하오 림진씨 ᄯᅩᄒᆞᆫ ᄂᆞ방ᄐᆞ ᄒ거늘 빅공이 ᄉᆞᄉᆞ에 심합ᄒᆞ
믈 대희ᄒ야 즉시 하직고 본부로 도라와 부인다려 이 ᄉᆞ연을 젼ᄒ고 즉시
례물을 ᄀᆞ초아 납치ᄒ고 빅공부쳐의

론왈 낭지 죽으믈 션군이 모로고 나려올 거시오 드러와 낭즈의 형상을 보면
그 곡졀을 물을 거시니 무어시라 흐리오 빅공 왈 그 일을 바로 일을 거시
업ᄉ오니 여츠여츠 흐오미 됴토다흐고 셔로 약속을 졍흔 후에 션군이 ᄂ려
올 날을 기ᄃ려 풍산촌으로 가려흐더라

각셜 이씌 션군이 근친 슈유를 어더 옥폐에 하직고 나려올 ᄉ| 어ᄉ 복두의
청ᄉ관ᄃ|를 닙고 우슈에 옥홀을 잡고 어ᄉ화 빗겨 ᄭᆺ고 직인 장부와 리원풍
악을 버려 셰우고 청홍긔를 압셰우며 금안 슌마에 젼후츄죵이 옹위흐야
대로상으로 헌거롭게 나려오니 도로 관광직 모다 칙칙 칭션흐더라 이러텃
힝흐야 슘ᄉ일이 되미 장원이 즈연 마음이 비창흐야 즙간 쥬졈에셔 조으더
니 문득 낭지 몸에 피를 흘니고 완연이 문을 열고 드러와 즈긔 겻희 안즈
이연이 울며 왈 랑군이 닙신냥명 흐야 녕화로이 ᄂ려오시니 시하의 즐겁기
측낭업거니와 쳡은 시운이 블힝흐야 셰상을 바리고 황텬긱이 되엿ᄂ지라
일젼에 랑군의 력지ᄉ연을 듯즈온 즉 랑군이 쳡의 게 행흔 마음이 지극흐오
나 츠싱년분이 쳔박흐와 발셔 유명

32

이 헌슈흐얏시니 구텬의 혼빅이라도 유한이 되올지라 그러나 쳡의 원혼
되온 ᄉ연을 아못조록 신셜흐온들 랑군에게 부탁흐옵ᄂ니 바라건ᄃ| 랑군
은 소홀이 아지 마르시고 니런 한을 프러쥬시면 죽은 혼빅이라도 졍흔 귀신
이 되오리다 흐고 간ᄃ|업거늘 션군이 놀나씌니 일신에 한한이 가득흐고
심신이 셔늘흐야 진졍치 못흘지라 아모리 싱각흐야도 그 곡졀을 예탁지
못흘지라 명효에 인마를 젼폐흐야 밤을 안져 기다리더니 믄득 하인이 고흐
ᄃ| 대상공이 오신다 흐거늘 쥬셰 즉시 졈문에 나와 마자 문후하고 뫼셔
방으로 드러가 가ᄂ| 안부를 뭇즈오며 공이 쥬쳔흐며 혼실이 무량흐믈 이루

고 션군에 과거ᄒ야 벼살흔 ᄉ연을 무러 깃거ᄒ며 이윽고 말ᄉᆷ흐다ᄀ 션군
ᄃ려 왈 남이 현달ᄒ면 량쳐를 두미 고금상식라 내 들으니 이 곳 림진ᄉ의
ᄯᆯ이 뇨조현숙다ᄒ며 ᄂᆡ 림진ᄉ에게 허락을 바닷기로 납치 ᄒ얏스니 이왕
이곳을 님ᄒ얏슨 즉 명일에 아조 셩례ᄒ고 집으로 도라가미 합당치 아니랴
ᄒ니 션군은 낭지 현몽ᄒᄆᆯ 장신장의ᄒ야 심신을 졍치 못

〈33〉

ᄒ든 ᄎ의 그 부친에 말ᄉᆷ을 듯고 혜오ᄃᆡ 낭ᄌ에 죽을 시 분명ᄒ도다 반ᄃ시
이런고로 나를 긔이고 림낭으로 혼취ᄒ야 날을 위로ᄒ미로다 ᄒ고 이의
부친게 고 왈 이 말ᄊᆷ이 지당ᄒ시나 소ᄌ에 ᄆᆞ음은 아직 급ᄒ지 아니ᄒ오니
ᄂᆡ두를 보아 졍혼ᄒ야도 늣지 아니ᄒ오니 다시 이로지 마옵소셔 ᄒ거늘
공이 그 회심치 아님을 알고 다시 ᄀᆡ구치 못ᄒ고 밤을 지닐 시 계명에 션군
이 인마를 직촉ᄒ야 길에 올나 밧비 힝ᄒᆯ시 림진ᄉ 션군이 갓가히 왓시믈
알고 션군에 하쳐로 나아오다가 길에셔 만나 치하ᄒ며 슈어를 슈작ᄒ고
분슈흔 후 빅공을 만나미 빅공이 션군에 ᄉ연을 닐러 왈 ᄉ셰 여ᄎᄒ니
잠간 기ᄃ리라 ᄒ고 션군을 ᄯᅡ라 오니라 ᄎ시 션군이 밧비 힝ᄒ미 하속
등은 그 곡졀을 몰라 가장 의아ᄒᄂᆫ지라 셔군이 본부에 다다르미 부모님게
현알ᄒ고 기간존후를 뭇잡고 낭ᄌ의 안부를 뭇거늘 졍부인이 아ᄌ의 령화
로이 도라오믈 도로혀 깃브미 업셔 ᄋᆞᄌ에 뭇ᄂᆫ 말을 ᄃᆡ답ᄒᆯ기리 상막ᄒ야
쥬져쥬져ᄒᄂᆫ지라 션군이 쳔만 의아ᄒ야 낭ᄌ의 방의 드러가 보니 낭지
가슴에 칼을 ᄭᅩᆺ고 누엇ᄂᆫ지라 션군이 흉격이 막혀 울

〈34〉

음을 닐우지 못ᄒ고 젼지도지 나올 시 츈잉이 동츈을 안고 울며 ᄂᆡ다라
션군에 옷ᄌ락을 붓들고 왈 아바니ᄂᆫ 엇지ᄒ야 이졔야 오시오 어만니 발셔

죽어 넘습도 못ᄒ고 지금 그져 잇스니 ᄎᆞᆷ아 셜워 못 살겟쇼 ᄒ며 닛글고 낭ᄌᆞ방으로 드러가며 어만니 니러나오 아바니 지금왓쇼 그리 쥬야로 그리워ᄒ더니 엇지 안연무심이 누엇쇼 ᄒ고 셜어 울기를 마지아니ᄒ거늘 션군이 ᄎᆞ경을 보ᄆᆡ 불승ᄎᆞᆷ연ᄒ야 일장을 통곡ᄒ다ᄀ 급히 졍당의 ᄂᆞ와 부모게 그 곡졀을 못ᄌᆞ오니 빅공이 오열ᄒ고 일으듸 너 간지 오륙일 된 후 일일은 낭ᄌᆞ의 형영이 업기로 우리 부체 고이녁여 제 방의 가 본 즉 져 모냥으로 누어스ᄆᆡ 불승듸경ᄒ야 그 곡졀을 알 길 업셔 헤아리건듸 이 필연 엇던 놈이 네 업ᄂᆞᆫ 줄 알고 드러가 겁칙ᄒ려ᄃᆞ가 칼노 낭ᄌᆞ를 질너 죽인가ᄒ야 칼을 ᄲᅡ히려 ᄒ니 ᄲᅡ지지 아니코 신체를 움작일 길이 업셔 염습지 못ᄒ고 그져 두어 너를 기ᄯᅡ리미오 네게 알게 못ᄒ기ᄂᆞᆫ 네 듯고 병이 날가ᄒ고 념녀ᄒ야 림녀와 졍혼ᄒᆞ미라 네 낭ᄌᆞ의 죽음을 알기 젼의 슉녀를 어더 졍을 드리면 낭ᄌᆞ의 죽으믈 알지라도 마음을 위로ᄒᆞᆯ가 ᄉᆡᆼ각이 이의 밋치

<h2 style="text-align:center">〈35〉</h2>

미라 너ᄂᆞᆫ 모로미 과상치 말고 넘습ᄒᆞᆯ 도리나 ᄉᆡᆼ각ᄒᆞ라 션군이 ᄎᆞ언을 들르ᄆᆡ 의ᄉᆞ망연ᄒ야 엇지ᄒᆞᆯ 줄 모르고 가장 우려 침음ᄒᆞᄃᆞᄀ 빙쇼의 드러가 대셩통곡ᄒ더니 홀연 분긔대발ᄒ야 이의 모든 노비를 일시에 결박ᄒ야 안치고 보니 ᄆᆡ월도 역시 기즁의 든지라 션군이 ᄉᆞ믜를 것고 빙쇼의 드러가 이블을 헷치고 본 즉 낭ᄌᆞ의 용모와 일신이 산 ᄉᆞ람 ᄀᆞᆺᄒ야 조금도 변ᄒᆞ미 업ᄂᆞᆫ지라 션군이 구축 왈 이졔 션군이 이르러스니 이 칼이 ᄲᅡ지면 원슈를 갑하 원혼을 위로ᄒ리라 ᄒ고 칼을 ᄲᅡ히ᄆᆡ 그 칼이 문득 ᄲᅡ지며 그굼 그로셔 쳥죄 ᄒᆞ나히 나오며 울기를 ᄆᆡ월일늬 ᄆᆡ월일늬 셰번 울고 나라가더니 ᄯᅩ 쳥조 ᄒᆞ나히 나오며 ᄆᆡ월일늬 ᄆᆡ월일늬 ᄯᅩ 세 번 울고 나라가거늘 그졔야 션군이 ᄆᆡ월에 쇼윈줄 알고 불승 분노ᄒ야 급히 외당의 ᄂᆞ와 형구를 버리고 모든 노복을 ᄎᆞ례로 장문ᄒ니 쇼범업ᄂᆞᆫ 비복이야 무슴 말노 승복ᄒ리오

이에 미월을 잡아 문초홀 시 간악흔 년이 이즉 조치 아니ᄒᆞᆫ두가 일빅장에 이르니 비록 철셕ᄀᆞᆺ튼 혈육인들 졔 엇지 능히 견듸리오 피육이 후란ᄒᆞ고 유혈이 낭ᄌᆞᄒᆞᄂᆞᆫ지라 져도 홀 일 업셔 긔긔승복ᄒᆞ며

울며 일오딕 상공이 여ᄎᆞ여ᄎᆞ ᄒᆞ시기로 소비 맛춤 원통흔 마음이 잇든 차에 씌를 타셔 감히 간계를 힝ᄒᆞ미니 동모ᄒᆞ던 놈은 도리로쇼이다 션군이 노긔 츙텬ᄒᆞ야 도리를 쏘 장문ᄒᆞ니 도리 미월에 금을 밧고 그 지휘딕로 힝계흔 밧게 다른 죄ᄂᆞᆫ 업노라ᄒᆞ며 긔긔복초ᄒᆞ거늘 션군이 이의 칼을 들고 ᄂᆞ려와 미월을 흔 칼에 머리를 버히고 빈를 갈나 간을 ᄂᆡ여 낭ᄌᆞ 신체 압히 노코 두어 번 졔문을 넑으니 갈왓시딕

슬프다 셩인도 견욕ᄒᆞ고 슉녀도 봉참ᄒᆞ믄 고왕금ᄂᆡ에 비비유지라 ᄒᆞ나 낭 ᄌᆞᄀᆞᆺ혼 지원극통흔 일이 세상에 쏘 잇스리오 오회라 이 도시 션군에 불찰이 니 슈원슈긔리오 오늘날 미월에 원슈ᄂᆞᆫ 갑핫거니와 낭ᄌᆞ에 화용월틱를 어 딕가 다시 보리오 다만 션군이 죽어 디하에 도라가 낭ᄌᆞ를 좃츨거시니 부모 에게 불회되나 나에 쳐지를 불구ᄒᆞ노라 ᄒᆞ엿더라

션군이 넑기를 맛치미 신체를 어로만져 일장을 통곡흔 후 도리ᄂᆞᆫ 본읍에 보ᄂᆡ여 졀도에 졍빈ᄒᆞ니라 ᄎᆞ간 하회ᄒᆞ라

졔류회 션군이 신원현몽ᄒᆞ야 낭지 회싱 샹딕ᄒᆞ다

직셜 이씌에 빅공 부체 션군다려 실ᄉᆞ를 이로지 아엇다가 일이 이ᄀᆞᆺ치 탈노 ᄒᆞ믈 보고 도로혀 무싴ᄒᆞ야 아모말도 못ᄒᆞ거늘 션군이 화안이셩으로 직삼 위로 ᄒᆞ고 념습졔구를 쥰비ᄒᆞ야 빙소로 드러가 빙념ᄒᆞ려홀 시 신체 요지부

동이라 홀 일 업셔 가인을 다 물니치고 션군이 홀노 빙소에서 쵹을 밝히고 누어 장우단탄ᄒ다가 어언간 좀을 드러 혼몽ᄒ엿더니 문득 낭지 화복셩식으로 완연이 드러와 션군게 ᄉ례 왈 낭군에 도량으로 쳡에 원슈를 갑하 주시니 그 은혜 결초보은ᄒ야도 다 갑지 못ᄒ리로소이다 작일 옥뎨 됴회 바드실 ᄉ 쳡을 명초ᄒᄉ 꾸지져 굴오ᄉ듸 네 션군과 ᄌ연 만날 긔한이 잇거늘 능히 춤지 못ᄒ고 슘년을 견긔ᄒ야 인연을 미긋ᄂ 고로 인간에 ᄂ려가 이미ᄒ 일노 비명횡사ᄒ게 홈이니 장ᄎ 누를 한ᄒ리오 ᄒ시미 쳡이 ᄉ죄ᄒ얏고 옥뎨게 녁명ᄒ온 죄ᄂ 만ᄉ무셕이오나 그런 익을 당ᄒ오미 쥬즁이 되옵고 또 션군이 쳡을 위ᄒ야 죽고ᄌ ᄒ오니 바라건듸 다시 쳡을 셰상에 ᄂ여보니ᄉ 션군과 미진ᄒ 인연을 밋

게ᄒ야 쥬옵쇼셔 천만이결ᄒ온즉 옥뎨 긍측이 녀기ᄉ 다신다려 하교 ᄒᄉ 왈 숙영의 죄ᄂ 그만ᄒ여도 죡히 즁게 될 거시니 다시 인간에 ᄂ여 보니여 미진ᄒ 연분을 엇게ᄒ라 ᄒ시고 염나왕에게 하교ᄒ사 왈 숙영을 밧비 노화 환도 인싱ᄒ라 ᄒ시니 염왕이 쥬 왈 하교지ᄎ ᄒ시니 근슈교명ᄒ려니와 숙영이 죽어 죄를 속홀 긔한이 못 되엿ᄉ오니 이 일만 지ᄂ오면 ᄂ여 보니오리이다 ᄒ니 옥뎨계옵셔 그리ᄒ라 ᄒ시고 또 남극셩을 명초ᄒᄉ 슈한을 졍ᄒ라 ᄒ실ᄉ 남극셩이 팔십을 졍ᄒ여 삼인이 동일 승텬ᄒ게 ᄒ시니 쳡이 옥뎨게 엿ᄌ오듸 션군과 쳔쳡 ᄲᆞᆫ이어늘 엇지 슘인이라 ᄒ시ᄂᄂ니잇고 옥뎨 굴오ᄉ듸 네히 ᄌ연 슘인이 될 거시니 텬긔를 누셜치 못ᄒ리라 ᄒ시고 셔가 여릐를 명ᄒᄉ ᄌ식을 졈지ᄒ라 ᄒ신즉 여릐게셔 슘남을 졍ᄒ엿ᄉ오니 낭군은 아직 과상치 말고 아즉 슈일만 기다리쇼셔 ᄒ고 문득 간듸업거늘 션군이 ᄭᅵ여 마음의 가장 창연ᄒ나 그 몽ᄉ를 싱각ᄒ고 심녀에 옹망ᄒ야 수일을 기다리더니 ᄂ일을 당ᄒ야 션군이 맛춤 밧게 나갓다가 드러와 본 즉 낭지

도라 누엇거늘 션군이 놀나 신체를

〈39〉

만져 본 즉 온긔 완년ᄒ야 싱긔잇ᄂᆞᆫ지라 심중에 디회ᄒ야 일변 부모를 쳥ᄒ
야 ᄉᆞᆷᄎᆞ를 다려 닙에 흘니며 수족을 주무르니 이윽고 낭ᄌᆞ 눈을 써 좌우를
도라보거늘 구고와 션군의 즐거오믈 엇지 다 측양 ᄒ리오 ᄎᆞ시 츈잉이 동츈
을 안고 낭ᄌᆞ에 겻히 잇다가 그 회싱ᄒ믈 보고 환텬회긔ᄒ야 모친을 붓들고
반가오미 넘쳐 늣기며 왈 어먼니 날을 보시오 그 ᄉᆞ이 엇지ᄒ야 그리오릭
혼몽ᄒ엿쇼 낭ᄌᆞ 츈잉에 손을 줍고 어린다시 뭇는 말이 너의 부친이 어듸가
며 너의 남민도 줄 잇더냐 ᄒ며 몸을 움쥭여 이러 안ᄌᆞ니 상하보는 ᄌᆞ 뉘
아니 즐겨ᄒ리오 외론 스름이 이 말을 듯고 모다 이르러 치히 분분ᄒ며
이로 슈응키 어렵더라 니러구러 슈일이 지나미 잔치를 비셜ᄒ고 친쳑을
다 쳥ᄒ야 크게 즐길 씨 지인을 볼너 지됴를 보며 층부로 쇼리를 식이미
풍악 쇼리 운쇼에 ᄉᆞ못더라
각셜 ᄎᆞ시에 림진ᄉᆞ 집에셔 슉영낭ᄌᆞ의 부싱ᄒ믈 듯고 납폐를 환퇴ᄒ고
달니 구혼ᄒ려 ᄒ더니 림쇼졔 이 ᄉᆞ년을 듯고 부모게 고 왈 녀ᄌᆞ되여 의혼납
빙ᄒ야 례믈을 바덧스면 그 집 스람이 분명ᄒᆞᆫ지라 빅싱이 상쳐ᄒᆫ 줄 알고
부뫼 허락ᄒ엿더니

〈40〉

늬ᄌᆞ 김싱ᄒ엿슨즉 국법에 냥쳐를 두지 못ᄒ면 결혼홀 의ᄉᆞ를 두지 못ᄒ려
니와 쇼녀에 졍ᄉᆞᄂᆞᆫ 밍셰코 다른 가문으로ᄂᆞᆫ 가지 못ᄒ올 거시오니 그런
말씀은 다시 마르쇼셔 ᄒ거늘 림진ᄉᆞ 부쳬 이 말을 듯고 어히 업셔 불통ᄒ믈
이르고 타쳐에 셔랑을 광구ᄒ더니 림쇼졔 듯고 부모게 고 왈 이왕도 고ᄒ엿
거니와 혼ᄉᆞ 니러툿 산란ᄒ오니 도시 쇼녀에 팔ᄌᆞ 긔박ᄒ온 년괴라 비록

녀지라도 일언이 중천금이라 집심이 금셔갓스오니 종신토록 부모 슬하에
잇셔 일싱을 안락ᄒ오면 소원일가 ᄒᄂ이다 ᄒ고 ᄉ긔 엄졀ᄒ지라 진ᄉ부
체 이 말을 드르미 쥬의를 앗지 못홀 줄 알고 타쳐의 의혼을 ᄭ치다 일일은
림진ᄉ 빅공을 추져보와 낭ᄌ에 깅싱ᄒ믈 치하ᄒ고 인ᄒ야 녀ᄋ의 졍ᄉ를
닐으고 탄식ᄒ믈 마지아니ᄒ니 빅공이 충ᄉᄒ고 왈 아름답도다 규슈에 녈
졀이여 우리로 ᄒ야금 져의 일싱이 혜인이 될진ᄃᆡ 우리 음덕에 휴손ᄒ미
ᄯ흔 업지 아니ᄒ리니 장ᄎ 엇지ᄒ리오 추시 션군이 시측ᄒ야 슈작ᄒ믈
다 듯고 이의 림진ᄉ를 ᄃᆡᄒ야 왈 귀 쇼져의 금옥갓튼 말을 듯ᄉ온즉 고인에
족히 붓그럽지 아니ᄒ나 기셰냥난이라 국법

의 유쳐취쳐ᄂᆞᆫ 잇ᄉ오나 귀 쇼졔 엇지 즐겨 남의 부실이 되고ᄌ ᄒ오리잇가
님진ᄉ 탄 왈 부실을 엇지 ᄉ양ᄒ리오 ᄒ고 이윽이 한담ᄒ다가 도라가니라
ᄎ셜 션군이 낭ᄌ 침쇼의 드러가 님녀의 셜화로 젼ᄒ고 닐클으니 낭지 아름
다이 너겨 왈 져 규슈 집심이 여ᄎᄒ니 우리 남의게 젹악이 될지라 옥뎨계셔
우리 ᄉ인이 동일 승텬ᄒ리라 ᄒ엿시니 이 필연 님녀를 니르시미라 아마
텬졍을 응ᄒ미니 낭군은 우리집 젼후ᄉ연과 님년의 젼후ᄉ연을 셩상게 상
쇼ᄒ오면 상이 반드시 ᄉ혼ᄒ실 듯 ᄒ오니 엇지 알름답지 안니ᄒ리오 ᄒ니
션군이 즉시 응낙고 치힝 상경ᄒ여 옥궐의 슉ᄉᄒ고 슈일이 지난 후의 님녀
의 셜화를 베풀고 ᄯᅩᆫ 낭ᄌ의 젼후ᄉ를 셰셰히 베프러 일봉소를 지어 올닌
ᄃᆡ 상이 어람ᄒ시고 칭찬ᄒᄉ 왈 낭ᄌ의 일은 천고의 희한ᄒ 비니 졍열부인
직쳡을 주노라 ᄒ시고 님녀의 졀긔 ᄯᅩᆫ 아름다오니 특별이 빅션군과 결혼
ᄒ게 ᄒ시고 슉열부인 직쳡을 ᄂᆞ리오시니 션군이 텬은을 슉ᄉᄒ고 슈유를
어더 밧비 집으로 ᄂᆞ려와 부모를 뵈온 후의 이 ᄉ연을 ᄭᆞᆺ초 고ᄒ고 낭ᄌ를
보아 텬은이 여ᄎᄒ시믈 젼

ᄒ니 일가 상히 ᄯᅩᄒᆞᆫ 희열ᄒᆞ더라 이의 님진ᄉᆞ 집의 ᄎᆞᄉᆞ를 통긔ᄒᆞ니 진ᄉᆡ 희츌망외ᄒᆞ여 틱길셩예ᄒᆞᆯᄉᆡ 님씨의 위의 빅부의 니르니 그 화용월틱 진짓 뇨됴슉녜라 구괴환열무이ᄒᆞ고 션군의 금슬지졍이 비경ᄒᆞ더라 신븨 구가의 머무러 효봉구고ᄒᆞ고 승슌군ᄌᆞᄒᆞ여 낭ᄌᆞ로 더브러 지긔 상합ᄒᆞ여 일시라 도 ᄯᅥ나기를 앗기더라 빅부의셔 ᄎᆞ후로 일개화락ᄒᆞ여 긔릴거시 업시 셰월 을 보ᄂᆡ더니 공의 부뷔 팔십 향슈ᄒᆞ여 긔휘 강건ᄒᆞ더니 홀연 득병ᄒᆞ여 일됴 의 셰상을 바리니 ᄉᆡᆼ의 부쳐 ᄉᆞᆷ인이 이훼과도ᄒᆞ여 녜로써 션산의 안장ᄒᆞ고 ᄉᆡᆼ이 ᄉᆞᆷ 년 시묘ᄒᆞ니라 니러구러 광음이 홀홀ᄒᆞ여 졍녈은 ᄉᆞ남일녀를 ᄉᆡᆼᄒ 고 슉열은 ᄉᆞᆷ남일 일녀을 ᄉᆡᆼᄒᆞ니 긔긔부풍모습ᄒᆞ여 옥인군지오 현녀슉낭 이라 남가여혼ᄒᆞ여 ᄌᆞ속이 션션ᄒᆞ고 가셰요부ᄒᆞ여 만셕군 일홈을 엇고 복 녹이 무흠ᄒᆞ더니 일일은 ᄃᆡ연을 비셜ᄒᆞ여 ᄌᆞ여 부손을 다리고 ᄉᆞᆷ일을 즐기 더니 홀연 상운이 ᄉᆞ면을 둘너 드러오며 룡의 소ᄅᆡ 진동ᄒᆞᄂᆞᆫ 곳의 일위 션곽이 ᄂᆞ려와 불너 왈 션군은 인간 ᄌᆞ미 엇더ᄒᆞ뇨 그ᄃᆡ ᄉᆞᆷ인은 상텬홀 긔약이 오늘이니 밧비 가ᄌᆞ ᄒᆞ거늘 션군 부부 ᄉᆞᆷ인이 ᄌᆞ

여 손을 줍고 니별ᄒᆞ고 일시의 상텬ᄒᆞ니 향연이 필십이러라 ᄌᆞ여손드리 공즁을 향ᄒᆞ여 망극이통ᄒᆞ고 의ᄃᆡ로써 션산의 안장ᄒᆞ니라 일이 하 긔이키 로 대강 긔록ᄒᆞ여 후셰의 젼ᄒᆞ노라 이 아ᄅᆡ는 감응편이니 착실이 보시옵

숙영낭ᄌᆞ뎐 終

2

니 남가일몽이라 부ᄉᆞ 셔로말ᄒᆞ며 마음에 깁버ᄒᆞᆷ을 마지안이ᄒᆞ더니

과연 그달부터 잉ᄐᆡᄒᆞ야 십삭만에 일ᄀᆡ남ᄌᆞ를 나으니 즘싱즁의 긔

린이오 ᄉᆡ즁에 봉황이라 일음을 션군이라ᄒᆞ야 장즁보옥 갓치 길으더

숙

니 션군이 점ᄉᆞ조라미 용모ᅵ쥰슈ᄒᆞ고 긔골이 헌앙ᄒᆞ며 글을 비오

영

디 문일지십ᄒᆞ고 필법이 룡사비등ᄒᆞ으로 빅로부ᄉᆞᅵ더욱 ᄉᆞ랑ᄒᆞ며

영미양 저와갓흔 빗필을엇어 봉황의쌍으로 노는즛 미를 보고져ᄒᆞ야 널

낭

니 구혼ᄒᆞ되 가합ᄒᆞᆾ이업셔 한탄ᄒᆞ더라 이ᄯᆡ 션군의나이 이괄이라

조

방츈화사를 당ᄒᆞ야 셔당에셔 글을넑더니 ᄌᆞ연 츈곤되곤ᄒᆞ야 안식에의

지ᄒᆞ야 잠간조으더니 비몽ᄉᆞ몽간에 일위션녀ᅵ 홍상치의로 들어와 졀

젼

것해안즈며 글오ᄃᆡ 낭군은 쳡을 몰으는도다 쳡이 이예오문 달

은 연고ᅵ아니라 쳡은 동히룡녀로셔 낭군과 인간연분이 잇기로 쵸

즈왓ᄉᆞ오니 빗ᄉᆞᄉᆞ랑ᄒᆞ소셔 션군왈 나는 진세속긱이오 그ᄃᆡ는 텬상

션녀라 잇지 인연이 잇다ᄒᆞ리오 그낭조ᄐᆞ왈 낭군은 본ᄃᆡ 텬상션관

으로 비쥬는일을 ᄎᆞ지ᄒᆞ 판원이 되얏다가 비록 잘못즌죄로 인간에

슉영낭ㅈ젼 권단(한성서관 32장본)

　　〈슉영낭ㅈ젼 권단〉은 32장(63면)의 구활자본 소설로 남궁설이 편집
하여 1916년에 한성서관에서 간행된 이본이다. 표제는 〈古代小說(고대
소설) 淑英娘子傳(슉영낭ㅈ젼)〉이며, 1915년에 초판을 발행했고, 1916
년 본은 재판이다. 판본 뒤의 서지사항은 '발행자 남궁설(南宮楔), 인쇄
자 한양호(韓養浩), 인쇄소 선명(鮮明), 발행 겸 판매소 한성서관(漢城
書館)'으로 되어 있다. 이 이본은 배경이 조선초 세종조이며 남주인공
은 '빅션군' 여주인공은 '슉영낭ㅈ'이다. 백선군은 백공부부의 만득자로
태어나게 되는데 태몽에 숙영낭자에 대한 언급은 나타나지 않는다. 그
러다가 백공부부가 백선군의 배필을 구하기 시작하자 숙영낭자가 백선
군의 꿈에 나타나 자신이 하늘이 정한 배필임을 직접 알리게 되면서
이 둘의 인연이 시작되는데, 이때 숙영낭자가 자신을 동해 용녀로 소개
한다. 이 이본의 경우 숙영낭자는 장원급제한 백선군이 돌아와 매월을
죽여 그 억울함을 풀어주자 수일이 지난 후 방에서 재생한다. 그리고
백선군이 숙영낭자의 말에 따라 백공이 약혼했던 임소저를 받아들여
숙영낭자와 임소저를 두 부인으로 맞고 행복하게 살다가 셋이 함께
승천하는 것으로 끝맺는다.

출처: 국립중앙도서관 (3634-2-82(7))

〈1〉

국틱민안ᄒᆞ고 시화세풍ᄒᆞ야 사름마다 강구연월 노릭ᄒᆞ고 곳곳마다 격양가 ᄌᆞᄌᆞ하니 이ᄯᅵ는 죠션ᄀᆡ국초 셰종딕왕 즉위시라 틱빅산 일지믹이 동남으로 나리다라 화긔산즁도되고 봉만이 즁즁ᄒᆞ고 계슈 잔잔ᄒᆞ야 산명슈려ᄒᆞ고 촌락이 즐비한 그 가온딕 일위 션빅 잇스니 셩은 빅이오 일음은 로ㅣ니 본딕 잠영셰족으로 가산이 불빈ᄒᆞ야 셰상에 그릴것이 업스되 다만 슬하에 ᄉᆞ속이 업셔 주야 근심ᄒᆞ더니 일일은 그 부인 뎡씨로 더부러 의론ᄒᆞ야 왈 혹 하늘ᄭᅦ나 명산딕천에 정셩을 들여 ᄌᆞ손을 엇은 사름이 잇다 ᄒᆞ니 우리도 졍셩이나 들여보면 죠흘 듯하다 ᄒᆞ고 이에 부부 함케 놉흔 산에 올나가 단을 모으고 하나님 젼에 빅일긔도를 맛치고 도라왓더니 ᄭᅮᆷ에 빅발 션관이 와 닐으되 네 ᄌᆞ식이 업는 거슬 옥뎨ㅣ 너의 정셩이 지극홈을 감동ᄒᆞ야 긔ᄌᆞ를 졈지ᄒᆞ시기로 이것을 쥬노라 ᄒᆞ고 한 낫 옥픽를 주거늘 빅로ㅣ 부부 밧아 가지고 놀나 ᄭᅵ다르

〈2〉

니 남가일몽이라 부부 셔로 말ᄒᆞ며 마음에 깁버홈을 마지안이ᄒᆞ더니 과연 그달부터 잉틱ᄒᆞ야 십 삭 만에 일ᄀᆡ 남ᄌᆞ를 나으니 즘싱 즁의 긔린이오 식 즁에 봉황이라 일음을 션군이라 ᄒᆞ야 장즁보옥 갓치 길으더니 션군이 졈졈 ᄌᆞ라믹 용모ㅣ 쥰슈ᄒᆞ고 긔골이 헌앙ᄒᆞ며 글을 빅오믹 문일지십ᄒᆞ고 필법이 룡ᄉᆞ비등홈으로 빅로 부부ㅣ 더욱 ᄉᆞ랑ᄒᆞ며 믹양 저와 갓흔 빅필을 엇어 봉황의 쌍으로 노는 ᄌᆞ미를 보고져 ᄒᆞ야 널니 구혼ᄒᆞ되 가합ᄒᆞᆫ 곳이 업셔 한탄ᄒᆞ더라 이ᄯᅵ 션군의 나이 이팔이라 방츈화시를 당ᄒᆞ야 셔당에셔 글을 닑더니 ᄌᆞ연 츈긔뢰 곤ᄒᆞ야 안식에 의지ᄒᆞ야 잠간 조으더니 비몽ᄉᆞ몽간에 일위 션녀ㅣ 홍상취의로 들어와 절ᄒᆞ고 겻헤 안즈며 ᄀᆞᆯᄋᆞ딕 낭군은 쳡을 몰으는도다 쳡이 이에 오믄 달은 연고ㅣ 아니라 쳡은 동히 룡녀로셔

낭군과 인간 연분이 잇기로 ᄎᄌ왓ᄉ오니 닉닉 ᄉ랑ᄒ소셔 션군 왈 나는 진셰 속긱이오 그딕는 텬상 션녀라 엇지 인연이 잇다 ᄒ리오 그 낭ᄌ 딕왈 낭군은 본딕 텬상 션관으로 비주는 일을 ᄎ지혼 관원이 되앗다가 비를 잘못 준 죄로 인간에

덕강ᄒ얏ᄉ더니 이제 쳡으로 ᄒ야금 낭군의 비필이 되라신 옥뎨의 칙교를 밧드러쓰오니 일후에 머지 아니ᄒ야 셔로 맛늘 늘이 잇스리이다 ᄒ고 인ᄒ야 간 곳이 업는지라 션군이 괴이 녁이더니 낫둙이 악악 우는 소리에 놀나 씨니 침상일몽이라 그 션녀의 화용월틱 눈압헤 암암ᄒ고 쳥낭혼 말소리 귀가에 징징ᄒ야 싱각 안코져 ᄒ되 저절노 싱각나고 잇고져 ᄒ야도 잇치지 안이ᄒ며 마음의 무엇을 일어바린 듯 여취여광ᄒ야 ᄌ연이 용모ㅣ 초최ᄒ고 긔식이 암암혼지라 빅로ㅣ 부쳐 ᄋᄌ의 긔식을 보고 근심ᄒ야 무러 ᄀᄅᄋ되 네 근일 형용을 보니 무삼 숨은 병이 들어 가장 심상치 아니혼 듯ᄒ니 너는 발은딕로 말ᄒ야 네 부모의 마음을 편케 ᄒ라 션군이 딕왈 별노이 소회는 업ᄉ온딕 ᄌ연 신긔 불평ᄒ야 그러ᄒ오니 복망 부모는 과렴치 마옵소셔 하고 셔당에 나와 고요이 누어서 몽즁 션녀만 싱각ᄒ고 뎐뎐반측ᄒ더니 문득 그 션녀 압혜 와 안즈며 위로ᄒ야 왈 낭군이 쳡으로 인연ᄒ야 져럿 툿 병되기까지에 일으시니 쳡의 마음이 딕단이 불안ᄒ옵고 ᄯ혼 낭군의 가셰ㅣ 젼일보

다 딕단 빈한ᄒ야 근심이 되는고로 쳡의 화상과 금동ᄌ 한 쌍을 가져왓스니 원컨딕 낭군은 이 화상은 낭군 침상에 두고 밤이면 홈케 ᄌ고 낫이면 병풍 우에 걸어두고 심회를 푸시고 이 동ᄌ는 상 우에 안쳐 두면 ᄌ연 묘리 잇스

리이다 ᄒ거늘 션군이 반갑기 측량업셔 그 손을 잡고 말ᄒ고져 ᄒ더니 문득 간ᄃᆡ업고 놀나 ᄭᆡ여 숣혀보니 그 쥬던 화상과 그동ᄌᆞ l 완연이 겻헤 노엿ᄂᆞᆫ 지라 션군이 긔이히 녁여 그 말과 갓치 금동ᄌᆞᄂᆞᆫ 상 우에 안치고 화상은 병풍에 걸어두고 쥬야로 상ᄃᆡᄒᆞ더라 이ᄯᆡ 이 소문이 원근에 퍼져셔 모다 말ᄒ기를 빅로의 집에 신령ᄒᆞᆫ 보ᄇᆡ 잇다 ᄒ고 사름마다 ᄎᆡ단을 가지고 와셔 다토아 구경ᄒ니 이럼으로 가셰가 ᄎᆞᄎᆞ 녁녁ᄒᆞ야 구ᄎᆞᆫ 일은 업스나 션군은 일거월심에 싱각나니 션녀ᄲᅮᆫ이더니 가련ᄒᆞ도다 션군의 병이 졈졈 골슈에 만분위즁ᄒᆞ야 거의 이지 못홀 디경이 되야스나 뉘라셔 그 ᄉᆞ졍을 알며 뉘라셔 살녀닐고 이ᄯᆡ 그 낭ᄌᆞ l 싱각ᄒᆞ되 뎌 션군이 나를 싱각ᄒ고 뎌럿툿 병이 들어 위즁ᄒᆞ니 내가 맛당이 구ᄒᆞ리라 ᄒ고 일일은 션군의계 현몽ᄒᆞ야 왈 낭

〈5〉

군이 쳡을 싱각ᄒᆞ야 뎌럿툿 ᄒ시나 쳡은 셰상에 나올 긔한이 차지 못ᄒᆞᆫ고로 낭군의 소원을 속히 일울 슈 업ᄉᆞ온 바

낭군ᄃᆡ 시비 ᄆᆡ월이 가장 령혜ᄒᆞ야 가히 낭군의 건즐을 바들만 ᄒᆞ오니 아즉 방슈를 뎡ᄒᆞ야 젹막ᄒᆞᆫ 심회를 위로ᄒᆞ시면 쳡의 마음이 깃부기 측량업깃ᄊᆞ오니 원컨ᄃᆡ 낭군은 쳡의 부탁을 져바리지 마소셔 하거늘 션군이 ᄭᅮᆷ을 ᄭᆡ여 좌우로 싱각ᄒᆞ다가 할 일업시 ᄆᆡ월을 불너 잉쳡을 삼아 져여기 울민ᄒᆞᆫ 심회를 펴깃스나 일편단심이 ᄭᅮᆷ속 션녀의계만 잇고 달은 사름은 비록 셔시 갓ᄒᆞᆫ 미인이라도 쓸ᄃᆡ업ᄂᆞᆫ지라 달이 공산에 명낭ᄒᆞᆫ데 잔납이 수파름ᄒ고 두견시 피눈물 흘녀 불여귀 슯히 울 졔 쟝부의 상ᄉᆞ일렴이야 일너 무엇ᄒᆞ리오 일촌간쟝이 구뷔구뷔 다 썩ᄂᆞᆫ 듯 달이 가고 늘이 가ᄆᆡ 쥬야로 ᄉᆞ모ᄒᆞᄂᆞᆫ 병이 졈졈 깁허 고항에 든지라 그 부모 l ᄋᆞᄌᆞ의 병셰 늘노 깁허감을 보고 황황망조ᄒᆞ야 일홈ᄂᆞᆫ 복슐과 고명ᄒᆞᆫ 의원이 잇다 ᄒᆞ면 불원쳔리ᄒ고 ᄎᆞ자

가 청하고 약 쓰기를 마지아니하되 맛참내 일분 효험이 업는지라 그 부모의
근심과 슯허하는 정상을 엇지 참아 보리오 날

<6>

마다 눈물노 셰월을 보내더라

이쌔 그 션녀ㅣ 싱각하되 션군의 병셰 골슈에 깁히 들어 빅약이 무효하니
내 아모리 젼싱연분이 지즁한 즁 압날 긔약이 아즉 멀엇스나 이갓치 쵸조하
야 병이 즁케 이르게 흠은 참아 못홀 일이니 내 효유하야 풀니라 하고 쏘
현몽하야 왈 우리가 셔로 만나 단취홀 긔약이 멀엇기로 아즉 각각 쳐하얏더
니 지금 낭군이 뎌럿툿 로심셩병하시니 쳡의 마음이 엇지 편안하오릿가
낭군이 졍히 쳡을 보랴 하시거든 옥련동을 츳즈오소셔 하고 가거늘 션군이
쌔여 싱각흔즉 졍신이 황홀하야 밋츨 듯키 곳 가고 십흔 싱각 일각을 디뎨홀
슈 업스나 쏘흔 옥련동이 어듸인지 방향을 알지 못하는듸 엇지하리오 비록
그러하나 나셔 차즈 보리라 하고 이에 그 부모끠 고하야 굴으듸 지금 춘졀을
당하와 심회 울젹하오니 소즈ㅣ 집을 써나 스방으로 단이며 명산대찰이나
승디강산을 유람코져 하오며 쏘흔 옥련동이 경기 졀승하야 문장 명필이
한 번 가보지 아니치 못하는 곳이라 하오니 복원 부모는 허하소셔 빅로ㅣ
부부 이 말을 듯고

<7>

놀나 굴으듸 네 뎌럿툿 병셰 가뷔읍지 아니흔듸 엇지 문밧글 써나며 셜혹
네 마음에는 걱졍업다 하나 우리 엇지 마음을 노코 지나리오 션군이 듸왈
소즈ㅣ 집에 잇스오면 마음이 울젹하야 더욱 견딜 슈 업스오니 아모 넘려
마시읍고 허락하시면 소즈ㅣ 슈이 단여올 터이오니 죠금도 쾌려치 마소셔
흔듸 빅로ㅣ 부부 쏘흔 그러이 녁여 마지못하야 허락흔듸 션군이 임의 힝장

을 쥰비하야 일기 동즈로 ᄒ야금 나귀에 안장을 지어 타고 동으로 향ᄒ야
갈ᄉᆡ 옥련동이 어ᄃᆡ인지 몃늘을 가도 알 슈 업고 ᄯᅩᄒᆞᆫ 무러보아도 아ᄂᆞᆫ
자 업ᄂᆞᆫ지라 마음에 민망ᄒ야 하늘을 우러러 축슈ᄒ야 골ᄋᄃᆡ 소소ᄒᆞᆫ 명텬
은 이 빅션군의 졍상을 슯히ᄉ 옥련동을 찾게 ᄒ소셔 ᄒ며 졈졈 나아가
한곳에 다다르니 셕양 볏흔 산머리에 잇고 잘ᄉᆡᄂᆞᆫ 깃슬 찾ᄂᆞᄃᆡ 산은 쳡쳡
쳔 봉이오 물은 잔잔 벽계슈오 곳곳이 긔화이쵸 만발ᄒ고 란봉공작이 왕ᄅᆡ
ᄒᄂᆞᄃᆡ 층암졀벽 ᄉᆡ이에 폭포슈ᄂᆞᆫ 은하슈가 이ᄉᄒᆞᆫ 듯 졈졈 나아가니 맑은
ᄉᆡ니 우에 셕교를 노앗ᄂᆞᄃᆡ 오작교와 방불ᄒ다 좌우를 슯혀보며 경치를
탐ᄒ야 차츰차츰 들어가니 진

〈8〉

소위 별유텬지 비인간이라 션군이 이갓흔 경긔를 구경ᄒᄆᆡ 심신이 상활ᄒ
야 우화이등션ᄒᆞᆫ 듯 깃분 긔운이 즈연히 소ᄉ나셔 힝심일경 빗긴 길노 쳔쳔
이 완보ᄒ야 부지 즁 들어가며 멀니 바라보니 쥬란화각이 반공에 소ᄉ 잇고
분벽ᄉ창이 령롱ᄒᆞᆫ 가온ᄃᆡ 풍경소ᄅᆡᄂᆞᆫ 징징하고 지당에 은린옥쳑은 긱을
보고 반기ᄂᆞᆫ 듯 심신이 황홀ᄒ야 뎐상을 슯혀보니 금즈로 써스되 옥련동
유경궁이라 ᄒ얏더라 션군이 대희ᄒ야 바로 뎐상으로 올나가니 일위 낭즈
ㅣ ᄶᆞᆸ작 놀나며 몸을 니러 문왈 속긱은 엇던 사름이관ᄃᆡ 감히 션계를 범ᄒ얏
ᄂᆞᆫ고 션군이 렴용 ᄃᆡ왈 ᄉᆡᆼ은 인간 셔ᄉᆡᆼ으로 쳔하강산을 구경코져 ᄉ방으로
단이다가 우연이 이 근쳐의 산쳔경긔를 탐ᄒ야 오ᄂᆞᆫ 줄 몰ᄋᆞᆫ게 이곳까지
당도ᄒ야 외람이 션경을 더려쓰니 황공무디ᄒ옵거니와 바라건ᄃᆡ 낭낭은
과도이 혐을 마시고 용셔ᄒ야 주시옵소셔 낭자ㅣ 졍ᄉᆡᆨ ᄃᆡ왈 그ᄃᆡᄂᆞᆫ 신명을
보젼코져 ᄒ거든 여러 말을 허비치 말고 이졔로 쌜니 도라가라 션군이 듯기
를 다ᄒᄆᆡ 아연실망ᄒ야 의ᄉㅣ 삭막흔지라 ᄂᆡ심에 헤오ᄃᆡ 이ᄯᆡ를 노치면
다시 언

〈9〉

으 씌에 맛나리오 다시 슈작ᄒ야 스긔를 탐지ᄒ야 보리라 ᄒ고 각가이 나아
가 안즈며 왈 낭낭은 엇디 긱을 이다지 괄시ᄒ시나닛가 비록 션속은 다르나
ᄉ졍은 일반이오니 용셔ᄒ시기 바라나니다 낭자ㅣ 쳥이불문ᄒ고 문을 닷
거늘 싱이 무료ᄒ야 듀뎌ᄒ다가 홀일업시 당에 나려 도라오려 ᄒ더니 낭자
ㅣ 그졔야 일어나 옥난간을 빗겨 셔셔 단슌을 반기ᄒ고 죵용이 불너 왈
속긱은 잠간 기ᄃ리소셔 ᄒ고 안으로 들어가더니 이윽고 한 션낭이 온장셩
식으로 치의를 ᄭᅳᆯ고 나오거늘 자셰히 보니 이ᄂᆫ 곳 ᄭᅮᆷ에 보던 션아의 화상과
방불ᄒ지라 십분 대희ᄒ야 거의 밋칠 져음에 그 션으 손을 들어 불너 왈
낭군은 엇지 이에 일으럿나닛가 밧비 당에 올으소셔 ᄒ야 례필좌뎡ᄒ 후
싱이 다시 션낭을 바라보니 빅옥 갓흔 얼골은 츄텬명월이 벽공에 걸녓ᄂᆫ
듯 료료흔 틱도ᄂᆫ 셩긔흔 모란화ㅣ 아참 이슬을 먹음은 듯 팔ᄌ 아미ᄂᆫ
봄뫼가 빗겻ᄂᆫ 듯 셤셤흔 허리ᄂᆫ 봄바름에 나뷔ᄉ기ᄂᆫ 버들 갓고 냥협은
새로 핀 도화 갓고 입슐은 단ᄉ 갓ᄒ여 한 번 보미 진실노 사름의 눈을
놀니ᄂᆫ지라

〈10〉

마음에 황홀란측ᄒ야 닉심에 헤오ᄃᆡ 오날날 이갓혼 월궁션녀를 ᄃᆡᄒ니 이
졔ᄂᆫ 스무여한이로다 ᄒ고 오리 상사ᄒ던 졍회를 펼새 낭ᄌㅣ 글으ᄃᆡ 낭군
이 쳡을 싱각ᄒ야 병들기까지에 닐으럿스나 우리 셔로 모일 긔한이 삼 년이
남앗거늘 그 동안은 아모죠록 참고 참아 부모의 근심ᄒ미 업계 ᄒ시면 그
긔한되ᄂᆫ 씌에 쳥됴가 늘아갈 것이니 그 새로 즁믹를 삼아 뉵례를 갓초고
빅년동락ᄒ리니 부ᄃᆡ 쳡의 말을 헛도이 역이지 마르소셔 만일 지금 셔로
결혼홀지면 한ᄂᆞ님께 죄를 엇을 것이니 낭군은 부ᄃᆡ 안심ᄒ야 씌를 기ᄃ리
소셔 션군이 쳥파에 낙심쳔만ᄒ야 글으ᄃᆡ 내 병이 들어 거의 죽계 되얏더니

낭즈의 현몽을 인호야 이곳까지 차즈 왔거늘 이제 또 삼 년을 기딕리라 흐니 내 이제 그저 도라가면 일루 잔명이 황텬긱이 되리니 그런즉 낭즈의 마음인들 엇지 측은치 아니흐리오 낭즈는 나의 졍셰를 싱각흐야 등쌀 치는 나븨를 구흐고 그물에 든 고기를 건져 거의 즉게 된 실낫 갓흔 목숨을 보젼케 흐소셔 흐고 만단 익걸흔디 낭즈ㅣ 그

〈11〉

형상을 보고 궁측흔 싱각이 나던지 마음을 도리켜 굴오디 낭군이 이갓치 익를 쓰시니 첩이 비록 죄를 밧더릭도 삼 년 긔한을 참을 슈 업스오니 낭군은 안심흐소셔 흐고 옥안에 희싁이 잇는 듯흔지라 션군이 대희흐야 그 손을 잡고 치하흐니 그 견권지졍이 비홀 대 업더라 그날 밤을 지닉고 그 잇흔날 션낭이 굴오대 이제는 첩의 몸을 더려인지라 이곳에 머물우지 못흐게 되얏스니 낭군과 함켜 가스이다 흐고 쳥려 일 필을 잇그러 집에 도라오니라 이쪅 빅공 부부ㅣ 오즈를 써나보내고 념려 무궁흐야 얼마 후에는 기딕리는 마음이 더욱 간졀흐야 사름을 노아 스면으로 차즈되 죵젹이 업는고로 어대가 죽은가 흐야 눈물노 셰월을 보닉더니 일일은 션군이 한 졀딕가인을 딕리고 쳥려를 모라 들어와 현알흐는지라 빅공 부부ㅣ 죽엇던 오들를 맛는 듯 그 깃거흐는 졍상은 의론홀 바 업는 즁 그 다리고 온 미인의 스실을 물은디 션군이 감히 긔이지 못흐야 젼후 스상을 낫낫치 고흔디 빅공 부부ㅣ 딕희흐야 그 낭즈의 손을 잡고

〈12〉

너는 내 며누리쑨 아니라 오즈를 살닉는 은인이라 흐고 그 쳐소를 동별당에 뎡흐야 잇게 흐고 이에 대연을 배셜흐고 친쳑고구를 쳥흐야 혼례를 힝흐니 내외 빈긱이 모다 신낭 신부의 아름다온 용모와 션명흔 풍치를 보고 흠션칭

사치 안는 쟤ㅣ 업는지라 빅공 부부ㅣ 더욱 깃거홈을 마지안터라

이로부터 션군의 골슈의 들엇던 병이 구름 허여지듯 ᄒ고 원앙이 록슈를 만난 듯 호졉이 곳홀 만난 듯 금슬지락이 타인에 비홀 바ㅣ 아니라 이럼으로 잠시도 서로 써나지 안코 글공부는 션텬스로 돌녀부닌지라 빅공이 민망이 녁여 엄ᄒ게 단속ᄒ고 십프나 본듸 귀흔 ᄌ식이라 참아 강박ᄒ게 ᄒ기 어려 아는 톄 몰으는 톄 도모지 저 ᄒ는 듸로 버려 두엇더라

이러구러 셰월이 훌훌ᄒ야 언의듯 여덜 봄을 지닉미 그 동안 ᄌ녀 간 두 ᄋ희를 나아 길으는듸 녀ᄋ의 일홈은 츈힝이니 나이 팔 셰오 남아의 일홈은 동츈이니 나히 삼 셰라 모다 총명녕오ᄒ야 범인에 비홀

〈13〉

바ㅣ 아니라 가중상하 화락ᄒ야 셰상에 더홀 것이 업슬 것 갓더라 이에 후원에 졍ᄌ 두어 간을 졍쇄ᄒ게 짓코 화죠월셕에 비일 눌이 업시 그 ᄌ녀를 다리고 셰상스를 니저바리고 요유ᄌ락ᄒ니 다만 쳥풍명월이 친흔 벗이오 옥쳐와 거믄고가 친구러라 빅공 부부ㅣ ᄋᄌ 부쳐ㅣ 이럿틋 화락홈을 보고 깃거 왈 너의 두 사룸은 텬싱연분이라 엇지 달은 사룸의 밋츨 바ㅣ 리오 ᄒ더라

화셜 이쩍에 텬하틱평ᄒ고 스방에 일이 업스미 나라에셔 과거를 뵈야 인ᄌ를 가리기로 각도 각군에 관ᄌ가 나린지라 빅공이 그 ᄋ달 션군다려 닐너 왈 지금 나라에셔 과거를 뵈인다 ᄒ니 남ᄋ 셰상에셔 학업을 힘쓰믄 립신양 명ᄒ야 그 부모를 낫타닉고져 홈이라 네 이제 상경ᄒ야 과거를 보아 다힝이 참방ᄒ면 네게도 큰 영광일 쑨더러 엇지 조상을 빗닉미 아니리오 너는 깁히 싱각ᄒ야 초토에 뭇친 어옹 농부의 줄에 버셔나기를 힘쓸지어다 션군이 부친의 말삼을 들으니 사리 당연ᄒ나 과연 금슬지락을 잠시라도 쓴키는 극란흔지라 이에 듸

〈14〉

답ᄒᆞ야 ᄀᆞᆯᄋᆞ딕 부친 명교ㅣ 당연ᄒᆞ오나 소ᄌᆞ의 천려에ᄂᆞᆫ 벼슬길은 풍파가 만은 위틱ᄒᆞᆫ ᄯᅡ이라 우리 집 지산이 죡히 슈족을 놀닐만 ᄒᆞ온지라 마음과 ᄯᅳᆺ의 즐거홀 바와 귀와 눈에 죠와ᄒᆞᄂᆞᆫ 바를 못홀 바이 업ᄉᆞ온딕 무엇이 부죡ᄒᆞ야 다시 공명을 바라잇고 빅공이 ᄋᆞᄌᆞ의 말을 듯고 마음에 싱각ᄂᆞᆫ 바 잇셔 다시 말ᄒᆞ지 안코 정당으로 도라가거늘 션군이 물너와 낭ᄌᆞ다려 부친이 ᄒᆞ시던 말삼과 ᄌᆞ긔 딕답ᄒᆞᆫ 슈말을 낫낫치 닐은딕 낭ᄌᆞㅣ 츄연 탄왈 낭군의 말삼이 그르도다 딕쟝부ㅣ 셰상에 나믹 립신양명ᄒᆞ야 그 부모를 낫타닉면 슌슈 안에 일이어늘 지금 낭군이 한낫 규즁 ᄋᆞ녀ᄌᆞ에게 억믹야 집안의 큰일을 폐ᄒᆞ면 부모에 득죄홀 ᄲᅮᆫ 아니라 남의 우음을 면치 못홀 것이오 ᄯᅩᄒᆞᆫ 못된 긔롱이 쳡에게까지 도라올지니 낭군은 엇디 이갓치 싱각지 못ᄒᆞ닛가 밧비 힝장을 ᄎᆞ려 ᄯᅥ나소셔 ᄒᆞ고 일변 힝리를 쥰비ᄒᆞ며 가기를 지촉ᄒᆞ야 왈 낭군은 조금도 쳡을 싱각지 마르시고 아모됴록 계슈나무 가지를 ᄭᅥᆨ거 문호를 빗닉소셔 ᄒᆞᆫ딕 션군이 무엇이

〈15〉

라고 방ᄉᆡᆨ홀 도리 업ᄂᆞᆫ지라 이에 마지못ᄒᆞ야 그 부모에게 하딕ᄒᆞ고 별당에 도라와 낭ᄌᆞ를 딕ᄒᆞ야 왈 내 마음에ᄂᆞᆫ 그딕를 잠시라도 리별키 어려워 셔울을 가지 말고져 ᄒᆞ얏더니 그딕의 정대ᄒᆞᆫ 말에 부득이 ᄯᅥ나 가노니 그딕ᄂᆞᆫ 그동안 경성을 다ᄒᆞ야 부모를 봉양ᄒᆞ고 어린 ᄌᆞ녀를 잘 양육ᄒᆞ야 나 도라오기를 기딕리라 ᄒᆞ고 동ᄌᆞ 일 명을 다리고 ᄯᅥᄂᆞᆯᄉᆡ 한거름에 도라보고 두거름에 도라보ᄂᆞᆫ지라 낭ᄌᆞㅣ ᄯᅩᄒᆞᆫ 부탁ᄒᆞ야 왈 낭군은 먼 길에 천만보즁ᄒᆞ야 셩공ᄒᆞ야 오시기를 직삼 당부ᄒᆞ며 비회를 금치 못ᄒᆞ거늘 션군이 슈식이 만면ᄒᆞ야 간신이 길을 ᄯᅥ나가ᄂᆞᆫ딕 뒤에셔 무엇이 잡아당긔ᄂᆞᆫ지 종일토록 겨우 삼십 리를 갓ᄂᆞᆫ지라 슉소를 뎡ᄒᆞ고 셕반을 밧으믹 오작 낭ᄌᆞ만 싱각나

고 음식이 맛을 일은지라 간신이 두어 술에 상을 물이니 죵즈ㅣ 민망ㅎ야
고ㅎ야 글 ㅇ 딕 원로에 더럿케 식스ㅣ 부실ㅎ시고 엇지 득달ㅎ려 ㅎ시나잇
고 션군이 답왈 즈연 그러ㅎ거니와 엇지 오릭 그러리오 하고 적막흔 긱관에
호을노 안즈스니 낭즈의 옥면이 겻히 안

잣는 듯 심신이 슈란ㅎ야 보이는 듯ㅎ되 보이지는 안코 말소래 들니는 듯ㅎ
되 들니지 안는지라 심스를 정치 못ㅎ다가 낭즈를 보고 십흔 싱각이 딕희에
조슈 밀듯 견딜 슈 업는지라 이경 말 삼경 초에 문을 느셔 한다름에 집으로
도라와 담을 너어 별당에 들어가니 낭즈ㅣ 크게 놀나 문왈 낭군은 이 어인
일이닛고 션군이 답왈 내 죵일 간 길이 겨우 삼십 리라 싱각느니 보고 십흔
것이 그딕라 음식 맛이 도망가고 잠귀신이 달아나니 그리ㅎ기를 마지안이
ㅎ다가는 병이 늘가 념려되야 도라옴이로다 ㅎ고 그 견권지정을 익의지
못ㅎ야 밤이 시는 줄 씨닷지 못ㅎ고 슈작이 림리ㅎ더니 이쩍 빅공이 ㅇ즈를
경스에 보닌 후 후원 별당이 공허흠을 념려ㅎ야 깁흔 밤에 별당 근쳐로
도라단이며 건일더니 방안에셔 남즈의 셩음이 은은이 들니는지라 빅공이
마음에 크게 의ㅇ ㅎ고 괴이히 넉여 이윽히 듯다가 닉심에 헤오되 져 빙옥
갓흔 마음과 송빅 갓흔 졀기로 엇지 외간남즈를 교통ㅎ리오 ㅎ면셔도 아모
커나 동졍을 보리라 ㅎ고 졈졈 갓가이 나아가 귀를 기우리고 엿

들은즉 낭즈ㅣ 이윽히 말ㅎ다가 다시 글 ㅇ 딕 부친계셔 밧계 와 계시니 낭군
은 잠간 몸을 숭기소셔 ㅎ고 다시 ㅇ희를 달닉여 왈 너의 부친이 경셩에
올나가 장원급뎨ㅎ야 영화로 나려오리라 ㅎ며 인하야 아모 말이 업거늘
빅공이 크계 의심ㅎ고 침소로 도라오니라 이쩍 낭즈ㅣ 빅공이 와 듯는 줄

알고 션군다려 니르되 부친이 밧게 오셔셔 우리 말을 들으시고 가져스니 필경 낭군이 온 줄 알으실지니 엇디 황숑치 안으리오 바러건딕 낭군은 첩을 싱각지 말으시고 어셔 가셔 공명을 취ᄒᆞ야 부모의 바라시ᄂᆞᆫ 마음을 온젼케 ᄒᆞ시고 ᄯᅩᄒᆞᆫ 첩으로 ᄒᆞ야곰 불민ᄒᆞᆫ 죄를 면케 ᄒᆞ소셔 ᄯᅩᄒᆞᆫ 싱각건딕 밤에 가마니 도라와 부모를 뵈옵지 안엇ᄉᆞ오니 명일이라도 보이면 엇디 불민ᄒᆞᆫ 죄칙이 업스리오 낭군은 지삼 싱각ᄒᆞ야 ᄲᆞᆯ니 힝ᄒᆞ소셔 ᄒᆞ며 지쵹이 셩화갓 거늘 션군이 낭ᄌᆞ의 졍당ᄒᆞᆫ 말에 엇디 홀 슈 업셔 다시 작별ᄒᆞ고 다시 삼십 리 되ᄂᆞᆫ 슉소에 득달ᄒᆞ니 죵ᄌᆞㅣ 션군의 간곳업스믈 놀나고 괴이 넉여 ᄯᅩᄒᆞᆫ 본집으로 도라오랴다가 션군의 오믈 보고 깃

<18>

거 마ᄌᆞ 다시 힝ᄒᆞ야 그늘은 겨우 오십 리를 간지라 한등 여관에 ᄯᅩᄒᆞᆫ 젹막히 안ᄌᆞ 싱각나니 낭ᄌᆞᄲᆞᆫ이오 낭ᄌᆞ의 화용월틱ㅣ 눈압혜 암암ᄒᆞ야 잠을 일우지 못ᄒᆞ고 쳔ᄉᆞ만려ᄒᆞ야도 낭ᄌᆞ 보고 십흔 일 ᄲᅮᆫ이라 밋츨 듯흔 마음을 진뎡치 못ᄒᆞ야 쵸연이 몸을 ᄲᅦᆯ쳐 나귀를 치를 젹여 집으로 도라와 침실에 들어가니 낭ᄌᆞ ᄯᅩᄒᆞᆫ 대경하야 골ᄋᆞ딕 낭군이 첩의 간ᄒᆞ온 말을 듯지 안으시고 이럿틋 왕릭ᄒᆞ야 쳔금 갓흔 귀흔 몸을 손상ᄒᆞ시고 긱니에 병이 나시면 부모에게 불효되고 린가친쳑에게 치소를 면치 못ᄒᆞ리니 엇디 이를 싱각디 아니ᄒᆞ시나닛가 낭군이 진실노 첩을 닛디 못ᄒᆞ야 가지 아니ᄒᆞ시면 ᄯᅥ나신 뒤에 첩이 맛당이 ᄂᆞᆼ군의 슉소로 ᄎᆞᄌᆞ가리이다 션군 왈 그딕ᄂᆞᆫ 규중 녀ᄌᆞㅣ 라 엇지 도로 힝역을 임의로 하리오 낭ᄌᆞㅣ 왈 그러면 이 뒤에ᄂᆞᆫ ᄂᆞᆼ군이 아모리 도로 오시더릭도 첩을 보지 못ᄒᆞ시리니 ᄂᆞᆼ군은 싱각ᄒᆞ소셔 션군 왈 그러면 엇지ᄒᆞ리오 낭자ㅣ 한 쪽 화상을 ᄂᆡ여주며 왈 이것이 첩의 얼골이니 힝중에 너어가지고 가시다가 첩을 보고 십거든 ᄂᆡ여 보시다가 만일

이 화상 빗치 변호거든 첩의 몸이 큰 익회 잇는 줄 알으소셔 션군이 밧아 가지고 시로이 리별홀시 이씩 빅공의 마음에 의혹이 자심호야 다시 별당에 나아가 귀를 기우리고 들은즉 또흔 남즈의 셩음이 은은이 들니는지라 닉심 에 헤오딕 고이코 고이호도다 닉 집 장원이 놉고 이목이 번다호야 외인이 능히 출입호지 못호깃거늘 이 어인 남즈의 셩음인고 이는 반다시 흉흔 도적 이 들어와 능자와 통홈이로다 호고 침소로 드라와 추탄하야 왈 능즈의 졀힝 이 특이흔 쥴노 알앗더니 지금 이 일을 보건딕 졔 남편이 업는 씩를 기다려 외간남즈를 교통홈이니 엇지 분흔치 아니호리요 그러나 하인 소시에 참아 발설치 못홀 일이라 이를 장츳 엇지하리오 하다가 종용이 그 부인을 딕호야 탄식 왈 부인은 집안일을 아지 못호는 눈 집에 큰일이 잇스니 이를 장츳 엇지하면 죠흐리오 부인이 놀나 그 무삼 일이니닛가 빅공이 이틀 밤 소경스 를 낫낫치 닐너 왈 즈부의 힝스를 젹실이 알 슈 업거니와 닉 귀로 진적히 들은 바라 만일 그럴진딕 딕두지스를 엇지하

면 죠흐리오 부인이 쳥파에 딕경 왈 상공은 잘못 드르시미니다 현부의 힝동 범졀이 금옥이나 송죽 갓호여 그 마음이 변하 리 만무하거늘 이졔 엇지 그런 부졍흔 일이 잇스리오 그런 말은 다시 입 밧게 닉지도 마르소셔 빅공 왈 나도 즈부의 힝스가 그럿치 안은 쥴 알거니와 분명이 닉 귀로 들은 바 잇스니 그 혹 독갑이 작란인가 무삼 귀신의 희롱인가 모르거니와 딕져 부인 를 볼너 치문하야 의혹을 셜파하야 보스이다 하고 시비로 하야곰 낭즈를 불너 종용이 무러 글으딕 일젼 네 남편이 집을 써는 후에 밤이면 가즁이 비인 듯 하기로 내 밤마다 집안을 순힝호다가 너의 방 근쳐에 일은즉 남즈의 말소릭 은은이 들니기로 내 고이 넉엿더니 어제 젼역에 쏘흔 남즈의 셩음이

들니니 그 무삼 곡졀인지 의혹이 업지 못ᄒᆞ야 너다려 뭇는 바니 너는 자셰히
말ᄒᆞ야 나의 의혹이 업게 ᄒᆞ라 낭자ㅣ 염용 ᄃᆡ왈 소뷔 밤이면 츈이 동츈을
다리고 ᄆᆡ월노 더부러 약간 슈작은 잇셔ᄉᆞ오나 달은 남자란 말삼은 진실노
알지 못ᄒᆞ깃나니다 빅공이 낭자의 말을 들으믹 ᄉᆞ셰 그럴

〈21〉

듯하야 다시 물을 요령은 업스나 닉 귀로 분명이 남자의 셩음을 들엇ᄂᆞᆫᄃᆡ
이 무삼 곡졀인고 ᄒᆞ고 다시 ᄆᆡ월을 불너 문왈 너는 이식에 낭자의 침실에
가셔 낭자와 홈께 자는다 ᄆᆡ월이 ᄃᆡ왈 소비 근일 몸이 불평ᄒᆞ와 별당에
가지 못ᄒᆞ얏나니다 빅공 왈 분명 그러ᄒᆞ냐 ᄆᆡ월이 ᄃᆡ왈 황송ᄒᆞ온들 엇지
긔망ᄒᆞ오릿가 빅공 왈 내 밤에 집안으로 도라단이다가 동별당 근쳐에셔
슈상ᄒᆞᆫ 일을 보앗스니 너는 밤마다 잘 숨혀셔혹 외인이 츌입ᄒᆞᆫ 긔미가
잇거든 즉시 내게 고하야 쳐치케 ᄒᆞ라 ᄒᆞᆫᄃᆡ ᄆᆡ월이 슈명하고 물너 나와
아모리 밤마다 슈직ᄒᆞ며 동졍을 숨핀들 본ᄃᆡ 업는 일은 어ᄃᆡ 가 샤득하리오
오호라 원릭 ᄆᆡ월이 션군의 친압ᄒᆞᆫ 은혜를 닙어 얼마 동안 졍의 밀물하게
지닉며 졔 마음에는 빅년을 하루 갓치 지늘 쥴 밋엇더니 쯧밧게 낭자 들어온
후로브터 거문고 쥴이 싇어지는 비탄이 싱긴지라 쥬야로 한탄하며 다만
낭자를 원망하는 마음이 늘노 깁흐나 쏘흔 엇지홀 슈 업더니 이쩨를 당하믹
이는 나의 원한을 풀고 싇어진 쥴을

〈22〉

다시 니을 긔회라 하야 이에 한 쇠를 싱각하고 약간 은직를 변통하야 가지고
졔 심복으로 가장 친밀ᄒᆞᆫ 돌이란 놈을 보고 갈ᄋᆞᄃᆡ 너도 닉 일을 알거니와
내가 본ᄃᆡ 소상공의 건즐을 밧드러 졍의 교밀하게 지닉더니 듯밧게 별당
낭자가 들어온 후로브터는 나와 소상공 ᄉᆞ이에 관산이 막히고 오작교가

문어진지라 쥬야 한탄ᄒ더니 근일에 이리이리ᄒ 일이 잇스니 이는 나의 원한을 풀고 월로승을 다시 니을 긔회니 너는 나를 위ᄒ야 여차여차ᄒ면 닉 너를 후이 갑흐리라 흔딕 돌이놈이 본딕 셩질이 흉악ᄒ고 어리셕은 놈이라 그 말을 듯고 크게 깃거 응낙ᄒ거늘 믹월이 그늘 밤에 그놈을 다리고 가마니 별당문 밧게 셰우고 닐으되 너는 이곳에 섯스면 닉 노상공께 드러가 여ᄎ히 고ᄒ면 상공이 필경 분로ᄒ야 너를 잡으려 ᄒ리니 너는 거즛 낭ᄌ의 침방으로 나오는 톄 ᄒ고 문을 열고 달아나되 부딕 경솔이 말나 ᄒ고 즉시 빅공의 침소에 들어가 고ᄒ야 왈 소비 상공의 분부를 밧ᄌ온 후에 감히 등한치 못ᄒ와 밤마다 슈직ᄒ옵더니 과연 어제 젼역에 엇던

<〈23〉>

놈이 낭ᄌ로 더부러 슈작ᄒᄂ 동졍이 잇습기로 소비 가마니 듯ᄉ온즉 낭ᄌ ㅣ 그놈다려 닐너 왈 우리 냥인이 이럿케 지닉다가 낭군이 나려오면 장ᄎ 엇지ᄒ리오 ᄒ믹 그놈의 말이 극히 무례ᄒ고 괴악ᄒ야 참아 들을 수 업습더니 오늘 밤에도 ᄯ흔 여젼이 들어와 방장 수작ᄒᄂ 모양이오니 상공은 친히 슯히소셔 흔딕 빅공이 그 말을 듯고 분긔 딕발ᄒ야 칼을 가지고 낭ᄌ의 방문 밧게 다다른즉 과연 엇던 놈이 벼란간 방문을 닷치며 쮜여나 담을 넘어 다라나ᄂ지라 빅공이 분긔 튱텬ᄒ야 쳐소로 도라와 잠을 일우지 못ᄒ고 이리 싱각 져리 싱각ᄒ야도 하인 소시에 뭇어둘 수 업ᄂ 일이라 ᄒ고 이에 로복 등을 불너 좌우에 셰우고 ᄎ례로 물어 글ᄋ딕 우리 집이 장원이 놉고 규모가 미상불 엄슉ᄒ야 외인이 감히 드나들지 못홈은 너의도 다 아ᄂ 바이어널 근일에 엇던 부랑ᄒ 놈이 회 지기를 기딕려 감히 마음딕로 출입ᄒ야 심지어 동별당 근쳐에 방황ᄒ야 텽문이 고약ᄒ니 이는 반다시 타인의 소위가 아니라 너의 놈 즁에 불측ᄒ 놈이 잇셔 감히 무리ᄒ 일을 힝코

〈24〉

져 홈이니 너의는 실상 디로 직고호되 만일 일호라도 긔망호야 알고도 속이
는 놈이 잇스면 범죄 여부를 물론호고 죽기를 면치 못호리라 호나 비복
등이 다 묵묵히 말호는 자 업고 다 고호야 글ㅇ디 소인 등은 비록 장하에
죽스와도 알지 못호나니다 하거늘 빅공이 홀일업셔 이에 낭즈를 불으라
혼디 민월이 먼져 디답하고 별당에 가 문을 열고 소리질너 왈 낭즈는 무삼
잠을 이쩌까지 자나닛가 지금 로상공계오셔 불으시니 쌜니 나오소셔 혼디
낭즈ㅣ 놀나 문왈 날이 아즉 시지 안엇거늘 무삼 일노 불으시나뇨 호고
급히 의상을 졍제히 입고 련보를 옴겨 나아가 부복혼디 등촉이 휘황호고
비복 등이 좌우에 라립호얏는디 빅공의 호령호는 소리 진동호는지라 낭즈
ㅣ 문 밧게 셔셔 다시 문왈 너의는 무삼 일노 이리 요란호는다 노복 등이
글ㅇ디 엇던 놈이 낭즈의 침실에 들어가 도적질호랴다가 노상공께 들키여
다라는고로 소복 등을 불너 엄문호시나 소복 등은 과연 이미이 당호는 일이
오 낭즈는 엇던 놈인 줄 아실지니 발은 디로 엿주어 무죄혼 소복 등으로
호야곰 중형을 면케 하

〈25〉

소셔 호는지라 낭즈ㅣ 이 말을 들으미 혼빅이 비월호고 간담이 문어지는
듯 엇지홀 줄 몰으는 중 빅공의 호령이 츄상갓호야 쌜니 디라는 소리 벽력
갓혼지라 낭즈ㅣ 황망이 엿즈오디 천만몽미 밧게 이런 일을 당호오니 무삼
연고ㅣ 온지 즈셰 알고져 호나니다 빅공이 려셩대질 왈 너는 무삼 말을 호는
다 일젼에도 내 너다려 닐넛거늘 네 나를 속히고 힝사호는고로 민월을 불너
물은즉 저는 근일 신병으로 말미암아 네 쳐소에 간 일이 업다 호는고로
반다시 연고 잇는 일노 짐작호고 쏘 다시 샤실호고 탐지흔즉 엇던 놈이
네 방으로브터 니다라 담을 넘어 달아나는 것을 내 눈으로 보앗거늘 네

무삼 낫츠로 발명코져ᄒᄂ다 다른 사름의 젼언이나 들엇스면 내가 용셔ᄒ
려니와 이ᄂ 텬지신명의 붓그런 일이 아닌고로 그 엇던 놈인가 알고져 ᄒ야
로복 등에게 물어도 다 몰은다 ᄒᄂ고로 너ᄉ지 불으미니 ᄌ셰히 말ᄒ라
낭ᄌㅣ 눈물을 흘녀 글ᄋᄃ 쳔식의 익회 비경ᄒ와 이런 허무ᄒ 루명을 신상
에 무릅쓰오니 엇지 익듧고 원통치 안사오릿가 빅공이 려셩 왈 내 친히

귀로 듯고 눈으로 본 일을 이럿툿 익미타 ᄒᄂ다 우리 집이 루ᄃ 쳥덕으로
지ᄂ다가 내게 밋쳐 이런 더러운 일이 잇슬 줄 엇지 뜻ᄒ얏스리오 진실노
남이 알가 두려오니 너ᄂ 발은ᄃ로 말ᄒ야 죵용이 조쳐케 ᄒ라 낭ᄌㅣ 안식
을 졍대히 ᄒ고 글ᄋᄃ 쳔식이 비록 빅낭우귀ᄒ야 마자오지ᄂ 안엇사오나
례를 가추어 ᄉ당에 고유ᄒ 죵부오 음분란힝으로 그럭져럭 들어온 사름이
안이오 셜혹이 인간에 잇스와도 빙옥 갓흔 졀기ᄂ 텬상 션인을 효측ᄒ옵거
늘 엇지 속인의 틱도나 음부의 못된 힝실은 고사ᄒ고 그런 마음인들 잇스오
릿가 아모리 명교 지엄ᄒ와도 쳔식의 빅빅무죄ᄒ오믄 한ᄂ님과 귀신이 알
으실지니 바라옵건ᄃ 존구ᄂ 깁히 통촉ᄒ옵소셔 이ᄂ 쳔식을 미워ᄒ야 짐
즉 음히코져 흠이로소이다 빅공이 더욱 셩늬여 갈ᄋᄃ 네 감히 공교ᄒ 말노
나를 속혀 혐졀을 장찬코져 ᄒᄂ다 ᄉ실을 직고ᄒ지 아니ᄒ면 나를 능모ᄒ
고 집안을 망코져 흠이라 엇지 죄를 용셔ᄒ리오 흔ᄃ 낭ᄌㅣ 이썩를 당ᄒ야
션군의 왓던 ᄉ실을 은휘홀 길 업셔 이에 고ᄒ

야 왈 향일 낭군이 쩌나가던 늘 밤에 쳔식을 보고 십다고 도라와 단여가고
쏘 그 잇흔 늘 밤에 왓습기로 쳔쳡이 온갓 리유로셜명ᄒ고 쏘 글ᄋᄃ 만일
고구ㅣ 게셔 낭군이 온 줄 알으시면 꾸지람을 면치 못흠은 고사ᄒ고 남의

긔룡에 엇지ᄒ리요 낭군의 거취를 숨겨보닉고 다시는 오지 말나 ᄒ얏습더니 조물이 미히 넉이고 귀신이 싀기ᄒ야 이런 허무ᄒᆫ 루명으로 만고에 씻지 못홀 일이 싱기오니 천식이 발명은 낭군이 도라오는 날에 잇스려니와 명텬이 나려다 보시오니 이졔 죽스와도 다시 엿ᄌ올 말삼이 업습나이다 ᄒᆫᄃᆡ 빅공은 그 말을 드르며 더욱 분로ᄒ야 왈 그러면 네 엇지 당초에 내가 물을 쎄에 말ᄒ지 안엇는다 이는 나를 속히미 더욱 심ᄒ다 ᄒ고 이예 노ᄌ로 ᄒ야곰 쓸어닉라 ᄒᄆᆡ 낭지 ᄒᄂᆞᆯ을 우러러 되셩통곡 왈 유유창텬은 굽어 숣히소셔 빅빅무죄한 이닉 몸을 숣히소셔 오월에 셔리 늘니는 한과 삼 년을 비오지 안는 원통을 뉘라셔 풀어닐고 ᄒ면 업드러져 긔싀ᄒᄂ지라 이ᄯᅵ 빅공의 부인이 시비에게 이 말을 듯고 급히 나아와 그 형상을 보고 일변 놀나며

<28>

일변 눈물을 흘녀 ᄀᆞᆯ으되 녯말에 닐넛스되 물을 한번 쏫으면 다시 담지 못ᄒ다 ᄒ고 쏘 ᄀᆞᆯ으되 쥐를 치고져 ᄒ나 그릇을 쎄린다 ᄒ얏나니 상공은 숣히지 못홈이 엇지 이갓치 심ᄒ니잇고 셜혹 불미ᄒᆫ 동졍이 잇더릭도 ᄋᆞᄌ의 과힝은 되스라 집안이 온순ᄒ야 축원홈이 올커늘 이런 불미ᄒᆫ 일노 마음을 소란케 홈은 ᄋᆞᄌ의 심스를 산란케 홀 ᄲᆞᆫ 아니라 쏘ᄒᆫ 이 일은 ᄋᆞᄌ의 도라오기를 기다려 됴쳐홈이 가ᄒ거늘 엇지 이갓치 망거의 일을 힝ᄒ나니 잇고 ᄒ고 급히 쓸에 나려 낭ᄌ를 안고 울며 ᄀᆞᆯ으되 너갓흔 유한졍졍ᄒᆫ ᄌ질과 슌일부졉ᄒᆫ 힝실노 오늘 이런 일이 잇스믄 나의 불찰이라 ᄒ려니와 엇지 이런 일이 엇슬 줄 뜻ᄒ얏스리오 낭지 졍신을 진졍ᄒ야 모부인의 이럿툿 ᄒᄂ는 일을 보고 울며 ᄀᆞᆯ으되 녯말에 닐넛스되 도적의 ᄯᅵ는 버셔도 음부의 루명은 벗지 못한다 ᄒ오니 천식의 루명은 동히슈를 다 가져도 싯지 못홀지라 엇지 구구이 이 세상에 살기를 도모ᄒ오릿가 ᄒ며 머리에 옥잠을

쎄여 들고 하ᄂᆞ님씌 고축ᄒᆞ야 왈 지공무ᄉᆞᄒᆞ옵신 창텬

〈29〉

은 ᄉᆞᆲ히소셔 이 사ᄅᆞᆷ이 죄가 잇스면 이 옥잠이 ᄂᆡ 가ᄉᆞᆷ에 박히고 만일 무죄ᄒᆞ거든 이 옥잠이 이 섬돌에 박히게소셔 ᄒᆞ고 옥잠을 공즁에 치치고 업드렷더니 그 옥잠이 나려와 섬돌에 박히ᄂᆞᆫ지라 온집안 사ᄅᆞᆷ이 모다 이를 보고 ᄃᆡ경ᄒᆞ야 입을 버리고 신긔이 넉이며 ᄯᅩᄒᆞᆫ 낭ᄌᆞ의 원억ᄒᆞᆫ 줄을 알더라 ᄇᆡᆨ공이 이를 보ᄆᆡ 모골이 송연ᄒᆞ고 정신이 번적 나셔 낭ᄌᆞ의 ᄋᆡᄆᆡᄒᆞᆷ은 텬지신명의 령졈이 계신 쥴 알고 이에 애ᄃᆞᆲ고 누이쳐 잔잉이 넉이ᄂᆞᆫ 마ᄋᆞᆷ이 측량업셔 급히 나려가 낭ᄌᆞ다려 닐너 왈 로부ㅣ 지간이 업고 일에 망ᄆᆡᄒᆞ야 망년된 거됴를 ᄒᆡᆼᄒᆞ야 현부로 ᄒᆞ야곰 루명을 더ᄒᆞ고져 ᄒᆞ얏스니 무삼 낫츠로 세상에 서리오 바라건ᄃᆡ 현부ᄂᆞᆫ 마ᄋᆞᆷ을 도로켜 로부의 망녕된 일을 용셔ᄒᆞ라 ᄒᆞ고 ᄯᅩ 부인이 무슈히 위로ᄒᆞ며 붓들어 별당으로 들어가니 낭ᄌᆞㅣ 지원극통ᄒᆞᆷ을 견ᄃᆡ지 못ᄒᆞ야 눈물을 흘니며 모부인케 고ᄒᆞ야 왈 천식이 이런 더러운 악명을 쓰고 잔명을 ᄋᆡ겨 세상에 살아 잇스면 일후에 쟝부ㅣ 도라오ᄂᆞᆫ ᄂᆞᆯ 무삼 면목으로 상ᄃᆡᄒᆞ리잇고 다만 속히 죽어 더런 낫츠로

〈30〉

쟝부를 ᄃᆡᄒᆞ지 말고져 ᄒᆞ나니다 부인이 낭ᄌᆞ의 ᄋᆡ련ᄒᆞᆫ 경상을 참아 볼 길 업셔 천만가지로 ᄀᆡ유ᄒᆞ야 왈 현부ㅣ 만일 죽으면 동츈 남ᄆᆡ를 엇지ᄒᆞ며 ᄋᆞᄌᆞ ᄯᅩᄒᆞᆫ 결단코 죽으리니 엇지 참아 ᄒᆞᆯ 바리오 어린 ᄋᆞ희들의 경경도 보고 ᄋᆞᄌᆞ의 래두지사도 ᄉᆡᆼ각ᄒᆞ고 ᄯᅩᄒᆞᆫ 로모의 안면도 보아 마ᄋᆞᆷ을 도리켜 천금 갓흔 몸을 보즁ᄒᆞ라 ᄒᆞ고 이윽ᄒᆞᆫ 후에 ᄌᆞ긔 침소로 돌아오니라 이ᄯᅢ 츈잉이 그 모친의 경경을 보고 울며 ᄀᆞᆯᄋᆞᄃᆡ 모친은 죽지 ᄆᆞᆯ으소셔 부친이 나려오시거든 원통ᄒᆞᆫ ᄆᆞᆯ삼이나 ᄒᆞ시고 ᄯᅩ한 이 일을 쳐치ᄒᆞ야 쾌히 셜치ᄒᆞ

소서 이제 만일 모친이 마음디로 하시면 강보에 싸인 어린 동싱을 엇지하며 나는 누구를 의지하야 살나 하시나닛고 하며 울기를 마지오니하니 낭즈ㅣ 마지못하야 츈잉을 겻혜 안치고 동츈을 안쇼 졋을 먹이며 이윽히 싱곡하드가 동츈을 나려 누이고 화려한 옷을 입고 슳혼 소래로 츈잉드려 일너 왈 너는 동츈을 드리고 잘 잇거라 나는 아모리 참고져 하야도 참을 슈 업셔 황쳔으로 도라가리니 너는 부디 동츈을 드리고 잘 잇드가 네 부친이 도라오시거든 이런 물이ᄂ 하여라 하며 이에 빅학션 한 즈루를 주며 왈 이 부치는 텬하에 보비라 치우면 더운 긔운이 나고 더우면 찬 긔운이 나ᄂ니 잘 간슈하얏다가 동춘이 쟝셩하거든 주어라 슳흐다 이 인싱에 가련홈이여 나의 명도ㅣ 긔궁하야 쳔만몽미밧게 루명을 엇으믜 너의 부친을 다시 보지 못하고 지하에 도라가니 엇지 참아 눈을 감으며 쏘한 너의 남믹를 바리고 참아 엇지 갈쇼 가련하도다 인싱이 한번 가면 다시 오기 어려오니 너의를 엇지 다시 볼가 부디부디 잘 잇거라 이럿툿 하며 눈물이 비 오듯 하ᄂ지라 츈잉이 졔 모친의 경상을 보고 붓들고 울며 글오디 모친은 넘어 슳허 마르소셔 부친이 도라오시면 루명은 반다시 변빅되리니 무삼 걱정이 잇서 우리 형뎨를 엇지 두고 가시햐 하나닛가 하며 애쓰는 경상은 비록 산쳔초목이라도 슬어홀너라 이리하기를 마지안타가 어린 것이 긔진하야 업디여 잠을 든지라 능자ㅣ 지원극통홈을 견디지 못하야 아모리 싱곡하야도 죽어 구쳔지하에 도라가 루명

〈31〉

을 싯는 것이 올은 쥴노 싱곡하고 쏘한 ㅇ히들이 씨여나면 분명코 쯧을 일우지 못하리니 져의 잠 씨기 젼에 결단하리라 하고 다시 츈앵을 어루만지며 글오디 가련하다 너의 남믹 나를 그리워 엇지 살냐나냐 무졍하다 이닉 마음 엇지 참아 너의 남믹를 두고 가나 하며 늣기다가 이에 원앙침을 도두

베고 서리 갓흔 칼을 쌔야 빅옥 갓흔 가삼을 질너 명이 진ᄒᆞ니 빅일이 무광
ᄒᆞ고 산쳔초목이 슯허ᄒᆞᄂᆞᆫ 듯ᄒᆞ더라 이쌔 츈잉이 홀연 잠을 ᄭᅢ여 본즉 모친
이 가삼에 칼을 곳고 누엇ᄂᆞᆫ듸 피가 흘너 방중을 젹신지라 대경실식ᄒᆞ야
급히 달녀들어 칼을 ᄲᅢ이려 ᄒᆞ나 ᄲᅢ지지 아니ᄒᆞᄂᆞᆫ지라 제 얼골을 모친의
낫헤 듸이고 실셩통곡ᄒᆞ야 왈 모친은 일어나오 일어나오 어마니 이계 웬
일이오 우리 남미ᄂᆞᆫ 엇지 살나고 이럿케 죽엇나잇고 ᄒᆞ며 애호ᄒᆞᄂᆞᆫ 형상은
참아 엇지 들으리오 한참 이리흘 져음에 동츈이 ᄯᅩᄒᆞᆫ 놀나 ᄭᅢ여 츈잉의
우ᄂᆞᆫ 양을 보고 져도 ᄯᅩᄒᆞᆫ 울며 덤베들어 졋슬 붓들고 ᄲᅡᆯ아가며 두 ᄋᆞ희가
한듸 어우러져 우ᄂᆞᆫ 즁 동츈은 강보의 어린 ᄋᆞ희라 아모란 줄 몰으고 다

〈33〉

만 제 누의 우ᄂᆞᆫ 양을 보고 우ᄂᆞᆫ 것이오 어미의 죽은 줄은 몰으ᄂᆞᆫ 지경이니
그 근경을 싱ᄀᆞᆨᄒᆞ면 뉘 안이 잔잉ᄒᆞ고 가련이 넉이지 안으리오 비록 목셕
간장이라도 견듸여 눈물 흘니지 안이흘 쟈 업깃도다
이쌔 빅공 부부와 노복 등이 별당에셔 ᄋᆞ희들의 곡셩이 낭ᄌᆞ흠을 듯고 처음
에ᄂᆞᆫ 어린 것들이 엇지ᄒᆞ야 우나보다 ᄒᆞ고 등한이 싱ᄀᆞᆨᄒᆞ얏더니 곡셩이
졈졈 더 심흠을 듯고 빅공 부부ㅣ 의혹이 나셔 급히 들어가 보니 낭ᄌᆞ의
가삼에 칼이 곳치고 츈잉 남미 제 모친에게 덤베여 울거늘 대경실식ᄒᆞ고
창황망죠ᄒᆞ야 아모리흘 줄 몰으다가 위션 달녀들어 칼을 ᄲᅢ랴 ᄒᆞ니 칼이
ᄲᅢ지지 안ᄂᆞᆫ지라 더욱 의혹ᄒᆞ고 황겁ᄒᆞ야 힘을 다ᄒᆞ야 ᄲᅢ고져 ᄒᆞ야도 엇지
흘 슈 업ᄂᆞᆫ지라 빅공 부부ㅣ 의론 왈 내 ᄌᆞ셰히 슯피지 못ᄒᆞ야 이런 일을
져즈럿스니 누구를 원망ᄒᆞ리요 ᄋᆞᄌᆞㅣ 도라와 낭ᄌᆞ의 가삼에 칼 곳친 것을
보면 필경 우리 부쳐ㅣ 모히ᄒᆞ야 죽인 줄로 알고 져도 ᄯᅩᄒᆞᆫ 죽으려 ᄒᆞ리니
ᄋᆞᄌᆞ의 나려오기 전에 낭ᄌᆞ의 신톄를 밧비 렴습ᄒᆞ야 쟝ᄉᆞ를 지니여 ᄌᆞ최를

〈34〉

감추는 것이 올타 ᄒ고 슈의와 관곽을 갓추어 렴습ᄒ려 ᄒ즉 신톄 싸에 붓터 조금도 움작이지 안는지라 이에 건장ᄒ 쟈들노 ᄒ야곰 아모리 힘를 다ᄒ나 ᄯ또ᄒ 엇지ᄒ 슈 업스미 모다 놀나고 이상이 녁이더라 빅공 부부ㅣ 크게 근심ᄒ 쑨더러 일가 문중이 모다 송구ᄒ야 엇지ᄒ 줄 몰으며 낭ᄌ의 령혼이 필경 무삼 일을 니리라 두려워ᄒ더라

ᄒᆨ셜 션군이 낭ᄌ의 ᄀ라ᄋ침을 짜라 마ᄋᆷ을 굿게 먹고 길을 힝ᄒ야 경ᄉ에 다다라 려관을 졍ᄒ고 과일을 기ᄃ려 댱중에 들어가니 팔도 션ᄇᆡ 구름 모이 듯 ᄒ야 츈당ᄃ 널은 곳에 가득 찻는ᄃ 현제판을 숣혀보니 글졔를 걸어스되 강구에 문동요라 션군이 일필춰지ᄒ야 일텬에 션쟝ᄒ니 샹이 보시미 ᄌᄌ 비졉이오 귀귀관쥬라 쟝원을 믹히시고 비봉을 ᄶᅦ여보니 경상도 안동군이 오 그 부명은 곤이라 젼두관을 명ᄒ야 급히 호명ᄒ니 션군이 ᄌ긔 일홈 불으는 말을 듯고 ᄃ답ᄒ 후 젼두관의 인도로 어젼에 나아가 계하에 복지ᄒ ᄃ 샹이 인

〈35〉

견ᄒ샤 그 풍치의 늠늠홈과 용모ㅣ 비범홈을 보시고 크게 깃거 ᄀ라ᄋ샤ᄃ 내 미양 인ᄌ 업슴을 근심ᄒ얏더니 이졔 너를 엇으니 다힝ᄒ지라 너는 쟝츠 마ᄋᆷ을 다ᄒ야 짐을 도아 국가에 쥬셕이 되라 ᄒ시고 즉시 승졍원 쥬셔를 삼으시니 션군이 사은ᄒ고 졍원에 입직ᄒ니 부모를 싱각ᄒ는 회포와 낭ᄌ 를 그리는 졍이 더욱 깁허 일각이 삼츄 갓혼지라 그 몬져 급뎨ᄒ던 늘 노ᄌ 를 부려 양친 젼에 상셔ᄒ고 낭ᄌ에게 슈ᄌ를 젹어 과거에 참방ᄒ 스실을 고ᄒ고 니어셔 승졍원에 입직홈을 고달ᄒ니 노ᄌㅣ 셔간을 가지고 ᄲᆯ니 힝ᄒ야 항뎨에 득달ᄒ야 셔간을 들인ᄃ 빅공 부부ㅣ 몬져 노ᄌ의 구달을 들어 ᄋᄌ의 영귀홈을 ᄃ희ᄒ고 일문이 다 깃거ᄒ는 중 고구친척이 모다

낭즈의 일을 싱각ᄒ고 한탄ᄒ지 안는 쟈ㅣ 업는지라 함을며 그 부모의 심ᄉ
야 일너 무엇ᄒ리오 이에 그 편지를 쎼여보니 ᄒ얏스되
소즈ㅣ 슬하를 써나온 지 슈심 일에 문안둣잡지 못ᄒ와 쥬야복모흠을

〈36〉

마지아니ᄒ오며 그동안 냥당 긔톄후일향만강 ᄒ옵신지 업듸여 ᄉ모흠을
불이옵지 못ᄒ오며 소즈는 무ᄉ득달ᄒ와 긱즁 무탈ᄒ오며 텬은이 륭즁ᄒ
와 장원급뎨에 쥬셔를 봉은ᄒ와 승정원에 입직ᄒ얏ᄉ와 곳 나려가 뵈옵지
못ᄒ오니 황공ᄒ오나 아로조록 슈유를 엇ᄉ와 금월 망간에 도문ᄒ려 ᄒ옵
나니다 ᄒ얏더라 빅공 부부ㅣ 이를 보믹 일변 깃부고 일변 금심흠을 마지아
니ᄒ며 ᄯ흔 낭즈에게 온 편지를 가지고 낭즈의 방에 들어가 츈잉을 주며
왈 이 편지는 네 아바지가 장원급뎨 ᄒ얏다고 네 어마니에게 보닉는 편지다
ᄒ거늘 츈잉이 조모의 말삼을 듯고 급히 편지를 가지고 빙소에 들어가 셔간
을 쎼여 들고 통곡ᄒ며 모친을 불으며 낫츨 듸이고 굴ᄋ듸 모친은 어셔
닐어나소셔 부친계셔 장원급뎨ᄒ야 쥬셔 벼슬노 계시다고 편지가 왓슴니
다 모친은 믹양 부친의 소식을 몰나 쥬야로 슈심을 못익의여 ᄒ시더니 이졔
는 편지가 왓스니 일어나 보시오 ᄒ고 만단 ᄉ연을 다 고ᄒᆫ들 황쳔긱 된
육신이 엇지 알니오 깃붐도 업고 슈심도 업고 격

〈37〉

졍도 업는지라 밤낫으로 창텬을 바라고 손곱아가며 기듸리고 바라던 모친
이 이런 깃분 편지가 왓건만은 엇지 닐어나시지 안는닛가 ᄒ며 통곡ᄒ니
슈운이 참담ᄒ고 초목이 슬어ᄒᆫ 듯ᄒᄭᆞ라 보는 쟈 뉘 아니 이련이 넉이리
오 츈잉은 더욱 식음을 젼폐ᄒ고 불으나니 모친이오 싱각나니 모친이라
이럿틋 슬피 울며 그 됴모쎄 고ᄒ야 왈 이 편지를 어마니 신톄 압헤 넉어셔

령혼이라도 감동ᄒ게 ᄒ소셔 그 묘모ㅣ 그 편지 보기를 슬컷만은 마지못ᄒ
야 쎼여 보니 ᄒ얏스되

쥬셔 빅션군은 한 장 글월을 낭ᄌ에게 붓치노라 한번 쎠는 후 오직 적조ᄒ야
울회 금치 못ᄒ오며 그동안 냥당 모시고 신상 틱평ᄒ며 츈잉 남민도 잘
잇ᄂᆫ지 넘려 무궁ᄒ도다 나는 무ᄉ히 상경ᄒ야 다힝이 룡문에 올나 일홈이
한원에 현달ᄒ니 텬은이 망극ᄒ거니와 이ᄂᆫ 다 낭ᄌ의 지극히 권흔 은덕으
로 싱가기 안을 슈 업ᄂᆫ 중 다만 낭ᄌ를 리별ᄒ고 쳔 리 밧게 잇셔 보고
십흔 마음이 밤낫으로 간졀ᄒ야 얼골이 눈 압헤 음음ᄒ고 말소리 귀에 징징
ᄒ야 쳔 가지 싱각 만 가지 시

〈38〉

름이 것잡을 길 바이 업셔 월명졍젼에 부질업시 비회ᄒ며 운산을 바라보니
쳔만 겹이나 막혓고 시벽달 찬바름에 외기럭이 울고갈 제 그 소리 쳐량ᄒ야
갓득이나 잠 못 들어 젼젼반측 ᄒᄂᆫ 중에 엇지 참 견딜손가 슈심이 텹텹흔
중 낭ᄌ의 화상이나 볼가 ᄒ야 벽상에 걸고 보니 화용월틱 변형ᄒ야 이젼과
판이ᄒ니 아마도 무삼 연고ㅣ 잇ᄂᆫ 줄 짐작ᄒ야 침식이 불감ᄒ고 집에 갈
마음이 살 갓ᄒ나 나라에 믹인 몸이 임의로 못 단이니 이 아니 답답흔가
풍운조화나 불넛스면 죠셕왕릭 ᄒ련만은 그도 역시 극난이라 아모랴도 홀
길 업다 이리져리 싱각다가 다시금 풀져닉니 공방독슉 셔어 말고 안심ᄒ야
지나가면 몃놀이 못 다가셔 반가이 만나 싸인 회포 위로홀 ᄯᅳᆺ 허다흔 셜화
이로 다 홀 슈 업셔 딕강 근치노라 ᄒ얏더라

모부인이 보기를 다ᄒ고 츈잉을 어로만져 글ᄋ딕 네 아바지가 네 모친에게
다졍홈이 이럿듯 ᄒ거늘 네 모친은 그런 졍경을 싱각지 못ᄒ고 다만 분명치
못흔 루명만 원통이 녁여 이럿케 악착ᄒ고 모

39

진 일을 힝ᄒ니 이 안이 답답ᄒ고 가련치 아느냐 네 아비만 도라오면 그
루명도 신셜ᄒ고 우리들도 불안ᄒ기가 덜홀 것이어늘 지금 이 지경이 되얏
스니 씨여진 거울이 다시 합ᄒ기 어렵고 써러진 곳치 두 번 피기 어렵도다
ᄒ며 츈잉을 만단 기유ᄒ야 그 마음을 조금 진졍케 ᄒ고 도라와 부부ㅣ
셔로 의론ᄒ야 글ᄋ딕 ᄋᄌㅣ 이달 망간에 나려오면 이런 곡졀을 알고 저도
ᄯᅩᄒᆫ 죽기를 작졍홀 것이니 엇지ᄒ면 조흐리오 ᄒ며 장우단탄ᄒ며 밤에
잠을 일우지 못ᄒ더라 이씩 빅공은 늘이 갈스록 누잇치고 원통ᄒ야 견ᄃᆡ지
못ᄒ더니 늙은 노ᄌ 복쇠ㅣ 빅공 부부ㅣ 이렷틋 흠을 보고 엿ᄌᆞ오되 소인이
져즘케 쥬셔 나으리를 모시고 경스로 갈 씩에 풍산촌에 널으러 문득 보오니
쥬란화각에 치운이 령롱ᄒ얏스며 압 못물에 련곳이 만발ᄒ고 화계 우에
모란화ㅣ 란만ᄒ얏는딕 그 집 후원에 일위 미인이 빅학을 춤 취이는지라
그곳에 머무러 그곳 사름다려 물은즉 그 집은 림진스 딕이오 그 미인은
그딕 규수라 ᄒ옵는 바 나으리계셔 한번 보시고 흠모ᄒ심을 마지안이ᄒ

40

시고 오릭 비회ᄒ시다가 도라왓스오니 이제 그딕과 결혼ᄒ시면 나으리의
소원이 셩취되야 반다시 낭ᄌ를 니즐 듯ᄒ와 감히 고ᄒ나이다 빅공 부부ㅣ
이 말을 듯고 딕희ᄒ야 왈 네 말이 가장 유리ᄒ도다 원릭 림진스딕은 우리집
과 셰의도 잇슬 뿐 안이라 나와 친분이 잇슨 지 오린 터인즉 아마 내 말을
괄시치 안을 듯ᄒ고 ᄯᅩᄒᆫ ᄋᄌ 청운에 올나 영화ㅣ 극진ᄒ니 셩혼ᄒ기 쉬으
리라 ᄒ고 즉시 인마를 갓추어 써나 림진스 집에 다다르니 진스ㅣ 반겨
마ᄌ들여 좌졍ᄒᆫ 후 한헌을 맛츤 후 션군의 영화를 치하ᄒ고 일변 쥬찬을
나위며 관딕홀식 술이 반쯤 취ᄒᆫ 후 진스ㅣ 빅공을 딕ᄒ야 왈 금일 로형이
루지에 왕굴ᄒ심은 내 집에 영광이로소이다 빅공이 우스며 왈 형은 엇지

이쳐럼 말삼ᄒ나잇가 친구 심방홈은 당연ᄒ 일이어늘 형이 그갓치 말삼ᄒ
심은 도로여 섭섭ᄒ오이다 ᄒ며 셔로 웃고 이윽히 담화ᄒ다가 빅공이 ᄀᆯ으
디 쇼데ㅣ 감히 형에게 의론홀 일이 잇스오니 형은 능히 용납ᄒ시리잇가
림진ᄉ 답왈 무삼 말삼인지 듯고져 ᄒ나니다 빅공 왈 달

〈41〉

음이 아니라 나의 ᄋᄌ 션군이 셩취ᄒ 지 칠팔 년에 져의 부부 금슬이 화락
ᄒ야 남미의 ᄌ녀를 두엇ᄂᆞ디 이번 과거를 보러 경ᄉ에 가셔 다힝이 공명은
일우엇스나 그동안 ᄌ부ㅣ 병이 들어 모월 모일에 블힝이 황쳔긱이 된지라
ᄌ부의 쳥츈요ᄉ도 지극히 불상ᄒ거니와 데일 어린 ᄌ식 남미를 두고 참상
을 당ᄒ니 엇지 이련치 안이ᄒ며 쏘ᄒ ᄋᄌㅣ 나려오면 반다시 병이 나기
쉬운지라 이런고로 밧비 어진 빅필을 엇어 그 마음도 위로ᄒ고 어린 ᄌ식들
도 보호ᄒ려 ᄒ야 각쳐로 구혼ᄒ든 차에 듯ᄉ온즉 귀딕에 현슉ᄒ 규향이
잇다 ᄒ기로 친근ᄒ 터에 미파를 보닐 것 업다 ᄒ고 이갓치 왓스니 형의
고견은 엇더 ᄒ실ᄂᆫ지 몰으거니와 소제의 가벌이 미미홈을 싱각지 마시고
허락ᄒ심을 바라나이다 림진ᄉㅣ 텽파에 냥구히 침음ᄒ다가 이에 손샤 왈
어린 녀셕이 잇스오나 죡히 령낭의 건즐을 밧들엄즉지 못ᄒ옵고 쏘ᄒ 혼인
은 인류의 대ᄉ라 소졔ㅣ 혼ᄌ 마음으로 뇌졍키 어렵ᄉ오니 잠간 닉실에
들어가 형쳐의 의향을 탐지ᄒ리라 ᄒ고 안으로 들어가 그 부

〈42〉

인을 보고 빅공의 ᄋᄃᆯ 션군과 결혼홀 일을 말ᄒ고 쏘ᄒ 션군이 이번에
장원급졔ᄒ야 즉시 쥬셔 벼슬ᄒ야 슈히 도문ᄒ다 말ᄒ고 쏘 ᄀᆯ으디 다만
흠졀은 초실에 어린 ᄌ식 남미 잇ᄂᆫ 바이나 션군이 아즉 년소ᄒ야 녀ᄋ와
샹젹ᄒ니 부인의 의향이 엿더ᄒ냐 ᄒ디 부인이 혼연 디왈 ᄌ식의 혼인은

가장이 쥬장ᄒ시기에 잇ᄉ거늘 엇지 못ᄒ나니잇고 문긔와 범빅이 샹젹ᄒ거든 달은 일은 구이홀 것 업슬 듯ᄒ오이다 진ᄉㅣ 부인의 활발ᄒᆫ 말을 듯고 외당에 나아와 백공을 ᄃᆡᄒ야 쾌히 허혼ᄒ니 백공이 ᄃᆡ희ᄒ야 즉시 도라와 길일을 ᄐᆡᆨᄒ고 례단을 갓추어 보ᄂᆡ니 림진ᄉㅣ 그 례물을 밧고 골ᄋᆞ되 내ㅣ 일즉 녀ᄋ의 ᄶᅡᆨ이 업슬가 근심ᄒ얏더니 이제 백션군이 일셰 긔남ᄌ란 말을 닉히 들은지라 녀ᄋ의 ᄌᆞᆨ덕이 족히 백낭과 일쌍비우되리니 엇지 깃부지 아니ᄒ리오 ᄒ더라 이ᄶᅥ 백공이 부인으로 의론ᄒ야 왈 낭ᄌ의 일을 ᄋᆞᄌㅣ 몰으고 나려와 그 형상을 볼지면 필경 그 곡졀을 무를 것이니 무엇이라고 ᄃᆡ답ᄒ리오 부인이 탄왈 그 일의 ᄉᆞ실ᄃᆡ로 발오

〈43〉

닐으기 어려우니 여ᄎᆞ여ᄎᆞ히 ᄃᆡ답ᄒ면 됴홀 듯ᄒ여이다 백공 왈 그 계교 가장 묘ᄒ다 ᄒ고 약속을 졍ᄒᆫ 후 쥬셔의 나려오기를 기ᄃᆡ려 죠쳐ᄒ기로 ᄒ니라

각셜 이ᄶᅥ 백쥬셔 근친영분홀 일노 표를 올녀 슈유를 엇어 가지고 길을 ᄯᅥ나 ᄂᆡ려올새 쳥ᄉ관복에 외학흉비를 붓치고 머리에 어ᄉ화를 곳고 손에 옥호을 쥐고 긔원풍악에 쳥등 쌍일산을 밧고 금안 빅마를 타고 졍원 하인이 젼ᄎᆞ 후옹ᄒ야 갈도 소리를 불으니 도로 관광쟈ㅣ 칙칙칭션치 안는 이 업더라 이러구러 슈삼 일을 힝ᄒᄆᆡ 마상에셔 ᄲᅢ친 몸이 ᄌᆞ연 곤뢰ᄒ고 ᄯᅩᄒᆫ 여러 가지 싱각이 텹텹ᄒ야 심ᄉ를 졍치 못ᄒ더니 하로 밤에ᄂᆞ 비몽ᄉ몽간에 쥬야 싱각ᄒ던 낭ᄌ 일신에 피를 흘니고 완연이 와 익연이 눈물을 흘니며 골ᄋᆞ되 이졔 낭군이 쳥운에 올나 영화로히 나려오시니 일홈을 들늘니고 부모를 낫타ᄂᆡ고 가문을 빗ᄂᆡ리니 진실노 인ᄌ의 홀 바라 깃부기 측량업거니와 다만 첩은 시운이 불힝ᄒ야 셰상에 다시 업ᄂᆞᆫ 루명을 쓰

〈44〉

고 황천긱이 되온 바 명명흔 가온디라도 일젼 낭군의 편지를 보온즉 낭군이
쳡을 향ᄒᆞ야 싱각ᄒᆞ시는 마음은 지극히 감격ᄒᆞ온 중 ᄎᆞ싱연분이 졀박ᄒᆞ와
인간의 즐거온 일을 다 못ᄒᆞ고 유명이 길이 달나 구쳔지하에 늣거온 혼백이
되온지라 엇지 원통치 아니ᄒᆞ오릿가 이 원통흔 일을 싯지 못ᄒᆞ면 죽은 고혼
이라도 의지흘 곳이 업ᄉᆞ오니 원컨디 낭군은 깁히 슯히샤 쳡으로 ᄒᆞ야곰
귀신이라도 올은 귀신이 되게 ᄒᆞ소셔 ᄒᆞ고 인ᄒᆞ야 간디업거늘 쥬셔 놀나
ᄭᆡ다르니 ᄯᆞᆷ이 흘너 옷을 젹시ᄂᆞᆫ지라 일신이 썰니고 정신이 산란ᄒᆞ야 다시
잠을 일우지 못ᄒᆞ고 곰곰 싱각ᄒᆞ야도 그 곡졀을 알 길 업스나 필경 낭ᄌᆞㅣ
죽엇도다 ᄒᆞ고 집 싱각이 더욱 간졀ᄒᆞ야 인마를 지촉ᄒᆞ야 슈일 만에 풍산촌
에 다다라 숙소를 졍ᄒᆞ고 밤을 지닐새 문득 하인이 고ᄒᆞ되 로상공이 오신다
ᄒᆞᄂᆞᆫ지라 급히 나아가 마ᄌᆞ 졀ᄒᆞ고 문후ᄒᆞ고 들어와 좌졍흔 후 가중 안부를
뭇ᄌᆞ온디 백공이 쥬져ᄒᆞ다가 이에 온집안이 무고ᄒᆞ다 닐오고 ᄋᆞ즈의 등과
흔 일을 못니 닐커르며 이윽히

〈45〉

말삼ᄒᆞ다가 인ᄒᆞ야 글ᄋᆞ릭 남아 셰상의 나미 립신양명ᄒᆞ면 범빅이 심상흔
류에 쮜여남은 당연흔 일이라 그런고로 쳐쳡의 만음과 궁실 거마와 븍어시
죵을 특별ᄒᆞ게 ᄒᆞ지 아니치 못흘새 이제 너는 몸이 영귀ᄒᆞ야 나라에 일홈
잇는 사람이 된지라 두 안히를 두미 넷 사름에 붓그럽지 아니흔 바 내 들으
니 이곳 림진ᄉᆞ의 녀식이 잇ᄂᆞᆫ디 그 용모와 직덕이 츌중ᄒᆞ야 일군이 모다
칭도흔다 ᄒᆞ기로 내 임의 통혼ᄒᆞ야 허락을 밧고 납치까지 ᄒᆞ얏고 ᄯᅩ흔 네가
이리 지나는 길에 힝례홈이 편ᄒᆞ깃기로 길일을 퇵흔즉 맛참 릭일이 견안ᄒᆞ
ᄂᆞᆫ 늘이기로 내ㅣ 이갓치 와쓰니 너는 아조 힝례흔 후 권귀홈이 맛당ᄒᆞ니라
쥬셔 텽파에 싱각ᄒᆞ건디 일젼 밤 ᄭᅮᆷ에 낭ᄌᆞ의 닐으던 말이 분명ᄒᆞᆫ고로 필경

죽은가 ᄒ야 ᄲᆞᆯ니 집으로 돌아가 그 진위를 알고져 홈이러니 이제 부친의 ᄒ시ᄂᆞᆫ 일을 보미 ᄂᆞᆼᄌᆞ의 죽음이 젹실ᄒᆞᆫ지라 그런고로 나를 잠간 긔이고 렴녀를 취ᄒ야 나로 ᄒ야곰 마음을 위로코져 ᄒ심이라 ᄒ고 이에 부복ᄃᆡ왈 명교 이러ᄒ오시니 엇지 거

역ᄒ오릿가만은 소ᄌᆞ의 쳔려에ᄂᆞᆫ 아즉 급ᄒ지 아니ᄒᆞᆫ 일이옵고 ᄯ오ᄒᆞᆫ 죽은 사ᄅᆞᆷ의 몸이 식지도 안어셔 지취ᄒ오니 ᄉᆞ졍에 졀박ᄒ오니 ᄃᆡ두를 보아 셔셔이 지ᄂᆡ와도 늣지 아니ᄒᆞᆯ가 ᄒᆞ나이다 빙공이 ᄋᆞᄌᆞ의 심졍을 알고 ᄯ오ᄒᆞᆫ ᄂᆞᆼᄌᆞ 죽엇다ᄂᆞᆫ 말에 ᄃᆡᄒᆞ야 ᄂᆡ심에 무안ᄒ야 다시 긔구치 못ᄒ고 밤을 지닐ᄉᆡ 이ᄯᆡ 림진ᄉᆞᅵ 션군이 갓가이 올 줄 알고 빙공의 ᄉᆞ쳐로 보다가 길에셔 쥬셔의 힝ᄎᆞ 셩ᄃᆡ홈을 보고 만심환희ᄒ야 빙공의 ᄉᆞ쳐에 나아가 례필좌졍ᄒ 후 빙공이 쥬셔를 명ᄒ야 비례ᄒ고 겻히 시립ᄒ얏ᄂᆞᆫᄃᆡ 그 용모 쥰슈ᄒ고 풍치 현양ᄒ야 셰상에 드믄 남ᄌᆞ라 림진ᄉᆞᅵ 더욱 깃거옴이 바라ᄂᆞᆫ 바에 지나 텬은이 륭슝홈을 치하ᄒ니 빙공이 쥬셔의 ᄯᅳ시 여ᄎᆞ여ᄎᆞᄒ야 ᄉᆞ셰 그럴ᄯᅳᆺ ᄒ기로 이번에ᄂᆞᆫ 셩례치 못ᄒ고 잠간 후일을 기ᄃᆞ려 셩례홈이 늣지 아이홈을 릴은ᄃᆡ 림진ᄉᆞᅵ ᄂᆡ심에 미우 서어홈을 익의지 못ᄒ나 할일업셔 다만 슈이 셩례홈을 당부ᄒ고 도라가니라 빙공이 아ᄌᆞ를 다리고 집으로 돌아가니 쥬셔ᅵ 몬져 ᄂᆡ당에 들어가 모부인ᄭᅦ

뵈옵고 문후ᄒᆞᆫ 후 ᄂᆞᆼᄌᆞᅵ 현영치 안음을 뭇자온ᄃᆡ 부인이 ᄋᆞᄌᆞ의 영화로이 도라옴은 깃부믄 도로혀 이저바리고 그 뭇ᄂᆞᆫ 말에 ᄃᆡ답이 삭막ᄒ야 쥬져ᄒᄂᆞᆫ지라 쥬셔 더욱 의아ᄒ야 급히 몸을 릴어 ᄌᆞ긔 침실에 들어가니 이ᄯᆡ 츈잉이 동츈을 업고 제 부친이 왓단 말을 듯고 통곡ᄒ며 ᄂᆡ다라 부친의

의복을 붓잡고 굴으디 부친은 엇지 이졔야 오시나닛고 모친은 도라가신
지 오릭도 렴습도 못호고 지금신지 잇스오니 참아 설어 못살깃나이다 호며
빈소로 들어가 모친을 불으며 왈 모친은 그만 릴어나시오 부친이 오섯슴니
다 밤낫으로 부친 오시기를 기디리고 그리워 싱각호시더니 엇지 몰으시고
누엇나닛가 호고 슯히 우는지라 션군이 급히 방즁에 들어가 보니 능즈 시신
을 니불노 덥허거늘 급급히 더들치고 본즉 쥬아로 잇지 못호던 능즈ㅣ 가삼
에 칼이 꼿친 치 누엇는지라 마음이 션을호고 흉격이 막혀 이윽히 말을
일우지 못호다가 이에 실셩통곡호다가 겨우 울음을 근치고 졍당에 들어가
그 부친쎄 그 곡졀을 뭇즈온디 빅공이 오열류체

〈48〉

왈 네 집을 써는 지 오륙 일 후에 하로는 부으의 현영이 업기로 고이히
넉여 졔 침실에 들어가 본즉 져 모양이 되여 누엇는지라 놀나고 참혹홈을
익의지 못호야 아모리 샤실코져 호되 그 곡졀을 알 길 업셔 우리 부쳐ㅣ
싱각호기를 필경 엇던 도적이 너 업는 줄 알고 들어와 겁박호다가 졔 뜻을
일우지 못호미 일이 발각됨을 겁녀여 져러케 작흉흔가 십호기로 쏘흔 사실
호나 그 근젹을 찻지 못호고 할일업셔 렴습이나 호랴고 칼을 쎄랴 호야도
쏘흔 쌔지지 안키로 모든 로복을 불너 여러의 힘을 다호야도 쏘흔 엇지홀
슈 업는고로 렴습도 못호고 그져 두고 네가 나려옴을 기디리미오 네게 알게
안이홈은 긱지의 놀나 병이 될가 넘려홈이오 림진스의 녀식과 약혼홈은
그 용모 직질이 초등호단 말을 듯고 너로 호야금 졍을 붓쳐 능즈의 불힝흔
말을 듯더리도 격이 마음을 위로홀가 호야 혼인을 졍호야 집에 오기 젼에
셩례코져 홈이니 너는 모루미 넘우 설어 말고 안심호야 지닉는 것이 가호니
라 션군이 그 말슴을 들으미 졍신이 산란호

고 의스ㅣ 삭막ㅎ야 아모 말도 고ㅎ지 못ㅎ고 침음ㅎ다가 즈긔 침소에 돌아
와 일장통곡흔 후 문득 분긔딀발ㅎ야 남녀노복을 다 불너 안치고 려셩딀질
왈 너의 즁 언으 놈이 감이 흉계를 쓈여 능즈를 음희ㅎ얏는다 노복이 다
무죄홈을 발명ㅎ더라 쥬셔ㅣ 홀연 마음이 동ㅎ야 쏘흔 빈소에 들어가 팔을
것고 니불을 것고 본즉 능즈의 얼골에 붉은 빗치 나며 산 사름 갓흔지라
쥬셔ㅣ 빌어 글ㅇ디 빅션군이 이에 도라왓스니 낭즈는 혼령이 잇거든 쇼쇼
히 글ㅇ쳐 원슈를 갑게 ㅎ소셔 이제 이 칼이 싸지면 내 이 칼노 그 음힝흔
놈을 버여 원혼을 위로ㅎ리라 ㅎ고 팔을 늘히여 칼을 잡아당기니 그 칼이
싸지며 그 칼 싸진 구멍으로셔 쳥죠 한 마리가 나오며 미월일닉 미월일닉
ㅎ며 울고 나라가는지라 상하 즁인이 다 놀나고 이상이 넉이더라 쥬셔ㅣ
미월의 소위인 줄 알고 분긔딀발ㅎ야 급히 외당에 나아가 형구를 갓추고
모든 노복을 차례로 엄문홀싴 다 몰으노라 발명ㅎ거늘 이

에 미월을 올녀 믹고 엄형을 더ㅎ나 쪄간 악흔 계집이 엇지 쇽히 즈복ㅎ리오
필경 형장이 빅여 도에 달ㅎ믹 저도 홀 슈 업셔 이에 공툐ㅎ야 글ㅇ디 소녀
본디 나으리씌 승은흔 후 빅년을 하루 갓치 지닐 줄 알앗다가 문득 낭즈ㅣ
들어오신 후로브터 소녀와 나으리 시이에 틱산이 막히고 딕희가 건너질녀
지쳑이 쳔 리 되고 거울이 씌여지믹 미련흔 소견에 믹양 원한을 품고 지닉옵
더니 마참 노상공씌오셔 여츠여츠 분부ㅎ시기로 그 긔회를 타 간게를 힝ㅎ
야 돌이로 ㅎ야곰 여츠여츠 ㅎ얏스오니 죽어 그만이로소이다 ㅎ거늘 쥬셔
ㅣ 더욱 분노ㅎ야 미월을 결박ㅎ야 안치고 쏘흔 돌이를 잡아닉여 엄문ㅎ니
져도 싱각흔즉 미월이 임의 공툐흔 바에 괴로온 형벌 당훌 것 업스믹 이에
공툐ㅎ야 왈 모일 모야에 미월이 여츠여츠이 뵈이옵기로 직물에 팔여셔

그 지휘되로 이리이리 ᄒ얏ᄉ오니 죽어 그만이로소이다 ᄒ거늘 쥬셔ㅣ 그 말 듯고 흉격이 막혀 말을 못ᄒ다가 이에 칼을 들고 날ᄂ다라 ᄆ월의 목을 버히고 ᄇ를 갈나 간을 ᄂ여 낭ᄌ

〈51〉

시신 압혜 노코 두어 줄 제문을 지어 닑으니 그 글에 ᄒ얏ᄉ되 유셰ᄎ 모년 모월 모일 가부 승졍원 쥬셔 ᄇ션군은 ᄉ랑ᄒ고 싱각ᄒ던 낭ᄌ에게 고ᄒ노라 슯ᄒ다 셩인도 참소를 당ᄒ고 숙녀도 음희를 맛남은 ᄌ고급금에 죵죵 잇거니와 낭ᄌ 갓치 지원극통을 당ᄒ 자야 어ᄃ 잇스리오만은 이ᄂ 다 션군의 잘못ᄒ홈이니 누구를 원망ᄒ고 누구를 한ᄒ리오 그러나 ᄆᄉᄂ 발은ᄃ로 도라가지 안음이 업ᄂ지라 이제 그 원수를 갑고 익ᄆᄒ 루명은 신셩되얏거이와 ᄶ 일은 기럭이 홀노 살기 어렵도다 황쳔에 가 다시 만나 그린 졍회 펴랴 ᄒ나 부모 압혜ᄂ 란쳐ᄒ도다

닑기를 다ᄒ고 시신을 어루만지며 일장통곡ᄒ 후 돌이를 마ᄌ 죽이려 ᄒ다가 다시 싱각흔즉 져ᄂ 남의 쇠임에 ᄶ져 협동흔 바 ᄯᄒ 인명을 둘식 죽임이 상셔롭지 못흔고로 본읍으로 잡아보ᄂ야 마자 셤 즁으로 한죵신 졍비ᄒ니라 이ᄯ ᄇ공부부ㅣ ᄋᄌ에게 실상을 이르지 안엇다가 이에 일의 젼후 본샹이 탄로되ᄆ 당초에 ᄌᄀ가 잘못흔

〈52〉

ᄶ닭이라 아모리 부모라도 무싴ᄒ기 측냥업셔 묵묵히 말 한마디 못ᄒ고 잇더라 쥬셔 이에 초죵졔규를 준비ᄒ야 가지고 빈소에 들어가 렴습코져 ᄒ더니 시신이 죵시 ᄊ에 붓고 써러디지 안이흠으로 홀일업셔 ᄉ름을 다 물니치고 쥬셔 호올노 빈소에 안ᄌ 촉불을 붉히고 장우단탄으로 지ᄂ다가 ᄌ연 피곤흠을 익이지 못ᄒ야 잠이 들냐 ᄒᄂ 동안에 낭ᄌㅣ 은장셩식으로

완연이 들어와 쥬셔에게 사례하야 왈 낭군이 첩의 원슈를 갑고 루명을 신셜
하야 주시니 그 은혜 만만하온지라 니두에 우리 두 사람이 진셰 인연을
다시 니을 것이니 잠간 기디리소셔 하거늘 션군이 반가오믈 익의치 못하야
그 옥슈를 잡고 졍회를 베풀고져 한디 낭ᄌᆞ] 글ᄋᆞ디 유명이 현슈하야 오리
머무지 못하고 가나이다 곳 몸을 ᄅᆞ러 가는지라 쥬셔] 연연한 마음을 참아
진졍치 못하고 꿈인가 싱시인가 밋친 듯 취한 듯하더라 차셜 낭ᄌᆞ의 령혼이
호호탕탕하야 텬상에 올나가 옥졔께 원졍을 드일새 믄져 틱상노군께 들어
가 젼후원통한 ᄉᆞ상을 알왼디 틱상노군

<h3>〈53〉</h3>

이 듯고 불상이 녁여 즉시 옥졔께 쥬달하미 옥졔 하교하야 글ᄋᆞ사디 졔가
본디 숙영셩으로 인간에 나려갈 긔한이 차지 못하얏거늘 졔 임의로 빅션군
과 부부 되얏기로 죄 주엇더니 이졔 졔가 젼죄를 누잇고 의소하는 사람이
가련하니 젼죄를 샤하라 하시고 ᄯᅩ 북두칠셩를 명하샤 숙영을 다시 인간에
보닉야 빅션과 부부의 인연이 다시 니어 무궁한 복을 누리게 하라 하시고
ᄯᅩ 남두셩을 명하샤 숙영과 션군의 슈한을 팔십 셰식 졍하야 주노라 하시고
ᄯᅩ 하교하사 숙영을 불너 일너 글ᄋᆞ사디 빅션군은 이쳐 삼쳡으로 금슬화락
하고 복록을 누리다가 동일 승텬하라 하시거늘 숙영이 복지 쥬왈 일쳐는
어디 잇는닛고 옥졔 글ᄋᆞ사디 일후에 ᄌᆞ연 싱기나니라 하시고 ᄯᅩ 틱상노군
을 명하야 ᄌᆞ식을 졉지하라 하시니 틱상노군이 삼남 이녀로 졍하야 다 부귀
겸젼하게 하노라 하니 숙영이 깃부믈 먹음고 물너오니라 ᄎᆞ시 쥬셔] 믹일
장우단한으로 낭ᄌᆞ를 싱각하며 ᄯᅩ한 츈잉 남미의 슲허홈을 보믹 간장이
녹는 듯 눈이 캄캄하야 엇지할 줄 몰

으더니 홀연 낭즈ㅣ 다시 와 보이거늘 쥬셔ㅣ 크계 환희ᄒ야 문왈 낭즈ㅣ 이제 아조 왓나뇨 흔디 낭즈ㅣ 디왈 낭군은 아즉 죠금 참으소셔 그동안 첩이 옥뎨끠 엿즈와 이러이러흔 쳐분을 물엇스오니 슈일만 기디리면 소원 셩취ᄒ리다 ᄒ고 인홀불견이러라 쥬셔ㅣ 섭섭흠을 익의지 못ᄒ고 몽스의 긔이흠을 즈탄ᄒ고 즈주 낭즈의 신톄를 슯히며 손을 쏩아 슈일을 기디리다 가 일일은 낭즈의 시신이 돌쳐 누엇거늘 쥬셔ㅣ 디경디희ᄒ야 급히 다라들어 그 몸을 만져본즉 일신에 온긔가 돌며 살아늘 도리 완연이 잇ᄂ지라 반갑고 희한흠을 익의지 못ᄒ야 존당 양친끠 고ᄒ야 온집안이 모여 안즈 일변으로 약을 달여 입에 흘녀 너으며 일변으로 슈족을 줌으르더니 이윽고 낭즈 긔운 이 돌고 정신이 싱겨셔 눈을 써 좌우를 슯히ᄂ지라 빅공 부부와 쥬셔의 즐기움은 니로 측량홀 것 업거니와 쥬야로 겻히 잇셔 불으지지고 슯허ᄒ던 츈잉 동츈의 정경이 엇더ᄒ리오 모다 쑴인가 싱시인가 의아ᄒ야 정신을 차려 싱각ᄒᄂ 중 츈잉이 다라들어 졔 모친

에게 안기며 목이 메여 말을 못ᄒ더라 낭즈ㅣ 일셩장우에 릴어 안즈며 잠도 오리 잣도다 ᄒ며 동츈을 밧아 안으니 가중상하ㅣ 즐거흠은 니로 말홀 것 업고 원근간 친쳑 고구와 리웃 사름들이 이 소문을 듯고 저마다 희한히 녁여 다투어 와 치하 분분ᄒ더라 이에 잔치를 크게 베풀고 린리친쳑과 원근 고구를 다 쳥ᄒ야 슈일을 즐길시 풍악 소리ᄂ 운소에 삼웃치고 창가 기무ᄂ 흥치를 돕ᄂ디 이ᄂ 과거의 경스쑨 아니라 숙영낭즈ㅣ 지싱흔 경스를 겸ᄒ 얏스니 이ᄂ 텬하 만고에 업ᄂ 긔이흔 일이라 뉘 아니 즐겨ᄒ며 신긔이 녁이지 안으리오

이쎠 림진스ㅣ 소문을 듯고 아연실망ᄒ야 진스ㅣ 부부ㅣ 탄식ᄒ야 왈 져

집 일은 희한ᄒ고 깃부기 측량업거니와 녀ᄋ의 일에 디ᄒ야는 실망지탄이 적지 안은지라 불가불 임의 밧앗던 빙폐를 퇴ᄒ고 다른 곳에 구혼홀 슈밧게 업다 ᄒ고 의론이 분분ᄒ더니 림소져 그 냥친의 의론홈을 듯고 죵용이 엿ᄌ오디 녀ᄌ 되야 엇지 감히 혼인 등

〈56〉

ᄉ에 간예ᄒ오릿가만은 임의 빅가의 빙물을 밧앗ᄉ오니 소녀는 이계 죽어도 빅씨의 사름이옵기로 당돌이 엿ᄌ옵거니와 빙폐를 도로 보닌다 ᄒ시고 ᄯ또 타쳐에 구혼ᄒ다 ᄒ시나 소녀는 임의 빅씨집 사름이 되얏습거늘 엇지 ᄯ또 다른 사름에게 디ᄒ야 구혼ᄒ오릿가 ᄯ또 빅쥬셔의 안히 직셩ᄒ얏다 ᄒ오나 그 녀ᄌ의 싱ᄉ유무는 소녀에게 관게홀 바 아니옵고 ᄯ또ᄒ 그 집에셔 빙폐를 달나 ᄒ더리도 소녀는 보닐 리 만무ᄒ옵고 셜혹 셰력에 눌녀 부득이 ᄒ야 빙폐를 보닉더리도 소녀는 일편단심이 빅씨의만 바라는 사름이 되야 부모슬하에셔 여년을 맛츠려 ᄒ오며 ᄯ또ᄒ 소녀의 팔ᄌ라 인력으로 엇지홀 바 아니오니 복망 냥친은 과념치 마르소셔 ᄒ거늘 진ᄉ의 부부ㅣ 가유ᄒ야 왈 너를 위ᄒ야 쳥츈을 헛도이 보닉게 되미 가셕ᄒ야 홈이로다 소져 디왈 사름이 금슈와 달은 것은 례졀이 잇는 연고ㅣ온디 이졔 만일 밧앗던 례폐를 환퇴ᄒ고 보닌 례물을 다시 차ᄌ가면 이는 무례홈이 리젹의 풍속이오니 소녀는 결단코 취치 안나이다 ᄒ더라

〈57〉

그 후에 ᄯ또 진ᄉ 부부ㅣ 맛당ᄒ 혼쳐 잇다고 의론이 분분ᄒ거늘 소져 듯고 ᄯ또 부모 젼에 고ᄒ야 왈 향일에도 여러 번 고ᄒ얏습거니와 남녀의 혼ᄉ는 일륜의 믹ᄉㅣ라 엇지 텬졍이 업스리오 져 집에셔 무심ᄒ오면 소녀는 부모 슬하에 늙어죽고져 ᄒ오며 만일 소녀의 졍혼 마음을 쎅앗고져 ᄒ오면 소녀

는 불효는 될지언정 이 몸이 셰샹에 잇지 안키로 결심이오 원컨디 부모는 다시 츳등스를 기론치 말으시기를 바라나이다 ᄒ고 언파에 스긔 졍디ᄒᆞᆫ지라 진스 부부ㅣ 긔연이 탄식ᄒ고 그 후브터는 다시 혼인등스를 말하지 못ᄒ고 ᄯᅩᆫ 그 마음을 도로키기 어려온지라 홀일업셔 탄식홀 ᄯᅡ름이더라 다시 싱각ᄒᆞᆫ즉 져 집에 의향을 탐지ᄒᆞᆷ이 가ᄒ다 ᄒ고 일일은 림진스ㅣ 빅공을 ᄎᆞᄌᆞ가 례필좌졍ᄒᆞᆫ 후 그 ᄌᆞ부의 다시 살아남을 치사ᄒ고 ᄯᅩ ᄌᆞ긔 녀식의 운명이 잔잉ᄒᆞᆷ을 릴으며 화복이 고로지 못ᄒᆞᆷ을 긔탄ᄒᆞᆫ디 빅공이 놀나 문왈 그 무삼 놀나온 말삼이닛고 그 연고를 듯고져 ᄒ노라 림진스ㅣ 허희탄식 왈 우리 비록 진진의 의를 미져스나 령현부부ㅣ 임의 깅싱

〈58〉

ᄒᆞ얏ᄉᆞᆫ즉 이왕 결혼은 ᄌᆞ연 효험 업는 일이기로 늬 부득이ᄒᆞ야 타쳐에 구혼 코져 ᄒᆞ얏더니 녀ᄋᆞ의 말이 여ᄎᆞ여ᄎᆞᄒᆞ며 죽기로 밍셰ᄒᆞᄂᆞᆫ 젼후슈말을 셜화ᄒᆞᆫ디 빅공이 되찬ᄒᆞ야 글아디 아름답고 긔특ᄒ도다 규슈의 졀힝이 이러ᄒᆞᆷ은 싱각지 못ᄒᆞᆫ 바이라 우리로 말미암아 쳥츈을 규즁에셔 허송홀진디 우리집은 덕이 손샹ᄒ고 남의 격악이 젹지 아니ᄒ니 이 일을 쟝ᄎᆞ 엇지ᄒ면 죠흐리오 이ᄯᆡ 쥬셔ㅣ 겻헤 모셧다가 림진스에게 문후ᄒ고 젼후슈말을 듯고 공경 되왈 귀 소져의 금옥 갓혼 졀힝을 듯ᄉᆞ오니 죡히 녯사름에게 붓그럽지 안을 일이오나 그러나 나라 법리에 안히가 잇고 ᄯᅩ 안히를 취ᄒᆞᄂᆞᆫ 바ㅣ 업습고 다만 쳡이 될 ᄯᅳ름이옵고 혹시 두 부인 두는 법이 잇ᄉᆞ오나 그는 나라에셔 특별이 쳐분을 나리셔야 힝ᄒᆞᄂᆞᆫ 바옵고 셜혹 쳐분을 무른다 ᄒᆞ더리도 귀 소져 ᄯᅩᄒᆞᆫ 남의 두 부인되기를 즐겨홀ᄂᆞᆫ지 알 슈 업거니와 ᄉᆞ셰 이러ᄒᆞ온즉 다만 황공홀 ᄯᅡ름이로소이다 림진스ㅣ 탄왈 나라에셔 만일 두 안히 두기를 허홀진디 엇지 죠금이나 혐의ᄒ리오 빅공이 술

59

을 나와 관듸ᄒ고 이윽히 말ᄒ다가 도라가니라 빅쥬셔 이늘 낭ᄌ의 침실에
드러가 림진ᄉ의 젼후 ᄉ실을 셜화ᄒᆫ듸 낭지 듯고 아름다이 녁여 왈 져
규슈의 고집이 일향 그러ᄒᆞ야 세상 영욕을 더지고 심규에 원혼이 될진듸
우리 쏘ᄒᆫ 남의 젹악이 젹지 안을지니 싱각건듸 차라리 변통ᄒᆞ야 그 원심이
업도록 ᄒᄂᆫ 것이 올ᄒ니 군ᄌᄂᆫ 셔울 가서 이 ᄉ연을 탑젼에 쥬달ᄒ야
쳐분을 기듸려 힝홈이 올홀가 ᄒ나이다 쥬셔ᅵ 우어 왈 이 무삼 ᄯᅳᆺ으로
젹국을 혐의치 안코 셩혼ᄒ기를 쳥ᄒ나뇨 낭지 듸왈 젼일에 쳡의 령혼이
옥졔계 호원홀 ᄯᅵ에 옥졔ᅵ 하교ᄒ시기를 우리 삼 인이 동일승텬ᄒ라 ᄒ시
더니 지금 싱각건듸 림소져를 위ᄒᆞ야 삼 인이라 ᄒ심이 분명ᄒ니 엇지 텬졍
이 안이라 ᄒ오릿가 바라건듸 군ᄌᄂᆫ 우리의 젼후 ᄉ실과 림소져의 일을
낫낫치 쥬달ᄒ시면 셩상계셔도 이상이 녁이샤 즉시 윤허ᄒ실지니 한아은
그 졍졀을 고달홈이오 쏘 한아은 림소져의 원홈을 희셕홈이니 엇지 아름답
지 안이ᄒ리잇고 쥬셔ᅵ 텽파에 칭샤홈을 마지안이ᄒ야 쾌히

응락ᄒ고 낭ᄌ를 이즁홈이 일층 더ᄒᆞ야 쥬야로 ᄯᅥ나지 안이ᄒ더니 셰월이
여류ᄒᆞ야 슈유 밧은 일ᄌ가 졈졈 갓가온지라 ᄯᅥ날 마음이 업스나 ᄉ셰의
엇지홀 슈 업셔 힝리를 쥰비ᄒᆞ야 존당께 빅ᄉ홀새 낭자의 닐으던 말을 일일
이 엿ᄌᆞ온듸 빅공 부부ᅵ 만심환희ᄒᆞ야 왈 어지다 현부의 마음이며 녀자의
도량이 엇지 이러ᄒ리오 ᄒ며 칭찬홈을 마지으이ᄒ더라 쥬셔ᅵ 이에 하직
을 고ᄒ고 낭자와 작별홀ᄉ 아모죠록 부모의 감지를 잘 밧들고 ᄋ희들을
잘 보양ᄒ며 귀톄를 보즁ᄒ라 당부ᄒ고 연연ᄒᆫ 마름이 참아 견듸지 못ᄒ다
가 부득이 몸을 리러 나올새 참아 리별을 잇겨 쥬져ᄒ다가 필경 홀 수 업셔
발졍ᄒᆞ야 여러 늘 만에 경ᄉ에 도달ᄒᆞ야 입궐 슉비혼 후 인ᄒᆞ야 슉영낭자의

견후리력과 림소져의 수셰를 일일이 쥬달ᄒ온디 상이 들으시고 긔이히 녁
이사 칭찬 왈 이는 쳔고에 듯지 못ᄒ던 긔이ᄒ 일이라 사름이 ᄒ번 죽으면
다시 살지 못ᄒ거늘 지금 엇지 이런 일이 잇나뇨 ᄒ시고 이에 숙영낭자에게
졍렬무인 직쳡을 나리시고 ᄯᅩᄒ 림소져의 졀

〈61〉

힝이 가히 칭찬ᄒ얌즉 ᄒ니 쥬셔 빅션군과 결혼ᄒ야 두 안히 되라는 쳐분을
나리시고 ᄯᅩ 글ᄋ샤디 림소져와 셩혼 후 숙렬부인 직쳡을 나리라 ᄒ시니
쥬셔ㅣ 셩은이 륭슝ᄒ심을 비사ᄒ고 직소로 물너 나왔다가 ᄯᅩ 몃 늘이 지는
후 근친 말뮈를 엇어 즉시 길을 ᄯᅥ나 집으로 나려올시 여러 늘 만에 본져에
다다라 냥당의 비알ᄒ야 기간 긔후만강ᄒ심을 축사ᄒ야 인ᄒ야 림소져의
수건으로 텬은이 륭슝ᄒ신 수실를 알외니 빅공 부부ㅣ 깃버홈을 마지아니
ᄒ더라 쥬셔 다시 침소에 도라와 셔로 반기고 탑젼에 쥬달ᄒ야 림소져와
셩혼ᄒ게 된 수연과 숙영낭자로 졍렬부인을 봉ᄒ고 림소져로 숙렬부인을
봉ᄒ신 일을 낫낫치 말ᄒ고 ᄯᅩᄒ 그 수연으로 셔간을 닥가 림진수 집에
보너니 진수의 부부ㅣ 빅공의 셔간을 보미 깃부미 바라던 바에 지나는지라
즉시 틱일 셩례홀식 쥬셔ㅣ 금안빅마에 위의를 셩디히 ᄎ려 림부에 ᄂᆞ아가
젼안 후 쵸례를 힝하니 신부의 화용월틱ㅣ 사름의 눈을 놀니고 ᄯᅩᄒ 신낭의
풍치 현앙ᄒ야 일의의 긔남ᄌ라 늘이 져믈미 쥬셔ㅣ 별

〈62〉

당에 들어가 신부인을 마ᄌ 좌졍ᄒ 후 옥촉 아리 신부를 바라보니 물 가온
디 일지 부용화가 반기ᄒ 듯 벽공 동텬에 붉은 들이 둘엿시 듯아 오는 듯
진실노 요죠숙녀오 군자호구러라 촉을 물니고 금금에 나아가 운우지락을
일우니 그 견권지졍이 비홀 디 업더라 삼 일을 지닌 후에 빅낭우귀ᄒ야

구가로 도라오니 빅공 부부ㅣ 디회ᄒ고 숙영낭ᄌ도 ᄯᅩᄒ 림부인의 순숙홈을 다ᄒᆡᆼᄒ야 졍의 밀물ᄒᆞᆫ지라 림씨ㅣ 부모ᄭᅴ 효도로 ᄒ며 군자를 승순ᄒ고 로복을 의리로 어거ᄒ며 친척에게 화목ᄒ야 칭찬 안ᄂᆞᆫ 자 업고 ᄯᅩᄒ 숙영부인과 졍의가 더욱 깁허 잠시도 서로 ᄯᅥ나지 아니ᄒ니 일문의 화긔가 물 흘으듯 ᄒ야 세상 사ᄅᆞᆷ이 칭찬 안ᄂᆞᆫ 자 업더라 셰월이 여류ᄒ야 빅공 부부ㅣ 나이 만아 팔십에 닐은지라 일일은 ᄋᆞ자와 두 자부를 불너 안치고 탄식왈 내 ᄂᆞ이 팔십이라 지금 죽은들 무삼 한이 잇스리오 오늘은 이 셰상을 ᄯᅥᄂᆞ가노니 과히 마음을 상히오지 말ᄂᆞ ᄒ고 ᄯᅩ 손ᄋᆞ를 어루만저 련이ᄒᄂᆞᆫ 졍을 금치 못ᄒ다가 인ᄒ야 셰상을 바리니 쥬셔와 냥 부인이 지극 이통ᄒ야 션산에

〈63〉

안장ᄒᆞᆫ 후 거연이 삼상을 맛츠고 쥬셔ᄂᆞᆫ 경사에 올ᄂᆞ가 별슬을 도도아 판셔에 릴으고 졍렬부인은 삼남 일녀를 두고 숙렬부인은 ᄉᆞ남 이녀를 두엇ᄂᆞᆫ디 모다 부풍모습ᄒ야 긔긔히 영웅군ᄌ라 모다 셩취ᄒ야 ᄌ손이 션션ᄒ고 가셰 부요하야 복록이 진진ᄒ더라 일일은 판셔ㅣ 양 부인과 함게 모여 안자 손자와 손녀들을 압헤 안치고 술을 란우어 즐기더니 문득 공중으로셔 홍포 입은 션관이 ᄂᆞ려와 릴ᄋᆞ디 옥데ㅣ 명ᄒ야 불으시니 이 학을 타소셔 ᄒ거늘 션군과 두 부인이 그 학을 타고 빅일승텬하니라 이게 다 증말인지

숙영낭ᄌ전 종

대일회

박션군디 단연을 가져옥연동에셔 낭즈을 만나셔로질가다

숙
화셜셰종됴에 경상도 안동따히 혼셜비엿스되 셩은 박이오 명은 상균이라
부인졍씨로 더꼬러 동슈 이십여년에 일긔 소속디 업셔쥬야 슬허호더니 명산디

영
찰에 긔도호며 한다 일월셩신게 암츅호얏더니 그뭉을엇고 일즈를 싱호양 검
즈라민 용모쥰유호고 셩도 온유호며 문여팔이 유여호기라 그부 쳔금

낭
갓치 애즁호아 일홈을 션균이라호다 즘미를 교교즁호아 니니구혼
관애 이르민 부모 져곳튼 빅필을 어디슬하에 조미를 포고즁호아 니니구혼

즁
호되 혼곳도 합당호 곳이 업셔 민양군심호더니 츄시난츈길가 겨리라 션군에셔
당에셔 글을넓더니 조연 몸이 곤호야 궤통의지호야 됴을시 문득 독의홍샹

젼
낭즈 지비글열고 드러와 지비호며 것혜안즌 닐오되 낭군은 쳥운물나 보셔
낭즈 간오티 낭군이 하날에 비쥬는 션관으로 비을그릇준죄로 인간에 격

노
노엇가 쳡이 소색치져 이르문디롬아니라 파연뎐연이 잇기로 쳐져왓즈이다
션균이 단왈 나는 진셰속긔요 그딕는 텬상션녀어날 엇지 인분이 잇다홍노

(특별)슉영낭ᄌ전(대동서원본)

〈(특별)슉영낭ᄌ전〉은 국립중앙도서관에 소장되어 있는 이본으로, 총 19장(37면)으로 구성되어 있으며, 목차에는 등장하지 않는 감응편이 붙어 있다. 발행 연도는 1917년이며, 1915년에 초판을 발행했고, 1917년 본은 5판이다. 판본 뒤의 서지사항은 '저작겸 발행처 박건회(朴健會), 인쇄자 김홍규(金弘奎), 인쇄소 보성사(普成社), 발행소 대동서원(大東書院), 광동서국(光東書局), 태학서관(太學書館)'으로 되어있다. 전체적인 내용은 1915년에 발행된 국립도서관소장 신구서림본 〈특별슉영낭자전〉과 거의 대동소이하다. 장수가 약간 줄었지만, 전체적인 서사 중 특별한 화소를 제외하기 보다는 문맥을 살짝 줄이는 정도에 그치고 있어, 두 본이 거의 동일한 이본이라 보아도 무방할 정도로 차이는 없다. 활자본이 가지고 있는 특징들을 모두 가지고 있으며, 6장의 회장체로 구성되어 있는 것도 동일하다. 각 장의 글자 수와 행 수가 다른 것으로 보아 같은 판본을 그대로 찍어낸 것은 아니지만, 동일한 선본을 활자화 한 것은 분명해 보인다.

출처: 국립중앙도서관 (3634-2-82(6))

<1>

뎨일회
빅션군이 텬연을 차져 옥연동에셔 낭ᄌ를 만나 셔로 질기다

화셜 셰종ᄶ에 경상도 안동ᄯ히 흔 션비 잇스되 셩은 빅이오 명은 샹군이라
부인 졍씨로 더브러 동쥬 이십여년에 일기 ᄌ속이 업셔 쥬야 슬허ᄒ더니
명산되찰에 긔도ᄒ며 텬디일월셩신게 암축ᄒ얏더니 긔몽을 엇고 일ᄌ를
싱ᄒ야 졈졈 ᄌ라미 용모 쥰슈ᄒ고 셩도 온유ᄒ며 문여필이 유여흔지라

그 부부 천금ᄀ치 애중ᄒ야 일홈을 션군이라 ᄒ고 ᄌ를 현중이라 ᄒ다 졈졈
ᄌ라 나히 략관에 이르ᄆᆡ 부모 져ᄀ튼 빈필을 어더 슬하에 ᄌ미를 보고ᄌ
ᄒ야 널니 구혼ᄒ되 ᄒᆞᆫ 곳도 합당ᄒᆞᆫ 곳이 업셔 ᄆᆡ양 근심ᄒ더니 ᄎ시ᄂᆞᆫ
츈풍가졀이라 션군이 셔당에셔 글을 닑더니 ᄌ연 몸이 곤ᄒ야 궤를 의지ᄒ
야 됴을ᄉᆡ 믄득 록의홍상ᄒᆞᆫ 낭ᄌ 지게를 열고 드러와 직빈ᄒ며 겻헤 안ᄌ
닐오ᄃᆡ 낭군은 쳡을 몰나보시ᄂᆞᆫ잇가 쳡이 이에 차져 이르믄 다름 아니라
과연 텬연이 잇기로 차져왓ᄂᆞ이다 션군이 답왈 나ᄂᆞᆫ 진셰쇽긱이오 그ᄃᆡᄂᆞᆫ
텬상션녀어날 엇지 연분이 잇다 ᄒᆞᄂᆄ 낭ᄌ 갈오ᄃᆡ 낭군이 하날에 비쥬ᄂᆞᆫ
션관으로 비를 그릇쥰 죄로 인간에 젹

⟨2⟩

강ᄒ얏스니 일후 상봉ᄒᆞᆯ 날이 잇스오리이다 ᄒ고 믄득 간ᄃᆡ업거늘 션군이
긔이히 녁여 그 종젹이 묘연ᄒ고 여향이 오히려 스라지지 아니ᄒ야 졍히
여유쇼실ᄒ야 ᄒ더니 믄득 ᄭᆡ다르니 남가일몽이오 오히려 음용이 이목에
암암징징ᄒᆞᆫ 듯 ᄒ더라 션군이 시일노붓터 그 낭ᄌ의 고은 양ᄌᆡ 안하에 버려
욕망이 란망이오 불ᄉᆡ이 ᄌᄉ라 마음을 진졍치 못ᄒ야 인ᄒ야 용모 초최ᄒ
고 긔식이 엄엄ᄒ거늘 부모 그 긔식을 보고 크게 우려ᄒ야 문왈 네 병셰가
심샹치 아니ᄒ니 무슴 소회 잇거든 모로미 바로 이르라 션군왈 별로 쇼회
업스오니 부모ᄂᆞᆫ 과려치 마르시믈 바라ᄂᆞ이다 ᄒ고 이에 셔당으로 믈너와
고요히 누어 오직 낭ᄌ만 싱각ᄒ고 만ᄉᆡ에 무심이러니 믄득 낭ᄌ 압헤 와셔
안지며 위로왈 낭군이 날로 말ᄆᆡ암아 져럿툿 셩병ᄒ얏스니 엇지 쳡의 마음
이 편ᄒ리잇고 니러ᄒᆞᆫ 고로 쳡의 화상과 금동ᄌ ᄒᆞᆫ 쌍을 가져왓스니 이
화상을 낭군 침실에 두고 밤이면 안고 ᄌ고 낫이면 병풍에 거러두워 심회를
덜게 ᄒ쇼셔 ᄒ거늘 션군이 반겨 그 손을 잡고 졍히 말을 ᄒ고져 ᄒᆞᆯ 지음에
믄득 간ᄃᆡ업고 ᄭᆡ여본 즉 화상과 동ᄌ 겻헤 노엿거늘 션군이 크게 긔이히

역여 그 동조는 샹우에 안치고 화샹은 병풍에 거러두고 쥬야십이시로 샹딕
ᄒ야 잇ᄂ지라 차시 각 도각읍 스람이 이 쇼문을

〈3〉

듯고 져마다 닐오디 빅셔군의 집에 긔이ᄒ 보비 잇다 ᄒ고 각각 치단을
ᄀ초아 가지고 닷토아 구경ᄒ니 그러흠으로 가셰 졈졈 부요ᄒ나 션군은
일거월져에 다만 싱각나니 랑조라 가련타 션군이 병입골슈 ᄒ얏스니 뉘
능히 살녀닐고 이젹에 낭조 싱각ᄒ미 졍히 션군이 날을 싱각ᄒ야 심려ᄒ미
이럿툿ᄒ니 엇지 안연부동ᄒ리오 ᄒ고 션군의게 현몽ᄒ야 왈 낭군이 쳡을
싱각ᄒ야 셩병ᄒ얏스니 쳡이 가장 감격ᄒ온지라 낭군딕 시녀 미월이 가히
낭군의 건질을 쇼임홀만 ᄒ온지라 아직 방수를 졍ᄒ야 젹막ᄒ 심회를 위로
ᄒ쇼셔 ᄒ거늘 션군이 듯기를 다 못ᄒ야 씨다르니 침샹일몽이라 마지못ᄒ
야 미월노 잉쳡을 숨아 져기 울회를 쇼창ᄒ나 일편단심이 낭조의게 잇더라
일월노 샹ᄉ지심이 ᄒ 씨도 잇지 못ᄒ야 월명공산에 잔나븨 수파람ᄒ고
두견은 불여귀라 슬피 울 졔 쟝부의 샹ᄉᄒᄂ 간쟝이 구븨구븨 다 녹ᄂ다
이럿툿 달이 가고 날이 오미 쥬야 ᄉ모ᄒᄂ 병이 고항에 드ᄂ지라 그 부모
션군의 병이 졈졈 위즁ᄒᄆ를 보고 우황초조ᄒ야 빅가지로 문복과 쳔가지
의약에 아니 미친 곳지 업스나 맛참내 득효 업스니 눈물노 셰월을 보ᄂ더라
츠시 낭조 싱각ᄒ미 낭군의 병이 빅약이 무효ᄒ니 젼싱연분은 즁ᄒ나 쇽졀
업시 되리로다 ᄒ고 이에 션군의게 현몽

〈4〉

ᄒ야 왈 우리 아직 긔약이 머럿기로 각리ᄒ얏더니 낭군이 져러툿 노심초ᄉ
ᄒᄆ 쳡은 심이 불편ᄒ온지라 낭군이 나를 보랴 ᄒ시거든 옥연동으로 차져
오쇼셔 ᄒ고 간딕업거늘 션군이 씨여 싱각ᄒ미 졍신이 황홀ᄒ야 향홀 바를

아지 못홀지라 이에 부모게 엿ᄌ오ᄃᆡ 근일에 ᄒᆡ아심긔 울적ᄒᆞ와 침식이
불안ᄒᆞ오ᄆᆡ 명산대천에 유람ᄒᆞ와 수회를 소창코ᄌ ᄒᆞ옵ᄂᆞᆫ지라 옥연동은
산천경기 절승타 ᄒᆞ오니 슈슴일 유람ᄒᆞ고 즉시 도라오고ᄌ ᄒᆞᄂᆞ이다 부모
ᄃᆡ경 왈 네 실셩ᄒᆞ얏도다 져럿틋 셩치 못ᄒᆞᆫ ᄋᆞ히 엇지 문밧게 나리오 ᄒᆞ고
붓들고 노치 아니ᄒᆞᄂᆞᆫ지라 션군이 듯지 아니코 부ᄃᆡ 가고ᄌ ᄒᆞ거늘 부모
홀일업셔 ᄂᆡ여보ᄂᆡ니라 션군이 일필쳥녀를 타고 일기 셔동을 다리고 동다
히로 갈ᄉᆡ 갈ᄉᆞ록 길이 ᄎᆞ아ᄒᆞ야 졍히 옥연동을 찻지 못ᄒᆞᄆᆡ 민울ᄒᆞᆫ ᄆᆞᄋᆞᆷ을
니기지 못ᄒᆞ야 하늘게 축슈ᄒᆞ야 왈 소소ᄒᆞᆫ 명텬은 이 경상을 가련이 넉이ᄉ
옥연동 가는 길을 인도ᄒᆞ쇼셔 ᄒᆞ고 졈졈 나아가더니 ᄒᆞᆫ곳에 다다라는 셕양
이 지산ᄒᆞ고 셕됴 투림이라 쳥산은 쳡쳡쳔봉이오 류슈는 잔잔빅곡이라 지
당에 연화 만발ᄒᆞ고 심곡에 모란이 셩기라 화간졉무는 분분셜이오 유샹잉
비는 편편금이라 층암졀벽간에 폭포슈는 하슈를 휘여ᄃᆡᆫ 듯ᄒᆞ고 명ᄉ쳥계
샹에 돌다리는 오작교와 방불ᄒᆞ다

〈5〉

좌우를 고면ᄒᆞ며 드러가니 별유텬디 비인간이라 ᄉᆡᆼ이 이ᄀᆞᆺ치 풍경을 보ᄆᆡ
심신이 샹쾌ᄒᆞ야 우화등션홀 듯 희긔ᄌᆞ연 산용슈츌ᄒᆞ야 힝심일경 드러가
니 쥬란화각이 운리에 표묘ᄒᆞ고 분벽ᄉ창은 화련됴요 ᄒᆞ얏ᄂᆞᆫᄃᆡ 금ᄌ로 현
판에 박엿스되 옥연동이라 ᄒᆞ얏거늘 ᄉᆡᆼ이 불승대회ᄒᆞ야 바로 당샹에 올나
가니 ᄒᆞᆫ 낭ᄌ 잇셔 문왈 그ᄃᆡ는 엇던 속긱이완ᄃᆡ 감히 션경을 범ᄒᆞ얏ᄂᆞᄂᆒ
ᄉᆡᆼ이 공슌이 ᄃᆡ왈 ᄂᆞ는 유산긱으로셔 산쳔풍경을 탐ᄒᆞ야 길을 일코 그릇
션경을 범ᄒᆞ얏스니 션낭은 모르미 용셔ᄒᆞ쇼셔 낭ᄌ 졍ᄉᆡᆨ 왈 그ᄃᆡ는 몸을
앗기거든 쌜니 ᄂᆞ가고 지완치 말ᄂᆞ ᄉᆡᆼ이 ᄎᆞ언을 드르ᄆᆡ 의ᄉ 삭막ᄒᆞ야 혜오
ᄃᆡ 만일 이 기회를 닐흘진ᄃᆡ 다시 ᄯᆡ를 만ᄂᆞ기 어려오리니 다시 슈작ᄒᆞ야
ᄉᆞ긔를 탐지ᄒᆞ리라 ᄒᆞ고 졈졈 ᄂᆞ아가 안즈며 왈 낭ᄌ는 사름을 이다지 괄시

ᄒᆞᄂᆞ뇨 낭ᄌᆞ 쳥이 불문ᄒᆞ고 방즁으로 드러가고 닉미러 보도 아니ᄒᆞᄂᆞᆫ지라 싱이 믄연쥬져ᄒᆞ다가 홀길업셔 칭계에 ᄂᆞ려셔니 낭ᄌᆞ 그졔야 옥면화안을 화히ᄒᆞ고 화란에 빗겨셔서 단슌호치를 반기ᄒᆞ고 죵용이 불너 왈 낭군은 가지말고 내 말슴을 드르쇼셔 낭군은 죵시 지식 업도다 ᄋᆞ모리 텬졍연분이 잇슨들 엇지 일언에 허락ᄒᆞ리오 ᄒᆞ고 모로미 더듸 마지믈 혐의치 마르시고 오르쇼셔 션군이 그 말을 드르민 희불ᄌᆞ승ᄒᆞ야 이에 승당

<6>

좌졍ᄒᆞ민 믄득 바라보건듸 낭ᄌᆞ의 화용은 운간명월이 벽공에 걸녓ᄂᆞᆫ 듯 틱도ᄂᆞᆫ 일타모란이 흡연이 조로를 씌엿ᄂᆞᆫ 듯 ᄒᆞ고 일쌍츄파ᄂᆞᆫ 경슈ᄀᆞᆺ고 셤셤세요ᄂᆞᆫ 츈풍에 양류 휘드는 듯 첩첩쥬슌은 잉무단스를 먹으믄 듯 ᄒᆞ니 쳔고무쌍이오 츠셰에 독보홀 졀듸가인이라 마음에 황홀난칙ᄒᆞ야 헤오듸 오날날에 이갓튼 션녀를 딕ᄒᆞ미 금셕슈ᄉᆞᄂᆞ 무한이라 ᄒᆞ고 그리든 졍회를 베풀미 낭ᄌᆞ 굴ᄋᆞ듸 날갓튼 아녀ᄌᆞ를 ᄉᆞ모ᄒᆞᄉᆞ 이럿툿 ᄒᆞ야 병을 일우니 엇지 쟝부라 ᄒᆞ리오 그러ᄂᆞ 우리 만날 긔약이 삼년이 격ᄒᆞ얏스니 그씌 쳥조로 미파를 숨고 상봉으로 륙례를 미쳐 빅년동락ᄒᆞ려니와 만일 오늘날 몸을 허흔 즉 텬긔를 누셜ᄒᆞ미 되여 텬앙이 잇스리니 낭군은 아직 안심ᄒᆞ야 씌를 기다리쇼셔 션군 왈 일각이 여슴츄라 일시인들 엇지 견듸리오 내 이졔 그져 도라가면 잔명이 조셕에 잇스리니 이닉 몸이 죽어 황텬긱이 될지라 낭ᄌᆞ의 일신인들 엇지 온젼ᄒᆞ리오 낭ᄌᆞᄂᆞᆫ ᄂᆞ의 졍셰를 싱각ᄒᆞ야 그믈에 걸닌 고기를 구ᄒᆞ라 만단이걸ᄒᆞ니 낭ᄌᆞ 그 형상을 보민 오직 가궁흔지라 홀일업셔 ᄆᆞ음을 도로히미 옥안에 화식이 무르녹난지라 싱이 그 옥슈를 잡고 침셕에 ᄂᆞ아가니 운우지락을 닐운지라 그 졀졀흔 졍을 일오 측량치 못ᄒᆞᆯ네라 이에 낭ᄌᆞ 갈ᄋᆞ듸 임의 쳡에 몸이 부졍ᄒᆞ얏스니 이에 머믈

7

지 못홀지라 랑군과 흔가지로 가리라 흐고 쳥노싀를 닛그러 늬여타고 싱도
쏘흔 쳥려를 타고 병힝흐야 집에 도라오니 즈연 츄종이 만터라 이젹에 빅공
부뷔 션군을 늬여보늬고 념려를 노치 못흐야 노복을 스쳐로 노와 추지되
맛춤늬 종젹을 찻지 못흐야 졍히 울민흐니 하회를 셕람흐라

데이회

알셩과 보라 가다가 두 번이늬 집에 도라오고 빅공이 수삼추 창밧게셔 엿듯다

지셜 빅공 부부 션군의 종젹을 몰늬 졍히 울민흐더니 일일은 문젼이 들네며
션군이 홀연 어듸로 조추오늬 줄을 모르게 이르러 부모젼에 현알흐거늘
빅공 부부 망지쇼죠흐야 밧비 그 손을 잡고 그스이 어늬 싸히 유락흐야
늙은 부모를 문에 의지흐야 바라는 눈이 쑤러지게 흐얏느뇨 흐며 지늬바를
힐문흐니 공지 옥연동에 가 낭즈를 만늬 도라온 말을 셰셰히 고흐며 일변
낭즈를 인도흐야 부모게 비알흐게 흐니 낭즈 연보를 움작여 부모게 비알흐
니 공의 부부 쳔만몽외에 이런 긔이흔 일을 당흐야 낭즈를 살펴보니 화려흔
쳬모와 아리싸온 화용이 다시 인간에는 업는지라 불승중의흐야 침소를 동
별당에 졍흐니라 싱이 낭즈로 더브러 금슬지락을 닐우미 슈유불리흐고 학
업을 젼폐흐니 빅공이 민망이 녀겨흐늬 션

8

군을 극히 익즁흐늬고로 바려두니라 니러구러 셰월이 물 흐르늬 것 갓흐야
님의 팔년이 된지라 낭즈 일즈 일녀를 싱흐니 녀즈의 일홈은 츈잉이니 방년
이 칠셰라 위인이 영혜총명흐고 으들의 일홈은 동츈이니 늬히 삼셰라 다부
풍모습흐야 가늬화긔 マ득흐야 다시 그릴거시 업는지라 이의 동편에 졍즈

를 짓고 화됴월셕에 량인이 산졍에 올느 칠현금을 희롱ᄒ고 노ᄅᆡ를 화답ᄒ야 셔로 질기며 풍류ᄒ야 쳥흥이 도도ᄒᆞᆯᄉᆡ 빅공 부부 이 거동을 보고 두굿기믈 마지안야 왈 너의 량인이 텬상연분이 비경토다 ᄒ고 싱을 불너 왈 금번에 알셩과를 뵌다 ᄒ니 너ᄂᆞᆫ 모로미 응과ᄒᄆᆡ 맛당ᄒ도다 요ᄒᆡᆼ 참방ᄒᆞᆯ진ᄃᆡ 네 부모 영화롭고 ᄯᅩᄒᆞᆫ 됴션을 빗ᄂᆡᄆᆡ 아니되랴 ᄒ며 길을 직촉ᄒ니 션군 왈 우리 젼답이 슈쳔셕직이오 노비 쳔여인이라 심지지쇼락과 이목지 소호를 님의ᄃᆡ로 ᄒᆞᆯ 거시어늘 무슴 부죡ᄒᄆᆡ 잇셔 급졔를 바라리잇고 만닐 집을 ᄯᅥᄂᆞ오면 낭ᄌᆞ로 더브러 리별이 되깃ᄉᆞ오니 ᄉᆞ졍이 졀박ᄒ야이다 ᄒ고 동별당에 이르러 부친과 문답ᄉᆞ를 이르니 낭ᄌᆞ 념용ᄃᆡ 왈 낭군의 말이 그르도다 남ᄋᆞ 츌셰ᄒᄆᆡ 닙신양명ᄒ야 이현부모ᄒᄆᆡ 졋졋ᄒᆞᆫ 빅어늘 이졔 량군이 규즁쳐ᄌᆞ를 권연ᄒ야 남ᄋᆞ의 당당ᄒᆞᆫ 일을 폐코자 ᄒ니 이ᄂᆞᆫ 불효될 ᄲᅮᆫ더러 타인의 ᄭᅮ지람이 맛ᄎᆞᆷᄂᆡ 쳡의게 도라오리니 바라건ᄃᆡ

〈9〉

낭군은 지슘 싱각ᄒ야 과ᄒᆡᆼ을 밧비 ᄎᆞ려 남의 우음을 취치 마르쇼셔 ᄒ고 반젼을 준비ᄒ야 쥬며 왈 낭군이 금번 과거를 못ᄒ고 도라오면 쳡이 ᄉᆞ지 못ᄒ리니 낭군은 조금도 다른 일을 쾌렴치 말고 밧비 발ᄒᆡᆼᄒ소셔 ᄒ거늘 싱이 그 말을 드르ᄆᆡ 언언이 졀졀ᄒᆫ지라 마지못ᄒ야 부모게 하직ᄒ고 낭ᄌᆞ를 도라보아 왈 그ᄃᆡᄂᆞᆫ 부모를 극진히 봉양ᄒ야 ᄂᆡ의 도라오기를 기다리라 ᄒ고 ᄯᅥ날ᄉᆡ ᄒᆫ 거름에 셔고 두 거름에 도라보니 낭ᄌᆞ 즁문에 ᄂᆡ와 원로에 보즁ᄒᄆᆞᆯ 당부ᄒ며 비회를 금치 못ᄒ거늘 션군이 ᄯᅩᄒᆞᆫ 슈식이 만안ᄒ야 울기를 마지아니코 죵일토록 ᄒᆡᆼᄒ며 겨오 삼십리를 갓ᄂᆞᆫ지라 슉쇼를 졍ᄒ고 셕반을 올니ᄆᆡ 오직 낭ᄌᆞ를 싱각ᄒ니 음식이 달지 아니ᄒᆫ지라 부득이 두어 슐을 하져 ᄒ고 즉시 물니거늘 하인이 민망이 너겨 닐오ᄃᆡ 식ᄉᆞ를 져럿타시 간략히 ᄒ시고 엇지 쳔리 원졍을 득달ᄒ려 ᄒ시ᄂᆞᆫ잇고 싱이 일으

되 아모리 진식코즈 ㅎㄴ 즈연 그러ㅎ도다 ㅎ니 하인이 불승민망ㅎ야 ㅎ더
라 싱이 츠시 젹막ㅎ 킥관에 잇셔 심신이 슈란ㅎ야 낭즈의 일신이 겻히
안진 듯 ㅎ여 견이불견이오 소리 들니는 듯 스청불청이라 여좌침셕ㅎ야
마음을 졍치 못ㅎ는지라 츠야 이경에 신발을 들메고 집에 도라와 가만니
장원을 넘어 낭즈의 방에 드러가니 낭즈 디경 왈 이 일이 엇진 일이닛고
ㅎ로 길을 힝치

〈10〉

아니 ㅎ니잇가 싱 왈 종일 힝ㅎ야 겨오 삼십리를 가셔 슉쇼를 졍ㅎ고 다만
싱각ㄴ니 그딕뿐이라 쳡쳡ㅎ 비회를 바야흐로 금치 못ㅎ야 음식이 달지
아니ㅎ니 힝혀 로즁에셔 병이 날가 져허ㅎ야 그딕로 더브러 심회를 풀고즈
ㅎ야 왓노라 ㅎ고 낭즈의 옥슈를 닛그러 와상에 ㄴ아가 금리에 몸을 더져
낭즈로 더브러 종야토록 즐겨 졍회를 푸는지라 이젹에 빅공이 ㅇ즈를 경셩
에 보닉고 집안에 도젹을 살피려 ㅎ야 쳥녀장을 집고 장원 안흐로 도라단니
며 동졍을 살피려 ㅎ다가 동별당에 다딕르니 문득 낭즈의 방에 남즈의 말소
릭 은은이 들니거늘 빅공이 이윽히 듯다ㄱ 가만니 혜오딕 낭즈는 빙옥지심
과 숑빅지졀이 잇거늘 엇지 외간 남즈를 스통ㅎ야 음힝지스를 감심ㅎ리오
그러ㄴ 셰상스를 측량치 못ㅎ리라 ㅎ고 가만이 스창 압히 ㄴ아가 귀를 기우
리고 들은즉 낭즈 니윽히 말ㅎ다가 닐오딕 싀부게셔 밧게 와 계시가시보니
낭군은 몸을 금침에 감초소셔 ㅎ며 다시 ㅇ희를 달닉여 왈 너희 아바니는
장원급뎨ㅎ야 영화로이 도라오는니라 ㅎ고 ㅇ희를 얼르만지거늘 빅공이
크게 의심ㅎ야 급히 침소로 도라오니라 츠시 낭즈 빅공에 녓듯는 양을 발셔
아랏는지라 싱드려 닐오딕 존구 창밧게셔 엿듯고 가셧스니 낭군이 도라온
줄 아라 계신지라 낭군은 쳡을 유련치 마르시고 경셩에 올

〈11〉

느가 셩불셩을 불계ᄒ고 과거를 보아 부모의 바라시ᄂ 마음을 져바리지
마르시고 첩으로 ᄒ야곰 불민ᄒ 시비를 면케 ᄒ소셔 싱각건ᄃ 낭군이 첩을
ᄉ렴ᄒ야 여러 번 츌입홀 마음을 두려 ᄒ미라 만일 니러홀진ᄃ 이ᄂ 군ᄌ의
도리 아니오 ᄯ 부모 아르시면 결단코 첩의게 죄칙이 ᄂ릴 듯 ᄒ오니 낭군은
빅번 싱각ᄒᄉ 급히 상경ᄒ소셔 ᄒ며 길을 ᄌ촉ᄒ니 션군이 듯기를 다ᄒᄆ
언즉시야러라 이의 결연ᄒᄆ를 억졔ᄒ야 낭ᄌ를 리별ᄒ고 그 슉쇼로 도라오
니 하인이 아직 잠을 ᄭ지 아니ᄒ얏더라 평명에 길에 올ᄂ 겨우 십리를
가 슉쇼를 졍ᄒ고 월명긱창에 젹막히 안져스니 낭ᄌ의 형용이 안젼에 삼삼
ᄒ야 잠을 일으지 못ᄒ고 쳔만가지로 싱각ᄒᄆ ᄯ 울결ᄒᄆ를 것잡지 못ᄒ야
이에 표연이 집에 도라와 낭ᄌ의 방에 드러가니 낭ᄌ 놀ᄂ 글오ᄃ 낭군이
첩의 간ᄒᄂ 말을 듯지 아니시고 니러탓 왕리ᄒ시ᄂ니잇가 쳔금귀톄 긱즁
에셔 병을 엇으시면 엇지ᄒ려 ᄒ시ᄂ잇가 랑군이 만일 첩을 닛지 못ᄒ시거
든 후일 첩이 낭군 슉소로 ᄎ져 가리이다 싱 왈 낭ᄌᄂ 규즁녀ᄌ라 엇지
도로 왕리를 님의로 ᄒ리오 낭ᄌ 홀일업셔 강잉ᄃ왈 회포ᄂ 푸소셔 ᄒ고
화상을 주며 왈 이 화상은 첩의 용모니 힝즁에 가젓다가 만일 빗치 변ᄒ거든
첩이 편치 못ᄒᄆ를 아르소셔 ᄒ고 ᄉ로이 리별홀ᄉ ᄎ시 빅공이 마음에 고

〈12〉

이히 녀겨 다시 동별당에 가 귀를 기우려 드른즉 ᄯ 남ᄌ의 소리 분명ᄒ지라
빅공이 ᄂ심에 헤오ᄃ 고이코 고이ᄒ도다 내집이 장원이 놉고 상하 이목이
번다ᄒᄆ 외인 이간ᄃ로 츌입지 못홀 거시어늘 엇지 슈일을 두고 낭ᄌ의
방즁에셔 남ᄌ의 말소리 ᄂᄂ고 이ᄂ 반다시 흉악ᄒ 놈이 잇셔 낭ᄌ로 통간
ᄒ미로다 ᄒ고 쳐소로 도라와 ᄎ탄 왈 낭ᄌ의 졍졀노 니런 힝실을 ᄒ니
일노 볼진ᄃ 옥셕을 분간키 어렵도다 ᄒ고 의혹이 만단ᄒ야 유예미결이라

이에 부인을 불너 이 스연을 닐너 왈 그 진가를 아지 못ᄒ고 의외의 만일
볼미지스가 잇스면 장ᄎ 엇지 ᄒ리오 부인 왈 상공이 잘못 드러 계시도다
현부의 ᄒᆡᆼ실은 빅옥 갓트며 그러ᄒᆞᆯ 일이 업스리이다 니런 말을 다시 마르소
셔 공 왈 ᄂᆞ도 져일을 심히 의아ᄒᆞᄂᆞ 빈니딕 져져를 불너 힐문ᄒᆞᆯ 것이로딕
내 져를 경렬ᄒᆞᆫ 녀즈로 알기로 지금 젹실치 못ᄒᆞᄆᆡ 잇슬가 ᄒᆞ야 쥬져ᄒᆞ얏더
니 금일은 단정코 져를 불너 힐문ᄒᆞ야 보스이다 ᄒᆞ고 이에 낭즈를 불너
문왈 이스이 집안이 젹젹ᄒᆞᄆᆡ 내 후졍을 두루 도라 네방 근쳐에 니른즉
방즁의셔 남즈의 음셩이 은은이 들니니 내 고이히 녁여 도라와 싱각ᄒᆞ니
그러ᄒᆞ리 만무ᄒᆞᆫ고로 그 이튼날 ᄯᅩ 가셔 들은즉 젼과 갓치 남즈의 말소리
랑즈ᄒᆞ니 이 아니 고이ᄒᆞ냐 스싱간즉 고ᄒᆞ라 낭즈 변싴딕왈 밤이 오면 츈잉
동츈

〈13〉

등을 다리고 미월노 더부러 말슴ᄒᆞ얏습거니와 엇지 외간 남즈 잇셔 말슴ᄒᆞ
얏스오리잇가 이ᄂᆞ 쳔만의외 지스니이다 공이 들르ᄆᆡ ᄆᆞ음을 잠간 미드나
일이 고이ᄒᆞ야 미월을 즉시 불너 문왈 네 이스이 낭즈방에 가 스환ᄒᆞ얏ᄂᆞ냐
미월이 엿즈오딕 소녀의 몸이 곤ᄒᆞ기로 낭즈방에 가지 못ᄒᆞ얏ᄂᆞ이다 빅공
이 쳥파에 더욱 슈상이 녀겨 미월을 불너 ᄭᅮ지져 왈 이스이 고이ᄒᆞᆫ 일이
잇기로 놀나고 의심되여 낭즈다려 무른즉 널노 더부러 ᄒᆞᆫ가지로 즈며 슈작
ᄒᆞ얏다 ᄒᆞ고 너다려 무르니 가지 아니ᄒᆞ얏다 ᄒᆞ야 두 말이 갓지 아니ᄒᆞ니
이ᄂᆞ 낭즈의 외인 상통ᄒᆞᄆᆡ 젹실ᄒᆞᆫ지라 너는 모로미 착실이 살펴 왕ᄅᆡ하는
놈을 잡아 고ᄒᆞ라 미월이 슈명ᄒᆞ고 아모리 쥬야로 상직ᄒᆞᆫ들 그림즈도 업ᄂᆞ
도적을 엇지 잡으리오 이ᄂᆞ 부졀업시 미월노 ᄒᆞ야곰 간계를 발케 ᄒᆞᄆᆡ라
미월이 이에 싱각ᄒᆞ되 소상공이 낭즈로 더부러 작빈ᄒᆞᆫ 후로 나를 도라보지
아니ᄒᆞ니 엇지 잇달지 아니ᄒᆞ리오 내 맛당히 이 ᄯᅢ를 타셔 낭즈를 소계ᄒᆞ리

라 ᄒ니 필경 엇지 된고 하회를 분석ᄒ라

데삼회
미월의 음희로 도리를 동별당으로 인도ᄒ야 루명을 씨우다

지설 미월이 본디 이 씨를 타 낭ᄌ를 소졔ᄒ야 결단코 나의 젹년단장ᄒ던
원을 풀니라 ᄒ고 금은 슈천량을 도젹ᄒ야 가지고 무뢰악 소년을 모와 의론
왈 뉘 가

〈14〉
히 나를 위ᄒ야 묘계를 힝ᄒ면 이 은ᄌ 슈천량을 줄 거시니 텰위즁에 뉘
가히 힝홀고 그 즁에 ᄒ 놈이 팔을 쏩니며 왈 내 당ᄒ리라 ᄒ니 셩명은
도리라 본디 셩졍이 흉완ᄒ고 가장 호방ᄒ 놈이러니 ᄎ언을 듯고 지물을
탐ᄒ야 쾌히 응낙ᄒ고 니다른 빅라 미월이 깃거 도리를 닛글고 종용ᄒ 곳으
로 가 닐오디 내 다른 ᄉ졍이 아니라 우레 쇼샹공이 나를 쇼실로 두어 졍을
두터이 ᄒ더니 낭ᄌ로 더부러 작빈ᄒ 후로 이졔 팔년이 되도록 ᄒ 번도
도라보지 아니니 나의 ᄆᄋᆷ이 엇지 분연치 아니ᄒ리오 실로 낭ᄌ를 음희ᄒ
야 셜치코ᄌ ᄒᄂᆞ니 그디ᄂᆞ 나의 말을 명심ᄒ야 나의 지휘디로 ᄒ라 ᄒ니
도리 언언 응낙ᄒ거늘 미월이 ᄎ야에 도리를 다리고 동별당에 드러가 후문
을 열고 밧게 셰우며 왈 그디ᄂᆞ 여긔 잇스라 내 샹공 쳐소에 드러가 여ᄎ여
ᄎ하면 샹공이 필연 분로ᄒ야 그디를 잡으라 홀 거시니 그디ᄂᆞ 낭ᄌ의 방즁
으로셔 나온ᄂᆞ 체 ᄒ고 문을 열고 나가되 부디 쇼홀이 말나 ᄒ고 급히 빅공
게 나아가 고ᄒ되 샹공이 쇼쳡으로 ᄒ야금 동별당을 슈직ᄒ라 ᄒ시미 밤마
다 살펴옵더니 금야에 과연 엇던 놈이 드러가 낭ᄌ와 더부러 희락이 낭ᄌᄒ
옵기로 감히 아니 고치 못ᄒ오미 대강 들은대로 고ᄒ오리이다 쇼쳡이 고이

흔 긔식을 보고 진가를 알녀 ᄒᆞ야 낙함 뒤에 가 여어듯ᄉ온즉 낭ᄌ

〈15〉

그놈다려 이르기를 쇼상공이 오시거든 즉시 죽인 후 ᄌᆡ물을 도젹ᄒᆞ야 가지고 다라나 훔게 살ᄌᆞ ᄒᆞ온즉 듯기에 하 씀즉ᄒᆞ온지라 이런 말ᄉᆞᆷ을 듯고 엇지 안져셔 참혹ᄒᆞ온 광경을 보리잇고 이런바 대강을 고ᄒᆞᄂᆞ이다 빅공이 듯기를 다 못ᄒᆞ야 분긔대발ᄒᆞ야 칼을 가지고 문을 열며 ᄂᆡ다르니 과연 엇던 놈이 믄득 낭ᄌᆞ의 방으로셔 문을 열고 쒸여 ᄂᆡ다라 장원을 너머 도망ᄒᆞ거늘 공이 불승대로ᄒᆞ야 도젹을 실포ᄒᆞ고 홀일업시 쳐소로 도라와 밤을 ᄉᆡ울ᄉᆡ 미명에 비복 등을 불너 좌우에 셰우고 ᄎᆞ례로 엄문ᄒᆞ고 왈 내집이 장원이 놉고 외인이 임의로 출입지 못ᄒᆞ거늘 너희놈 중에 어던 놈이 감히 낭ᄌᆞ와 소통ᄒᆞ고 죵실직초ᄒᆞ라 ᄒᆞ며 낭ᄌᆞ를 잡아오라 ᄒᆞ니 ᄆᆡ월이 몬져 ᄂᆡ다라 동별당에 가 문을 열고 소리를 크게 질너 왈 낭ᄌᆞᄂᆞᆫ 무슴 잠을 깁히 드럿ᄂᆞ뇨 지금 상공게셔 낭ᄌᆞ를 잡아오라 ᄒᆞ시니 밧비 가 보소셔 낭ᄌᆞ 놀나 문왈 이 심야에 엇지 이리 요란이 구ᄂᆞ뇨 ᄒᆞ고 문을 열고 보니 비복 등이 문밧게 가득ᄒᆞ얏거늘 낭ᄌᆞ 왈 무삼일이 잇나냐 노복이 ᄃᆡ왈 낭ᄌᆞᄂᆞᆫ 엇던 놈과 통간ᄒᆞᄂᆞᆫ가 익미ᄒᆞᆫ 우리 등으로 즁장을 밧게 ᄒᆞᄂᆞ뇨 아등을 ᄭᅮ지람 들니지 말고 어셔 밧비 가ᄉᆞ이다 ᄒᆞ며 구박이 틱심ᄒᆞ거늘 낭ᄌᆞ 천만몽ᄆᆡ 밧 이 말을 드르니 혼빅이 비월ᄒᆞ고 간담이 셔늘ᄒᆞ야 엇지 홀 줄 모르ᄂᆞᆫ 즁 ᄌᆡ촉이 셩화

〈16〉

ᄀᆞᆺ튼지라 급히 상공 압헤 ᄂᆞ아가 복디주왈 쳡이 무슴죄 잇ᄉᆞᆸ건듸 이 디경에 이르ᄂᆞ니잇고 공이 ᄃᆡ로 왈 슈일젼에 여ᄎᆞ여ᄎᆞ 슈상ᄒᆞᆫ 일이 잇기로 너다려 무른즉 네말이 낭군이 ᄯᅥ난 후 젹막ᄒᆞ기로 ᄆᆡ월노 더부러 담화ᄒᆞ얏다 ᄒᆞᄆᆡ

내 반신반의ᄒ야 미월을 불너 치문ᄒᄌ즉 졔 디답이 일졀 네방에 가지 아니ᄒ
얏다 ᄒ니 필연 곡졀이 잇ᄂ는 일이기로 ᄌ셰히 긔찰ᄒᄌ즉 언던 놈이 여ᄎ여ᄎ
홀시 분명ᄒ거늘 네 무삼 낫츨 들고 감히 발명코ᄌ ᄒᄂᆫ뇨 낭ᄌ 울며 발명ᄒ
되 공이 엇지 무언을 고지 들르시ᄂᆫ뇨 ᄒ디 공이 디질 왈 내 귀로 친히
듯고 눈으로 본 일이라 네 죵시 긔망ᄒ니 엇지 통히치 아니ᄒ리오 량반의
집에 이런 일이 잇기ᄂ는 큰변이라 상통ᄒ던 놈의 셩명을 쌀니 고ᄒ라 ᄒ며
호령이 셔리 갓혼지라 낭ᄌ 안식이 씩씩ᄒ야 왈 아모리 류례빅량으로 맛지
못ᄒ 며ᄂ리라 ᄒᄉ 이런 말삼을 ᄒ시ᄂᆫ니잇가 발명 무로오나 셰셰히 통촉
ᄒ야 보옵소셔 이 몸이 비록 인간에 잇ᄉ온들 쳡의 빙옥갓튼 졍졀로 더러온
말삼을 듯ᄉ오릿가 영쳔슈가 머러 귀를 씻지 못ᄒ오미 한이 되옵ᄂ니 다만
죽어 모르고ᄌ ᄒ옵ᄂ이다 공이 익익 디로ᄒ야 노ᄌ를 호령ᄒ야 낭ᄌ를
결박ᄒ라 ᄒ니 노자 일시에 다라드러 낭ᄌ의 머리를 산발ᄒ야 계하에 안치
니 그 경상이 참불인견이러라 공이 디셩즐 왈 네 죄상은 만ᄉ무셕이니 ᄉ

<17>

통ᄒ던 놈을 밧비 이르라 ᄒ고 미를 드러 치니 빅옥갓튼 귀밋히 흐르ᄂ니
눈물이오 옥ᄀᆺ튼 일신에 소ᄉᄂ니 류혈이라 낭ᄌ ᄎ시를 당ᄒ야 홀일업시
졍신을 찰혀 왈 향자 낭군이 쳡을 닛지 못ᄒ야 발힝ᄒ든 날 겨오 삼십리를
가 숙쇼ᄒ고 밤에 도라와 단녀간 후 ᄯ 이튼날 밤에 왓습기로 쳡이 한ᄉ하고
간ᄒ야 보닐식 어린 쇼견에ᄂ는 혹 구고게 견칙이 잇실가 져허ᄒ야 낭군 거취
를 은휘ᄒ야 보닛습더니 조물이 무이 녁이고 귀신이 싀긔ᄒ야 가히 씻지
못ᄒ올 루명을 닙ᄉ오니 발명 무로오나 구만리 명텬은 찰시ᄒ옵ᄂ니 통촉
ᄒ옵소셔 빅공이 졈졈 디로ᄒ야 집장노복을 호령ᄒ야 미미 고찰ᄒ야 칠시
낭ᄌ 홀일업셔 하늘을 우러러 통곡 왈 유유창텬은 무죄ᄒᆫ 이 닌마음을 구버
살피옵소셔 오월비상지원과 십년불우지원을 뉘라셔 푸러닌리오 ᄒ고 이의

업더져 괴싁ᄒ거늘 존고 졍씨 그 형상을 보고 울며 빅공다려 왈 녯말에
닐너스되 그릇셰 물을 업치고 다시 담지 못ᄒ온다 ᄒ오니 상공은 ᄌ셰히
보지 못ᄒ고 빅옥무하흔 졀부를 무단이 음힝ᄒ다 ᄒ고 포박ᄒ미 여ᄎᆞᄒ시
니 엇지 가히 후회지탄이 업스오리잇고 ᄒ고 나리다라 낭ᄌ를 안고 대셩통
곡 왈 너의 슝빅지졀은 내 아는 비라 오늘늘 이 경상은 몽미에도 싱각지
못흔 일이니 엇지 지원극통치 아니리오 낭ᄌ 울며 되왈 녯말에 음힝

〈18〉

지셜은 신셜키 어렵다 ᄒ오니 동히슈를 기우려 씻지 못홀 루명을 엇고 엇지
구구히 살기를 도모ᄒ리잇고 ᄒ고 통곡ᄒ기를 마지아니ᄒ니 졍시 만단기
유ᄒ되 낭ᄌ 종시 듯지 아니ᄒ고 문득 옥잠을 쌰혀 들고 하늘게 졀ᄒ며
축왈 지공 무ᄉᆞ흔신 황텬은 구버 살피소셔 쳡이 만일 외인으로 통간흔 일이
잇거든 이 옥잠이 쳡의 가삼에 박히고 만일 이미ᄒ옵거든 옥잠이 셤돌에
박히소셔 ᄒ며 옥잠을 공즁에 더지고 업듸엿더니 옥잠이 ᄂ려오며 셤돌에
박히는지라 그졔야 상하 다 대경실싁ᄒ야 크게 신긔히 녁이며 낭ᄌ에 원억
ᄒ믈 알더라 빅공이 ᄎᆞ경을 보고 부지불각에 나리다라 낭ᄌ의 손을 잡고
비러 왈 늙으니 지식이 업셔 착흔 며느리를 모로고 망년된 거조를 ᄒᆞ얏스니
그 명졀을 모로고 니러툿 ᄒ미리 내 허물은 만번 죽어도 속지 못홀빈니
바라건듸 현부는 나의 허물을 용셔ᄒ고 안심ᄒ라 낭ᄌ 이연 통곡 왈 쳡이
가업는 루명을 싯고 셰상에 머므러 쓸듸업는지라 이졔 죽어 아황녀영의
혼령을 좃치려 ᄒᄂ이다 ᄒ고 종시 살 뜻이 업셔 ᄒ거늘 빅공이 위로 왈
ᄌ고로 현인군ᄌ 혹참소를 만나며 슉녀현부도 혹루명을 엇ᄂ니 현부는 쏘
흔 일시 운익이라 너무 고집지 말고 로ᄏᆞ의 무류ᄒ믈 싱각ᄒ라 ᄒ니 졍시
낭ᄌ를 붓드러 동별당으로 가 위로홀싀 낭ᄌ 흐르ᄂ니 눈물

〈19〉

이오 지ᄂᆞ니 한숨이라 이의 부인게 고왈 쳡ᄀᆞᆺ튼 계집이라도 악명이 셰상에 낫타나고 엇지 붓그럽지 아니ᄒᆞ리오 낭군이 도라오면 상ᄃᆡᄒᆞᆯ 낫치 업ᄉᆞ오리니 다만 쥭어 셰상을 모르고ᄌᆞ ᄒᆞᄂᆞ이다 ᄒᆞ며 진쥬갓튼 눈물이 옷깃을 적시거ᄂᆞᆯ 부인이 그 참혹ᄒᆞᆫ 거동을 보고 왈 낭ᄌᆞ 쥭다 ᄒᆞ면 아ᄌᆞ 결단코 쏘ᄒᆞᆫ ᄯᅡ라 쥭을 거시니 이런 답답ᄒᆞᆫ 일이 어ᄃᆡ 잇스리오 ᄒᆞ며 침소로 도라가니라 이ᄯᅴ에 츈잉이 그 모친 형상을 보고 울며 왈 모친은 쥭지 말고 부친이 도라오시거던 원통ᄒᆞᆫ ᄉᆞ졍이나 ᄒᆞ고 쥭으나 ᄉᆞ나 ᄒᆞ옵소셔 모친이 불힝ᄒᆞ면 동츈을 엇지ᄒᆞ며 나는 누를 밋고 살나 ᄒᆞ오 모친의 손을 잡고 방으로 드러가기를 권ᄒᆞ니 낭ᄌᆞ 마지못ᄒᆞ야 방으로 드러가 츈잉을 겻히 안치고 동츈을 젓먹이며 ᄎᆡ복을 ᄂᆡ여닙고 슬허 왈 츈잉아 나는 쥭으리라 ᄒᆞ니 낭ᄌᆞ의 ᄉᆞ싱이 하여오 분셕ᄒᆞ라

뎨ᄉᆞ회

낭ᄌᆞ 루명 씨스려 스ᄉᆞ로 쥭고 션군이 장원ᄒᆞᆫ 후 부모 젼 상셔ᄒᆞ다

ᄎᆞ셜 낭ᄌᆞ 슬허 왈 츈잉아 나는 쥭으리로다 너의 부친이 쳔리 밧게 잇셔나 쥭는 일을 모르니 속졀업시 나의 ᄆᆞᄋᆞᆷ 둘 ᄃᆡ 업다 츈잉아 이 ᄇᆡᆨ학션은 진짓 텬하 긔보라 치우면 더운 긔운이 나고 더오면 셔늘ᄒᆞᆫ 긔운이 나ᄂᆞ니 잘 간슈ᄒᆞ얏다가 동츈

〈20〉

이 ᄌᆞ라거든 젼ᄒᆞ야라 슬프다 흥진비ᄅᆡ와 고진감ᄅᆡ는 세간 상ᄉᆞ라 ᄒᆞ나 나의 팔자 긔험ᄒᆞ야 쳔만몽ᄆᆡ 밧 루명을 실고 너의 부친을 다시 보지 못ᄒᆞ며 황텬ᄀᆡᆨ이 되니 엇지 눈을 감으리오 가련타 츈잉아 나 쥭은 후 과도히 슬어

말고 동춘을 보호ᄒᆞ야 잘 잇시라 ᄒᆞ며 누쉬여우ᄒᆞ며 긔졀ᄒᆞᄂᆞᆫ지라 츈잉이 모친을 붓들고 낫츨 ᄃᆡ여 늣기며 ᄒᆞᄂᆞᆫ 말이 어머니 이 말삼이 웬말이오 어머니 우지 마오 어머니 우ᄂᆞᆫ 소ᄅᆡ의 ᄂᆡ 간장이 ᄆᆡ여지오 어머니 우지 마오 ᄒᆞ며 방셩대곡ᄒᆞ다가 긔진ᄒᆞ야 잠을 들거늘 낭ᄌᆞ 지원 극통ᄒᆞᆷ을 이긔지 못ᄒᆞ야 분긔 흉즁에 ᄀᆞ득ᄒᆞᄆᆡ 아모리 싱각ᄒᆞ야도 죽어 구텬지하에 도라가 루명을 씻ᄂᆞᆫ 거시 올타 ᄒᆞ고 ᄯᅩ 아히드리 이러나면 분명 죽지 못ᄒᆞ게 ᄒᆞ리라 ᄒᆞ고 가만이 츈잉을 어르만져 왈 불상ᄒᆞ다 츈잉아 나를 그리워 어이 살니 가련ᄒᆞ다 동츈아 내 너의 량아를 두고 엇지 가리 이달다 나가ᄂᆞᆫ 십왕이나 가르쳐 주려모나 슬프믈 니긔지 못ᄒᆞ야 금침을 도도고 셤셤옥슈로 드ᄂᆞᆫ 칼을 드러 가삼을 질너 죽으니 문득 ᄐᆡ양이 무광ᄒᆞ고 텬디 혼흑ᄒᆞ며 텬동소ᄅᆡ 진동ᄒᆞ거늘 츈잉이 놀나 ᄭᆡ여보니 모친의 가삼에 칼을 ᄭᅩᆺ고 누엇거늘 급히 소소로쳐 보고 대경실식ᄒᆞ야 칼을 ᄲᅡ히려 ᄒᆞ니 ᄲᅡ지지 아니커늘 츈잉이 모친의 낫츨 다하고 방셩대곡 왈 어마니 이러나오 이런 일도

〈21〉

ᄯᅩ 잇ᄂᆞᆫ가 하ᄂᆞ님도 무심ᄒᆞ다 가련ᄒᆞ다 어마니여 우리 남ᄆᆡ를 두고 어듸로 가시며 우리 남ᄆᆡ 누를 의지ᄒᆞ야 살나 ᄒᆞ오 동츈이가 어마니를 ᄎᆞ즈면 무삼 말노 달ᄂᆡ리오 어마니ᄂᆞᆫ 참아 못홀 노릇도 ᄒᆞ오 ᄒᆞ며 호텬고디ᄒᆞ며 망극이 통ᄒᆞ니 그 잔잉참졀ᄒᆞᆫ 졍상을 볼진ᄃᆡ 쳘셕간장이라도 눈물을 흘닐 거시오 토목심장이라도 가히 슬허홀비라 빅공 부쳐와 노복 등이 드러와 살펴본즉 낭ᄌᆡ 가삼에 칼을 ᄭᅩᆺ고 누엇거늘 창황망조ᄒᆞ야 칼을 ᄲᅡ히려 ᄒᆞ나 죵시 ᄲᅡ지지 아니ᄒᆞᄂᆞᆫ지라 아모리 홀 줄 모로고 다만 곡셩이 진동ᄒᆞ니 이ᄯᅢ 동츈이 어미 죽으믈 모르고 졋만 먹으려 ᄒᆞ고 몸을 흔들며 우니 츈잉이 달ᄂᆡ여 밥을 주어도 먹지 아니ᄒᆞ고 졋만 먹으려 ᄒᆞ거늘 츈잉이 동츈을 안고 울며 일르ᄃᆡ 우리 남ᄆᆡ도 어마니와 ᄀᆞᆺ치 죽어 디하에 도라가ᄌᆞ ᄒᆞ고 이호통곡ᄒᆞ

니 그 형상을 참아 보지 못홀네라 삼수일 후에 공의 부쳐 의론ᄒ되 낭ᄌ
이럿탓 참혹히 죽엇스니 아자 도라와 낭ᄌ의 가삼을 보면 필경 우리 모히ᄒ
야 죽인 쥴노 알고 졔 쏘ᄒ 죽으려 홀 거시니 아ᄌ 오기 젼에 낭ᄌ의 신체나
밧비 영장ᄒ야 엄젹ᄒ미 올타 ᄒ고 공의 부쳐 낭ᄌ방에 드러가 쇼렴ᄒ려
ᄒ즉 쏘ᄒ 이상ᄒ야 신쳬가 조금도 움작이지 아지ᄒ니 즁인이 다라드러
아모리 운동ᄒ려 ᄒ여도 신톄 ᄯᅡ에 붓고 움작이지 아

〈22〉

니ᄒ니 무아너하라 빅공이 도로혀 우민ᄒ야 초조ᄒ더라 ᄎ셜 션군이 낭ᄌ
의 간언으로 좃ᄎ 마음을 구지 잡아 경ᄉ로 올나가 쥬인을 졍ᄒ고 과일을
기다려 당ᄒ니 팔도 션빅 운집ᄒᄂ지라 싱이 쏘ᄒ 시지를 엽헤 ᄭᅵ고 츈당디
에 그러가 현계판을 바라본즉 글졔를 거럿ᄂ지라 일필휘지ᄒ야 션장ᄒ니
ᄎ시 샹이 수만 쟝 시젼을 드려 보시다가 싱의 글에 다다라는 칭찬ᄒᄉ
왈 차인의 글을 보니 문톄ᄂ 리빅이오 필법은 조밍보라 ᄒ시고 ᄌᄌ비졈에
귀귀관쥬를 쥬시며 쟝원을 식이시고 비봉을 ᄯᅥ이시니 경샹도 안동 거ᄒᄂ
빅션군이라 ᄒ얏거ᄂ 샹이 신릭를 직쵹ᄒᄉ 슈삼차 진퇴ᄒ시고 승졍원 쥬
셔를 ᄒ이시니 션군이 ᄉ은슉빅ᄒ고 졍원에 닙직ᄒ얏더니 과거ᄒ 긔별을
집에 젼홀 ᄲᅮᆫ더러 낭ᄌ를 리별ᄒ 지 오리민 회포 간졀ᄒ지라 밧비 노ᄌ로
ᄒ야곰 부모게 상셔ᄒ고 낭ᄌ에게 평셔를 붓치니 노ᄌ 여러 날 만에 본집에
이르러 글월을 올니니 빅공이 급히 ᄯᅥ히미 ᄒ얏스되 소ᄌ 텬은을 닙ᄉ와
쟝원급졔 ᄒ야 승졍원 쥬셔를 ᄒ와 방금 닙직ᄒ얏스오니 감츅 무디ᄒ온지
라 도문 일ᄌᄂ 금월 망간이 되올 거시오니 그리 아읍쇼셔 ᄒ얏고 낭ᄌ에게
온 편지를 졍부인이 가지고 울며 왈 츈잉 동츈아 이 편지는 네 아비가 네
어미에게 ᄒ 편지니 갓다가 잘 간수ᄒ라 ᄒ고 방셩디

23

곡호니 츈잉이 편지를 가지고 빙소에 드러가 신톄를 흔들며 편지를 펴들고
낫츨 다히고 울며 왈 어마니 이러나오 아바지게셔 편지 왓소 아바지가 쟝원
호야 승졍원 쥬셔를 호얏다 호니 엇지 이러나 즐기시지 아니호고 어마니가
아바지 쇼식을 몰늬 쥬야 근심호시더니 금일 편지 왓건마는 엇지 반기지
아니호시느니잇가 느는 글을 못보기로 어마니 혼령 압헤셔 읽어 외지 못호
오니 답답호야이다 호고 조모를 닛그러 왈 이 편지를 가지고 어마니 신령
압히셔 읽어 들니면 어마니 혼령이라도 감동홀 듯 호외다 호거늘 졍부인이
마지못호야 낭즈 빙쇼에 가셔 편지를 읽으니 기셔에 왈

쥬셔 빅션군은 흔상 글월을 낭즈 좌하에 븟치느니 그스이 량위존당 뫼시고
평안호시며 츈잉 동츈도 무량호느니잇가 복은 다힝이 룡문에 올늬 일홈이
환조에 현달호오니 텬은이 망극호오늬 다만 그듸를 리별호고 쳔리 밧게
잇셔 스모호는 마음 간졀호도다 욕망이 란망호니 그듸의 용모 눈에 암암호
고 불 스이 자스호니 그듸의 셩음이 귀에 졍졍호도다 월식이 만텬호고 두견
이 슬피 울 졔 츌문호야 고향을 바라보니 운산은 만즁이오 록슈는 쳔리로다
시벽달 찬바람에 외기러기 울고 갈 졔 반가온 낭즈의 쇼식을 기다리더니
챵망흔 구

름 밧게 쇼슬흔 풍경뿐이로다 긱창의 실솔이 살는호니 운우양되에 초곡도
소소호다 슬프다 홍진비릭는 고금상스라 낭자의 화상이 이스이 날노 변식
호니 무삼 연괴 잇스미라 좌불안셕이오 침식이 불편호니 이 아니 가련흔가
일각이 여삼츄호늬 환조의 미인 몸이 뜻과 궃지 못호도다 비쟝방의 션쥭쟝
을 어덧스면 됴셕 왕릭호련마는 홀일업고 홀일업다 바라느니 낭자로다 공
방 독슉 셜워 말고 안심호야 지늬면 몃날이 다 못 되여셔 반가온 졍회를

그 아니 위로ᄒ랴 록양츈풍에 희는 어이 더듸 가ᄂ 이닉 몸의 날기 업셔 한이로다 언무진셜 무궁ᄒᄂ 일필란긔ᄒ야 긋치노라 ᄒ얏더라

ᄎ시 정부인이 보기를 다ᄒ 후에 츈잉을 어로만져 대셩통곡 왈 슬프다 너의 어미를 일코 어이 살고 네 어미 죽은 혼이라도 응당 슬워ᄒ리로라 츈잉이 울며 왈 어마니 아바니 편지 ᄉ연 드르시고 엇지 아모 말ᄉᆷ을 아니 ᄒ시ᄂ니 잇가 우리 남민 살기 실ᄉ오니 밧비 다려 가소셔 ᄒ며 슬워ᄒᆷ믈 마지아니ᄒ더라 이쩌 빅공 부쳐 상의ᄒ야 왈 션군이 ᄂ려오면 결단코 죽으려 ᄒ리니 엇지 ᄒ여야 장찻 됴ᄒ리오 ᄒ며 탄식ᄒᆷ믈 마지아니ᄒ더니 노자복이 이 긔식을 알고 엿ᄌ오딕 져 즈음게 쇼상공이 룡궁으로 가실 쩌에 풍산외촉에 다다라ᄂ 쥬란화각에 치옥이 영

⟨25⟩

롱ᄒ고 지당에 연화 만발ᄒ며 동산에 모란이 셩기ᄒ야 춘식을 자랑ᄒᄂ 곳의 ᄒ 미인이 빅학으로 춤츄이민 그 동리 ᄉ람다려 무른즉 림진ᄉ딕 규슈로라 ᄒ오니 쇼상공이 ᄒ 번 바라보시고 흠모ᄒᆷ믈 마지아니ᄉ 비회 쥬져ᄒ시다가 도라오신 일이 잇ᄉ오니 소인의 쳔견에ᄂ 그딕과 셩혼ᄒ시면 쇼상공이 소원 이르믈 깃거ᄒᄉ 반다시 슉영낭ᄌ를 이즈실가 ᄒᄂ이다 빅공이 대회 왈 네 말이 가장 올토다 림진ᄉᄂ 늘과 친ᄒ지라 닉말을 괄시치 아닐 듯 ᄒ고 션군이 닙신양명ᄒ민 졍혼ᄒ기 쉬오리라 ᄒ고 즉시 발힝ᄒ야 림진ᄉ를 ᄎ져가니 하회를 분셕ᄒ라

뎨오회
션군을 위로ᄎ로 림씨와 약혼ᄒ고 민월을 죽여 원슈를 갑다

ᄎ셜 빅공이 발힝ᄒ야 림진ᄉ를 ᄎ져가니 림진ᄉ 마져 영졉ᄒ야 한헌을

필 한 미 션군의 득의 한 믈 하례 한 고 쥬과를 니 여 딕졉 한 며 왈 형이 루디에
왕림 한 시니 감 스 한 여이다 빅공 왈 형의 말이 그르도다 친우 심방이 의례 홀
일이어 늘 루디라 닐 커 르시니 도로혀 불감 한 도다 한 고 셔로 우으며 담소 한
더니 문득 빅공이 글 ٥ 딕 소제 감히 의논 홀 말삼이 잇스니 능히 웅낙 홀소냐
림진스 왈 들을만 한 면 들을 거시니 밧비 닐으라 빅공 왈 다름이 아니라
즈식이 숙영낭즈로 연분

을 미즈 금슬지락이 비홀 딕 업셔 즈식남미를 두고 션이 과거를 보라 갓더니
그스이 낭즈 홀연 득병 한 야 모월모일에 불힝이 스 한 니 져 마음도 불상 한 기
측량 업거니와 션군이 느려와 죽은 줄 알면 반다시 병이 늘 듯 한 기로 규수
를 광구 한 더니 듯스온즉 귀틱에 어진 규수 잇다 한 오미 소뎨의 몸이 비루홈
을 싱각지 못 한 고 감히 귀틱으로써 구혼 한 느니 형이 물니치지 아닐가 바라
느이다 림진스 듯기를 다 한 미 침음량구에 글 ٥ 딕 천 한 녀식이 잇스나 족히
영낭의 건질을 밧드럼즉지 아니 한 고 쏘 거년 칠월망일에 우연이 영낭을
보미 낭즈와 월궁션녀 반도진상 한 듯 한 던 비라 만일 쇼뎨 허혼 한 얏다가
영낭 ㅁ 음에 불합 한 면 녀식의 신셰 그 아니 가련 한 리오 빅공 왈 그럴리
업 느이다 한 고 직삼 쳥 한 거늘 림진스 마지못 한 야 허락 한 는 지라 빅공이 불
승대희 한 야 왈 금월 망일에 션군이 귀틱 문젼으로 지늘 거시니 그날 셩례 한
미 무방 한 니 형의 여하오 림진스 쏘흔 무방타 한 거늘 빅공이 스스에 심합 한
믈 대회 한 야 즉시 하직고 본부도 도라와 부인다려 이 스연을 젼 한 고 즉시
례물을 궃초아 납칙 한 고 빅공 부쳐 의론 왈 낭즈 죽으믈 션군이 모로고
나려올 거시오 드러와 낭즈의 형상을 보견 그 곡졀을 물을 거시니 무어시라
한 리오 빅공 왈 그 일을 바로 일을 거시 업스오니 여츳

여츳 ᄒᆞ오미 됴토다 ᄒᆞ고 셔로 약속을 졍흔 후에 션군이 ᄂᆞ려올 날을 기다려 풍산촌으로 가려 ᄒᆞ더라 각셜 이ᄯᅥ 션군이 근친 슈유를 어더 옥폐에 하직ᄒᆞ고 나려올ᄉᆡ 어ᄉᆞ복두에 쳥ᄉᆞ관ᄃᆡ를 닙고 우슈에 옥홀을 잡고 어ᄉᆞ화 빗겨 ᄭᅩᆺ고 지인창부와 리원풍악을 버려 셰우고 쳥홍기를 압셰우며 금안준마에 젼후츄죵이 옹위ᄒᆞ야 대로상으로 헌거롭게 나려오니 도로 관광ᄌᆡ 모다 칙칙칭션ᄒᆞ더라 이러탓 힝ᄒᆞ야 삼ᄉᆞ일이 되ᄆᆡ 장원이 ᄌᆞ연 마음이 비창ᄒᆞ야 잠간 쥬졈에셔 조으더니 문득 낭ᄌᆞ 몸에 피를 흘니고 완연이 문을 열고 드러와 ᄌᆞ긔 겻히 안ᄌᆞ 이연이 울며 왈 낭군이 닙신냥명ᄒᆞ야 녕화로이 ᄂᆞ려 오시니 시하에 즐겁기 측량 업거니와 쳡은 시운이 불힝ᄒᆞ야 셰상을 바리고 황텬긱이 되엿ᄂᆞᆫ지라 일젼에 낭군의 편지 ᄉᆞ연을 듯ᄌᆞ온즉 낭군이 쳡의게 향흔 ᄆᆞ음이 지극ᄒᆞ오나 ᄎᆞᆺ싱 년분이 쳔박ᄒᆞ와 발셔 유명이 헌슈ᄒᆞ얏시니 구텬의 혼빅이라도 유한이 되올지라 그러나 쳡의 원통ᄒᆞᆫ ᄉᆞ연을 아못조록 신셜ᄒᆞ옴을 낭군에게 부탁ᄒᆞᆸᄂᆞ니 바라건ᄃᆡ 낭군은 소홀이 아지 마르시고 니런 한을 푸러 쥬시면 죽은 혼빅이라도 졍흔 귀신이 되오리다 ᄒᆞ고 간ᄃᆡ업거늘 션군이 놀나ᄭᆡ니 일신에 한한이 가득ᄒᆞ고 심신이 셔늘ᄒᆞ

야 진졍치 못ᄒᆞᆯ지라 아모리 싱각ᄒᆞ야도 그 곡졀을 예탁지 못ᄒᆞᆯ지라 명효에 인마를 직쵹ᄒᆞ야 쥬야 비도ᄒᆞ야 녀러 날 만에 풍산촌에 이르러 숙소를 졍ᄒᆞ고 식음을 젼폐ᄒᆞ야 밤을 안져 기다리더니 믄득 하인이 고ᄒᆞᄃᆡ 대상공이 오신다 ᄒᆞ거늘 쥬셔 즉시 졈문에 나와 마ᄌᆞ 문후ᄒᆞ고 뫼셔 방으로 드러가ᄂᆞᆫ 안부를 뭇ᄌᆞ오니 공이 쥬져ᄒᆞ며 혼실이 무량ᄒᆞᄆᆞᆯ 이르고 션군에 과거 ᄒᆞ야 벼살흔 ᄉᆞ연을 무러 깃거ᄒᆞ며 이윽고 말삼ᄒᆞ다가 션군다려 왈 남아 현달ᄒᆞ면 량쳐를 두ᄆᆡ 고금상ᄉᆞ라 ᄂᆡ 들으니 이곳 림진ᄉᆞ의 ᄯᆞᆯ이 뇨조현슉

다 ᄒᆞ며 늬 림진ᄉᆞ에게 허락을 바닷기로 납치ᄒᆞ얏스니 이왕 이곳을 님ᄒᆞ얏
슨즉 명일에 아조 셩례ᄒᆞ고 집으로 도라가미 합당치 아니랴 ᄒᆞ니 션군은
낭ᄌᆞ 현몽ᄒᆞᆷ믈 장신장의ᄒᆞ야 심신을 졍치 못ᄒᆞ든 ᄎᆞ에 그 부친에 말삼을
듯고 헤오딕 낭ᄌᆞ에 죽을시 분명ᄒᆞ도다 반다시 이런고로 나를 긔이고 림낭
ᄌᆞ로 혼취ᄒᆞ야 날을 위로ᄒᆞ미로다 ᄒᆞ고 이의 부친게 고왈 이 말삼이 지당ᄒᆞ
시나 소ᄌᆞ에 ᄆᆞ음은 아직 급ᄒᆞ지 아니ᄒᆞ오니 늬두를 보아 졍혼ᄒᆞ야도 늣지
아니ᄒᆞ오니 다시 이르지 마옵소셔 ᄒᆞ거늘 공이 그 회심치 아님을 알고 다시
긔구치 못ᄒᆞ고 밤을 지닐ᄉᆡ 계명에 션군이 인마를 직쵹ᄒᆞ야 길에 올나 밧비
힝홀ᄉᆡ 림진ᄉᆞ 션군이 갓가히 왓시믈 알고 션군에 하쳐로 나아오

〈29〉

다가 길에셔 만나 치하ᄒᆞ며 슈어를 슈쟉ᄒᆞ고 분슈ᄒᆞᆫ 후 빅공을 만나미 빅공
이 션군에 ᄉᆞ연을 닐너 왈 ᄉᆞ셰 여ᄎᆞᄒᆞ니 잠간 기다리라 ᄒᆞ고 션군을 ᄯᆞ라오
니라 ᄎᆞ시 션군이 밧비 힝ᄒᆞ니 하속 등은 그 곡졀을 몰나 가장 의아ᄒᆞᄂᆞᆫ지라
션군이 본집에 다다러셔 부모님게 현알ᄒᆞ고 기간 존후를 뭇잡고 낭ᄌᆞ의
안부를 뭇거늘 졍부인이 아ᄌᆞ의 령화로이 도라오믈 도로혀 깃브미 업셔
ᄋᆞᄌᆞ에 뭇ᄂᆞᆫ 말을 딕답홀 기리 상막ᄒᆞ야 쥬져쥬져 ᄒᆞᄂᆞᆫ지라 션군이 쳔만
의아ᄒᆞ야 낭ᄌᆞ의 방에 드러가 보니 낭ᄌᆞ 가삼에 칼을 꼿고 누엇ᄂᆞᆫ지라 션군
이 흉격이 막혀 울음을 닐우지 못ᄒᆞ고 젼지도지 나올ᄉᆡ 츈잉이 동츈을 안고
울며 늬다라 션군에 옷ᄌᆞ락을 붓들고 왈 아바니는 엇지ᄒᆞ야 이졔야 오시오
어마니 발셔 죽어 염습도 못ᄒᆞ고 지금 그져 잇스니 ᄎᆞᆷ아 셜워 못살겟소
ᄒᆞ며 닛글고 낭ᄌᆞ방으로 드러가며 어마니 니러나오 아바니 지금 왓소 그리
쥬야로 그리워 ᄒᆞ더니 엇지 안연무심이 누엇소 ᄒᆞ고 셜어 울기를 마지ᄋᆞ니
ᄒᆞ거늘 션군이 차경을 보고 불승참연ᄒᆞ야 일장을 통곡ᄒᆞ다가 급히 졍당의
ᄂᆞ와 부모게 그 곡졀을 뭇ᄌᆞ오니 빅공이 오열ᄒᆞ고 일으딕 너 간 지 오륙일

후 일일은 낭즈의 형영이 업기로 우리 부쳐 고이 녁여 제방의 가본즉 져
모양으로 누엇스니 불승듸경ᄒ야 그 곡절을

<30>

알 길 업셔 혜아리건듸 이 필연 엇던 놈이 너 업ᄂ 줄 알고 드러가 겁칙ᄒ려
다가 칼노 낭즈를 질너 죽인가 ᄒ야 칼을 쌔히려 ᄒ니 쌔지지 아니코 신체를
움작일 길이 업셔 염습지 못ᄒ고 그겨 두어 너를 기다리미오 네게 알게
못ᄒ기ᄂ 네 듯고 병 어더 졍을 드리면 낭즈의 죽으믈 알지라도 마음을
위로홀가 싱각이 이의 밋치미라 너ᄂ 모로미 과상치 말고 넘습홀 도리나
싱각ᄒ라 션군이 차언을 들르미 의사 망연ᄒ야 엇지홀 쥴 모르고 가장 우려
침음ᄒ다가 빙소의 드러가 대셩통곡 ᄒ더니 홀연 분긔 대발ᄒ야 이의 모든
노비를 일시에 결박ᄒ야 안치고 보니 믹월도 역시 기즁의 든지라 션군이
사믹를 것고 빙소의 드러가 입루을 헷치고 본즉 낭즈에 용모와 일신이 산슈
름곳ᄒ야 조곰도 변ᄒ미 업ᄂ지라 션군이 구츅 왈 이졔 션군이 이르럿스니
이 칼이 쌔지면 원슈를 갑하 원혼을 위로ᄒ리라 ᄒ고 칼을 쌔히미 그 칼이
믄득 쌔지며 그 굼그로셔 쳥죠 ᄒ나히 나오며 울기를 믹월일닉 믹월일닉
셰번 울고 나라가더니 ᄯ 쳥조 ᄒ나히 나오며 믹월일닉 믹월일닉 ᄯ 셰번
울고 나라가거늘 그졔야 션군이 믹월에 소원 쥴 알고 불승분로ᄒ야 급히
외당의 나와 형구를 버리고 모든 노복을 ᄎ례로 장문ᄒ니 소범 업

<31>

ᄂ 비복이야 무삼 말노 승복ᄒ리오 이에 믹월을 잡아 문초홀식 간악ᄒ 년이
즉초를 아니ᄒ다가 일빅장에 이르니 비록 철셕곳튼 혈육인들 졔 엇지 능히
견듸리오 피육이 후란ᄒ고 유혈이 낭즈ᄒᄂ지라 져도 홀일업셔 긔기 승복
ᄒ며 울며 일으듸 상공이 여ᄎ여ᄎ ᄒ시기로 소비 맛춤 원통ᄒ 마음이 잇든

차에 씌을 타서 감히 간계를 힝ᄒᆞ미니 동모ᄒᆞ던 놈은 도리로소이다 션군이 노긔 츙텬ᄒᆞ야 도리를 ᄯᅩ 장문ᄒᆞ니 도리 미월에 금을 밧고 그 지휘ᄃᆡ로 힝계ᄒᆞᆫ 밧게 다른 죄ᄂᆞᆫ 업노라 ᄒᆞ며 ᄀᆡᄀᆡ 복초ᄒᆞ거늘 션군이 이의 칼을 들고 나려와 미월을 ᄒᆞᆫ 칼에 머리를 버히고 ᄇᆡ를 갈ᄂᆞ 간을 ᄂᆡ여 낭ᄌᆞ 신톄 압ᄒᆡ 노코 두어번 졔문을 읽으니 갈왓시ᄃᆡ

슬프다 셩인도 견욕ᄒᆞ고 슉녀도 봉참ᄒᆞ믄 고왕금ᄂᆡ에 비비유지라 ᄒᆞ나 낭ᄌᆞᄀᆞᆺᄒᆞᆫ 지원극통ᄒᆞᆫ 일이 셰상에 ᄯᅩ 잇스리오 오호라 이 도시 션군에 불찰이니 슈원슈구리오 오늘날 미월에 원슈ᄂᆞᆫ 갑핫거니와 낭ᄌᆞ에 화용월틱를 어ᄃᆡ 가 다시 보리오 다만 션군이 죽어 디하에 도라가 낭ᄌᆞ를 좃찰 거시니 부모에게 불효되나 나에 쳐디를 불고ᄒᆞ노라 ᄒᆞ엿더라

션군이 읽기를 맛치ᄆᆡ 신톄를 어로만져 일장을 통곡ᄒᆞᆫ 후 도리ᄂᆞᆫ 본읍에 보ᄂᆡ

〈32〉

여 졀도에 졍비ᄒᆞ니라 차간 하회ᄒᆞ라

데륙회
션군이 신원현몽ᄒᆞ야 낭ᄌᆞ 회싱상디ᄒᆞ다

지셜 이ᄯᆡ에 빅공 부쳐 션군다려 실ᄉᆞ를 이르지 아엇다가 일이 이ᄀᆞᆺ치 탈로ᄒᆞᆷ을 보고 도로혀 무식ᄒᆞ야 ᄋᆞ모 말도 못ᄒᆞ거늘 션군이 화안이셩으로 지삼 위로ᄒᆞ고 념습졔구를 쥰비ᄒᆞ야 빙소로 드러가 빙념ᄒᆞ려 홀시 신쳬 요지부동이라 홀일업셔 가인을 다 물니치고 션군이 홀노 빙소에서 축을 밝히고 누어 장우단탄 ᄒᆞ다가 어언간 잠을 드러 혼몽ᄒᆞ엿더니 문득 낭지 화복셩식으로 완연이 드러와 션군게 ᄉᆞ례 왈 낭군에 도량으로 쳡의 원슈를 갑하

주시니 그 은혜 결쵸보은 ᄒ야도 다 갑지 못ᄒ리로소이다 작일 옥뎨 됴회
바드실ᄉ 첩을 명쵸ᄒᄉ 수지져 ᄀᆯᄋ스디 네 션군과 즈연 만날 긔한이 잇거
늘 능히 춤지 못ᄒ고 삼년을 젼긔ᄒ야 인연을 미잣ᄂ 고로 인간에 ᄂ려가
익미ᄒ 일노 비명횡ᄉᄒ게 홈이니 장ᄎ 누를 한ᄒ리오 ᄒ시미 첩이 ᄉ죄ᄒ
얏고 옥뎨게 녁명ᄒ온 죄ᄂ 만ᄉ무셕이오나 그런 익을 당ᄒ오미 쥬증이
되고 또 션군이 첩을 위ᄒ야 죽고즈 ᄒ오니 바라건디 다시 첩을 세상에
니여 보니ᄉ 션군과 미진ᄒ 인연을 밋게ᄒ야 쥬옵소셔 천만 익걸ᄒ온즉
옥뎨 궁측이 녀기ᄉ 디신다려 하교ᄒᄉ 왈

⟨33⟩

슉영의 죄ᄂ 그러ᄒ여도 족히 죽계될 거시니 다시 인간에 니여보니여 미진
ᄒ 연분을 잇게 ᄒ라 ᄒ시고 염나왕에게 하교ᄒ사 왈 슉영을 밧비 노화
환토 인싱ᄒ라 ᄒ시니 염왈 이 쥬왈 하교 지츠ᄒ시니 근슈교명 ᄒ려니와
슉영이 죽어 죄를 속홀 긔한이 못되엿ᄉ오니 이 일만 지니오면 니여 보니오
리이다 ᄒ니 옥뎨계옵셔 그리ᄒ라 ᄒ시고 또 남극셩을 명쵸ᄒᄉ 슈한을
졍ᄒ라 ᄒ실ᄉ 남극셩이 팔십을 졍ᄒ여 삼인이 동일 승텬ᄒ게 ᄒ시니 첩이
옥뎨게 엿즈오디 션군과 천첩ᄲᅮᆫ이어늘 엇지 삼인이라 ᄒ시나니잇고 옥뎨
ᄀᆯᄋ스디 네히 즈연 삼인이 될 거시니 텬긔를 누셜치 못ᄒ리라 ᄒ시고 셕가
여릭를 명ᄒᄉ 즈식을 졈지ᄒ라 ᄒ신즉 여릭게셔 삼남을 졍ᄒ엿ᄉ오니 낭
군은 ᄋ직 과상치 말고 ᄋ즉 슈일만 기다리소셔 ᄒ고 문득 간디업거늘 션군
이 ᄭᅢ여 마음의 가장 창연ᄒ나 그 몽ᄉ를 싱각ᄒ고 심니에 옹망ᄒ야 수일을
기다리더니 익일을 당ᄒ야 션군이 맛춤 밧게 나갓다가 드러와 본즉 낭즈
도라 누엇거늘 션군이 놀나 신톄를 만져본즉 온긔 완연ᄒ야 싱긔 잇ᄂ지라
심즁에 디희ᄒ야 일변 부모를 쳥ᄒ야 삼춧를 다려 닙에 홀니며 수족을 주무
르니 이윽고 낭즈 눈을 ᄯᅥ 좌우를 도라 보거늘 구고와 션군의 즐겨오믈

엇지 다 측량ᄒ리오 차시 츈잉이 동츈을 안

고 낭즈에 겻히 잇다가 그 회싱ᄒ믈 보고 환텬희디ᄒ야 모친을 붓들고 반가
오미 넘처 늣기며 왈 어머니 날을 보시오 그스이 엇지ᄒ야 그리 오릭 혼몽ᄒ
엿소 낭즈 츈잉에 손을 잡고 어린다시 뭇는 말이 너의 부친이 어듸 가며
너의 남미도 잘 잇더냐 ᄒ며 몸을 움작여 이러 안즈니 상하 보는 직 뉘
아니 즐겨ᄒ리오 모든 스룸이 이 말을 듯고 모다 이르러 치히 분분ᄒ니
이로 슈응키 어렵더라 니러구러 슈일이 지나미 잔치을 빅셜ᄒ고 친척을
다 쳥ᄒ야 크게 즐길식 져인을 불너 지됴를 보며 창부로 소리를 식이매
풍악소릭 운소에 스못더라

각셜 츠시에 림진스 집에셔 숙영낭즈의 부싱ᄒ믈 듯고 납폐를 환퇴ᄒ고
달니 구혼ᄒ려 ᄒ더니 림쇼져 이 스연을 듯고 부모게 고왈 녀즈 되여 의혼납
빙ᄒ야 례폐를 바덧스면 그집 스룸이 분명흔지라 빅싱이 상처흔 줄 알고
부뫼 허락ᄒ엿더니 낭즈 깅싱ᄒ엿슨즉 국법에 량처를 두지 못ᄒ면 결혼홀
의스를 두지 못ᄒ려니와 소녀의 졍스는 밍셰코 다른 가문으로는 가지 못ᄒ
올 거시오니 그런 말삼은 다시 마르소셔 ᄒ거늘 림진스 부처 이 말을 듯고
어히업셔 불통ᄒ믈 이르고 타문에 셔랑을 광구ᄒ더니 림소져 듯고 부모게
고왈 이왕도 고ᄒ엿거니와 혼스 니럿틋 산란ᄒ오니 도시 소녀에 팔즈 긔박
ᄒ온 년괴라 비록 녀즈라도 일언이 즁

천금이라 집심이 금셕 ᄀᆺᄉ오니 종신토록 부모 슬하에 잇셔 일싱을 안락ᄒ
오면 소원일가 ᄒᄂᆞ이다 ᄒ고 스긔 엄졀흔지라 진스 부처 이 말을 드르매
쥬의를 앗지 못홀 줄 알고 타처의 의혼을 삿치다 일일은 림진스 빅공을

츠쳐보고 낭즈에 깅싱흐믈 치하흐고 인흐야 녀아의 졍스를 닐으고 탄식흐
믈 마지아니흐니 빅공이 칭스흐고 왈 아름답도다 규슈에 렬졀이여 우리로
흐야금 져의 일싱이 폐인이 될진디 우리 음덕에 휴손흐미 쏘흔 업지 아니흐
리니 장차 엇지 흐리오 츠시 션군이 시립흐야 수작흐믈 다 듯고 이의 림진스
를 디흐야 왈 귀 소져의 금옥궃튼 말을 듯스온즉 고인에 족히 붓그럽지
아니하나 기셰 량난이라 국법의 유쳐 취쳐는 잇스오나 귀 소져 엇지 질겨
남의 부실이 되고즈 흐오리잇가 님진싴 탄왈 부실을 엇지 스양흐리오 흐고
이윽이 한담흐다가 도라가니라
차셜 션군에 낭즈 침소의 드러가 림녀의 셜화로 젼흐고 닐커으니 낭즈 아름
다이 녀겨 왈 져 규슈 집심이 여츠흐니 우리 남에게 젹악이 될지라 옥뎨계셔
우리 슴인이 동일 승텬흐리라 흐엿시니 이 필연 림녀를 이르미라 아마 텬졍
을 응흐여 반다시 스혼흐실 듯 흐오니 엇지 아름답지 안이 흐리오 흔디
션군이 즉시 응락

<36>

흐고 치힝 상경흐야 옥궐의 숙스흐고 슈일이 지는 후의 림녀의 셜화를 베플
고 쏘한 낭즈의 젼후스를 세셰히 베프러 일봉 소를 지어 올닌디 상이 어람흐
시고 칭찬흐스 왈 낭즈의 일은 천고의 희한흔 비니 졍렬부인 직쳡을 주노라
흐시고 님녀의 졀기 쏘흔 아름다오니 특별이 빅션군과 결혼흐게 흐시고
슉렬부인 직쳡을 느리시니 션군이 텬은을 숙스흐고 슈유를 어더 밧비 집으
로 느려와 부모를 뵈온 후에 이 스연을 궃초고 흐고 낭즈를 보아 텬은이
여츠흐시믈 젼흐니 일가 상하 쏘흔 희열흐더라 이의 님진스 집의 츠스를
통긔흐니 진새회츌망외흐야 틱일 셩례홀시 님씨의 위의 빅부의 니르니 그
화용월틱 진짓 뇨됴숙녀라 구고 환열무이흐고 션군의 금슬지졍이 비경흐
더라 신부 구가에 머무러 효봉 구고흐고 승슌군즈흐야 낭즈로 더브러 지긔

상합ᄒ야 일시라도 쩌나기를 앗기더라 빅부의셔 츠후로 일가 화락ᄒ야 그리
릴 거시 업시 세월을 보닉더니 공에 부부 팔십 향슈ᄒ야 긔후 강건ᄒ더니
홀연 득병ᄒ야 일됴에 셰상을 바리니 싱에 부부 숩인이 이훼 과도하야 녜로
써 션산의 안장하고 싱이 숨년 시묘하니라 니러구러 광음이 홀홀하야 졍렬
은 스남 일녀를 싱하고 슉렬은 숨남 일녀을 싱하니 긔긔히 부풍 모습하야
옥인군ᄌ오 현녀슉낭이라 남가 여혼하야 ᄌ손이 션

〈37〉

션하고 가세 요부하야 만셕군 일홈을 엇고 복녹이 무흠하더니 일일은 딕연
을 빅셜하고 ᄌ녀 부손을 다리고 숩일을 질기더니 홀연 상운이 스면을 둘너
드러오며 룡에 쇼릭 진동하는 곳에 일위션관이 ᄂ려와 불너 왈 션군은 인간
ᄌ미 엇더ᄒ뇨 그딕 숩인에 상텬홀 긔약이 오날이니 밧비 가ᄌ ᄒ거늘 션군
부부 숩인이 ᄌ녀 손을 잡고 니별ᄒ고 일시에 상텬ᄒ니 향년이 팔십이러라
ᄌ녀 손드리 공즁을 향ᄒ야 망극 이통ᄒ고 의딕로써 션산에 안장ᄒ니라
일이 하긔이키로 딕강 긔록ᄒ여 후세에 젼하노라 이 아릭는 감응편이니
착실이 보이옵

숙영낭ᄌ젼 죵

別刻

淑英娘子傳

髟혹 숙영낭죠젼 (부독감응편삼젼)

뎨일회 빅션군이 련여을 차져옥연동에셔 낭죠를 맛나 셔로졉기다

화셜세종때에경상도안동ᄯᅡ히흔션빅잇스되션은빅이오명은상군이라부인졍씨로

더부러동쥬이십여년에일즉소이업셔슬허ᄒᆞ더니명산딕찰에긔도ᄒᆞ며뎡일월

셩신ᄭᅦ암축ᄒᆞ얏더니괴몸을엇고일즉ᄯᅳᆯ셩ᄒᆞ야졈ᄯᅡ라민용모쥰슈되온유

ᄒᆞ며문녀필이유여흔지라그부뷔쳔금굿치ᄉᆞ랑ᄒᆞᆼ야일홈을셔군이라ᄒᆞ고ᄯᆞᆯ를현즁

이라ᄒᆞ다졈ᄯᅡ라ᄒᆞ야판에이르민부모져갓튼비필을어더슝ᄒᆞ야주미를보고져

ᄒᆞ야넬니구혼ᄒᆞ되흔곳도ᄒᆞᆸ당혼곳이여셔미양군심ᄒᆞ더니초시ᄂᆞᆫ춘풍가졀이라션

군이셔당에셔글을닑더니ᄌᆞ연몸이곤ᄒᆞ야ᄭᅢ를의지ᄒᆞ야ᄯᅶ을시문득의흥상호낭

ᄌᆞᆼ게ᄆᆞᆯ을열고드러오딩낭군은쳡을놀나보시ᄂᆞᆫ닛가쳡이ᄉᆞ

에이르믄다롬아니라파연텬연이ᄒᆞ날에비쥬는션

오그딩눈텬상션녀어날엇지인ᄒᆡ셔군이당와나눈진셰속진이

득ᄌᆞ비를그릇죤죄로인ᄒᆞᆼ야강ᄒᆞ얏스니일후상봉홀날이잇소리이다ᄒᆞ고본

판으로로비를그릇죤죄이묘연ᄒᆞ고여향이오히려스라지ᄉᆞ아니

ᄒᆞ야경히여유소실ᄒᆞ야ᄒᆞ더니믄득서다르나남가일몽이오오히려음뷔이ᄉᆞᆯ목에

(특별)슉영낭즈뎐(대동서원 15장본)

〈特別 淑英娘子傳〉은 대동서원, 광동서국에서 1918년 발행한 구활자본이다. 1915년 초판을 발행했고, 1918년 본은 6판이다. 이 판본에서 15장(30면)으로 정리가 이루어져, 이후 발간된 구활자 이본은 모두 15장(30면)으로 발행되었다. 판본 뒤의 서지사항은 '저작겸 발행처 박건회(朴健會), 인쇄자 심우택(沈禹澤), 인쇄소 성문사(誠文社), 발행소 대동서원(大東書院), 광동서국(光東書局)'으로 되어있다. 이 책은 부록 〈감응편〉 삼권이 같이 묶여져 있다. 〈숙영낭자전〉 내용은 육회로 구분되어 이루어져 있다. 회의 구분 아래 제목이 달려 있는 것이 특징이다. 구활자본의 내용은 대동소이하며 선군과 숙영낭자, 임소저 삼인이 함께 복락을 누리다가 승천하는 것으로 결말을 맺고 있다.

출처: 국립중앙도서관 (3634-2-82(10))

〈1〉

데일회

빅션군이 쳔연을 차저 옥연동에셔 낭즈를 만나 셔로 질기다

화셜 셰종쩌에 경상도 안동쌰히 흔 션비 잇스되 셩은 빅이오 명은 상군이라 부인이 졍씨로 더부러 동쥬 이십여 년에 일기 스속이 업셔 슬허ᄒ더니 명산 되찰에 긔도ᄒ며 쳔디 일월셩신게 암츅ᄒ얏더니 긔몽을 엇고 일즈를 싱ᄒ야 졈졈 즈라민 용모 쥰슈ᄒ고 셩되 온유ᄒ며 문여필이 유여흔지라 그 부뷔 쳔금ᄀ치 익즁ᄒ야 일홈을 션군이라 ᄒ고 즈를 헌즁이라 ᄒ다 졈졈 즈라 나히 약관에 이르민 부모 저갓튼 빅필을 어더 슬ᄒ에 즈미를 보고즈 ᄒ야 널니 구혼ᄒ되 흔 곳도 합당흔 곳이 업셔 민양 근심ᄒ더니 초시는 츈풍가졀 이라 션군이 셔당에셔 글을 닑더니 즈연 몸이 곤ᄒ야 궤를 의지ᄒ야 됴을식 믄득 록의홍상 흔 낭지 지게를 열고 드러와 직비ᄒ며 겻혜 안자 닐오되 낭군은 쳡을 몰나 보시ᄂ닛가 쳡이 이에 이르믄 다름 아니라 과연 텬연이 잇기로 차져왓ᄂ이다 션군이 답왈 나ᄂ 진셰 속긱이오 그되ᄂ 텬상션녀어 날 엇지 연분이 잇다 ᄒᄂ뇨 장지 갈오되 낭군이 하날에 비 쥬ᄂ 션관으로 비를 그릇 쥰 죄로 인간에 격강ᄒ얏스니 일휴 상봉홀 날이 잇스오리이다 ᄒ고 믄득 간되업거늘 션군이 긔이히 녁여 그 종젹이 묘연ᄒ고 여향이 오히 려 스라지지 아니ᄒ야 졍히 여유소실ᄒ야 ᄒ더니 믄득 ᄽ다르니 남가일몽 이오 오히려 음용이 이목에

〈2〉

암졍졍흔 듯ᄒ더라 션군이 시일노븟터 그 낭즈의 고은 양지 안ᄒ에 버려 욕망이 란망이오 불스이즈스라 마음을 진졍치 못ᄒ야 인ᄒ야 용뫼 초최ᄒ 고 긔식이 엄엄ᄒ거늘 부뫼 그 긔식을 보고 크게 우려ᄒ야 문왈 네 병셰가

심상치 아니ᄒ니 무슴 소회 잇거든 모로미 바로 이르라 션군왈 별로 쇼회 업ᄉ오니 부모ᄂ 과려치 마르시믈 바라ᄂ이다 ᄒ고 이에 셔당으로 믈너와 고요히 누어 오직 낭ᄌ만 싱각ᄒ고 만ᄉ 무심이러니 믄득 낭지 압헤 와셔 안지며 위로 왈 낭군이 날로 말미암아 져럿툿 셩병ᄒ얏스니 엇지 첩의 마음 이 편ᄒ리잇고 이러ᄒ고로 첩의 화상과 금동자 ᄒ 쌍을 가져왓스니 이 화상 을 낭군 침실에 두고 밤이면 안고 ᄌ고 낮이면 병풍에 거러두워 심회를 덜게 ᄒ소셔 ᄒ거늘 션군이 반겨 그 손을 잡고 경히 말ᄒ고져 홀 지음에 믄득 간듸없고 씌여 본즉 화상과 동지 겻헤 노엿거늘 션군이 크게 긔이히 역여 그 동ᄌᄂ 샹우에 안치고 화상은 병풍에 거러두고 쥬야 십이시로 샹듸 ᄒ야 잇ᄂ지라 차시 각도각읍 스름이 이 쇼문을 듯고 져마다 닐오듸 빅션군 의 집에 긔이ᄒ 보비 잇다ᄒ고 각각 치단을 갓초아 가지고 닷토아 구경ᄒ니 그럼으로 가셰 졈졈 부요ᄒ나 션군은 일거월져에 다만 싱각나니 랑ᄌ라 가련타 션군이 병입골슈 ᄒ얏스니 뉘 능히 살녀낼고 이젹에 낭지 싱각ᄒᄆ 경히 션군이 날을 싱각ᄒ야 심려ᄒᄆ 이러툿ᄒ니 엇지 안연부동ᄒ리오 ᄒ 고 션군의게 현몽ᄒ야 왈 낭군이 첩을 싱각ᄒ야 셩병ᄒ얏스니 첩이 가쟝 감격ᄒ온지라 낭군듸 시녀 ᄆ월이가히 낭군의 젼질을 쇼임홀 만ᄒ온지라 아직 방수를 경ᄒ야 젹막ᄒ 심회를 위로ᄒ쇼셔 ᄒ거늘 션군이 듯기를 다 못ᄒ야 씌다

⟨3⟩

르니 침샹일몽이라 마지못ᄒ야 ᄆ월노 잉쳡을 숨아 져기 울회를 쇼챵ᄒ나 일편단심이 낭ᄌ의게 잇더라 일월노 샹ᄉ지심이 ᄒ 씌도 잇지 못ᄒ야 월명 공산에 잔나븨 수파람ᄒ고 두견은 불여귀라 슬피울 졔 쟝부의 샹ᄉᄒᄂ 간장이 구븨구븨 다 녹는다 이럿툿 달이 가고 날이 오ᄆ 쥬야 ᄉ모ᄒᄂ 병이 고황에 드ᄂ지라 그 부뫼 션군의 병이 졈졈 위즁ᄒ믈 보고 우황초조

ᄒ야 빅가지로 문복과 쳔가지의 약에 아니 미친 곳지 업스나 맛참내 득효 업스니 눈물노 셰월을 보닉더라 차시 낭지 싱각ᄒ믹 낭군의 병이 빅약이 무효ᄒ니 젼싱연분은 즁ᄒ나 속졀업시 되리로다 ᄒ고 이에 션군의게 현몽 ᄒ야 왈 우리 아직 긔약이 머럿기로 각리ᄒ얏더니 낭군이 져러툿 노심초ᄉ ᄒ믹 쳡은 심이 불편ᄒ온지라 낭군이 나를 보랴ᄒ시거든 옥연동으로 차져 오쇼셔 ᄒ고 간딕업거늘 션군이 씨여 싱각ᄒ믹 졍신이 황홀ᄒ야 향홀 바를 아지 못홀지라 이에 부모게 엿ᄌ오딕 근일 힉이 심긔 울젹ᄒ와 침식이 불 안ᄒ오믹 명산딕찰에 유람ᄒ와 수회를 소창코자 ᄒ옵ᄂᆞᆫ지라 옥연동은 산 쳔경기 졀승타 ᄒ오니 슈삼일 유람ᄒ고 즉시 도라오고자 ᄒᄂᆞ이다 부뫼 딕경왈 네 실셩ᄒ얏도다 져럿듯 셩치 못혼 아히 엇지 문밧게 나리오 ᄒ고 붓들고 노치아니ᄒᄂᆞᆫ지라 션군이 듯지 아니코 부딕 가고자 ᄒ거늘 부뫼 홀일업셔 닉 여보 닉니라 션군이 일필쳥녀를 타고 일기 셔동을 다리고 동 다히로 갈 싀 갈스록 길이 츠아ᄒ야 졍히 옥연동을 찻지 못ᄒ믹 민울혼 마음을 이긔지 못ᄒ야 하늘쎄 축수ᄒ야 왈 소소혼 명텬은 이 경상을 가련 이 녁이ᄉ 옥연동 가ᄂᆞᆫ 길을 인도ᄒ쇼셔 ᄒ고 졈졈 나아가더니 혼 곳에 다다라 셕양이 지산ᄒ고

〈4〉

셕됴투림이라 쳥산은 쳡쳡 쳔봉이오 류슈 잔잔 빅곡이라 지당에 연화 만발 ᄒ고 심곡에 모란이 셩기라 화간협무ᄂᆞᆫ 분분셜이오 유상잉비ᄂᆞᆫ 편편금이 라 층암졀벽간에 폭포슈ᄂᆞᆫ 하슈를 휘여 딘 듯ᄒ고 명ᄉ쳥계샹에 돌다리ᄂᆞᆫ 오작교와 방불ᄒ다 좌우를 고면ᄒ며 드러가니 별유텬지비인간이라 싱이 이갓치 풍경을 보믹 심신이 상쾌ᄒ야 우회등션홀 듯 희긔ᄌ연산용슈출ᄒ 야 힝심일경 드러가니 쥬란화각이 운리에 표묘ᄒ고 분벽ᄉ창은 화련됴요 ᄒ얏ᄂᆞᆫ딕 금자로 현판에 박엿스되 옥연동이라 ᄒ얏거늘 싱이 불승딕희ᄒ

야 바로 당상에 올나가니 흔 낭지 잇셔 문왈 그딕는 엇던 소긱이완딕 감히
션경을 범ᄒᆞ얏ᄂᆞ뇨 싱이 공슌이 딕왈 나는 유산긱으로셔 산쳔풍경을 탐ᄒᆞ
야 길을 일코 그릇 션경을 범ᄒᆞ얏스니 션군은 모르미 용셔ᄒᆞ쇼셔 낭ᄌᆞ 졍식
왈 그딕는 몸을 앗기거든 ᄲᆞᆯ니 나가고 지완치 말ᄂᆞ 싱이 ᄎᆞ언을 드르미
의식삭막ᄒᆞ야 헤오딕 만일 이 긔회를 일홀진딕 다시 ᄭᅴ를 만나기 어려오리
니 다시 슈작ᄒᆞ야 스긔를 탐지ᄒᆞ리라 ᄒᆞ고 졈졈 나아가 안즈며 왈 낭자는
사름을 이다지 괄시 ᄒᆞᄂᆞ뇨 낭지 쳥이불문ᄒᆞ고 방즁으로 드러가고 ᄂᆞᆯ미러
보도 아니ᄒᆞᄂᆞ지라 싱이 믄연 쥬져ᄒᆞ다가 홀일 업셔 쳥계에 ᄂᆞ려가니 낭지
그졔야 옥면화안을 화히 ᄒᆞ고 화란에 빗겨 셔셔 단슌호치를 반기ᄒᆞ고 죵용
이 불너왈 낭군은 가지 말고 ᄂᆡ 말ᄉᆞᆷ을 드르소셔 낭군은 죵시 지식이 업도다
아모리 텬졍연분이 잇슨들 엇지 일언에 허락ᄒᆞ리오 ᄒᆞ고 모로미 더딕 마지
믈 혐의치 마르시고 오르소셔 션군이 그 말을 드르매 희불자승ᄒᆞ야 이에
승당좌졍ᄒᆞ매 믄득 바라보건딕 낭자의 황용은 운간명월이 벽공에 걸넛ᄂᆞ

〈5〉

듯 틱도는 일타 모란이 흡연이 조로를 ᄯᅴ엿ᄂᆞ 듯ᄒᆞ고 일쌍츄파는 경슈갓고
셤셤셰요는 츈풍에 양류휘 드는 듯 쳡쳡쥬슌은 잉무단스를 먹으믄 듯ᄒᆞ니
쳔고무쌍이오 ᄎᆞ셰에 독보홀 졀딕가인이라 마음에 황홀는 칙ᄒᆞ야 헤오딕
오날날에 이갓튼 션녀를 딕ᄒᆞ매 금셕슈스ᄂᆞ무하이라 ᄒᆞ고 그리든 졍회를
베풀매 낭지 ᄀᆞᆯ ᄋᆞ딕 날갓튼 아녀ᄌᆞ를 스모ᄒᆞᄉᆞ 이럿툿ᄒᆞ야 병을 일우니
엇지 쟝부라 ᄒᆞ리오 그러ᄂᆞ 우리 만날 긔약이 삼년이 격ᄒᆞ얏스니 그 ᄯᅵ
쳥조로 미파를 숨고 샹봉으로 륙례를 매져 빅년동락ᄒᆞ려니와 만일 오날날
몸을 허흔즉 텬긔를 누셜ᄒᆞ미 도여 텬앙이 잇스리니 낭군은 아직 안심ᄒᆞ야
ᄯᅵ를 기다리소셔 션군왈 일각이 여삼츄라 일시인들 엇지 견딕리오 ᄂᆡ 이졔
그져 도라가면 잔명이 조셕에 잇스리니 이ᄂᆡ 몸이 죽어 황쳔긱이 될지라

낭즈의 일신인들 엇지 온전ᄒ리오 낭즈는 나의 정세를 싱각ᄒ야 그물에
걸닌 고기를 구ᄒ라 만단이결ᄒ니 낭직 그 형상을 보미 오직 가궁ᄒ지라
홀일 업셔 마음을 도로히 미옥안에 화식이 무르 녹ᄂ지라 싱이 그 옥슈를
잡고 침셕에 나아가니 운우지락을 닐운지라 그 결결ᄒ 졍을 일오 측량치
못ᄒ네라 이에 낭직 글오딕 임의 몸이 부졍ᄒ얏스니 이에 머믈지 못홀지라
랑군과 흔가지로 가리라 ᄒ고 쳥노시를 닛그러 닉여 타고 싱도 쏘흔 쳥려를
타고 병ᄒᆡᆼᄒ야 집에 도라오니 즈연 츄종이 만터라 이젹에 빅공 부뷔 션군을
닉여보닉고 넘려를 노치 못ᄒ야 노복을 스쳐로 노와 츠지되 맛춤닉 종젹을
찾지 못ᄒ야 졍히 울민ᄒ니 하회셕림ᄒ라

<h2>〈6〉</h2>

데이회

알셩과 보라 가다가 두 번이나 집에 도라오고 빅공이 수슙츠 창밧게셔 엿듯다

지셜 빅공 부뷔 션군의 종젹을 몰나 졍히 울민ᄒ더니 일일은 문젼이 들네며
션군이 홀연 어딕로 조츠오ᄂ 줄을 모르게 이르러 부모젼에 현알ᄒ거늘
빅공 부뷔 망지쇼조ᄒ야 밧비 그 손을 잡고 그스이 어닉 싸헤 유락ᄒ야
늙은 부모를 문에 의지ᄒ야 바라ᄂ 눈이 쑤러지게 ᄒ얏ᄂ뇨 ᄒ며 지ᄂ 바를
힘문ᄒ니 공직 옥연동에 가 낭즈를 만ᄂ 도라온 말을 셰셰히 고ᄒ며 일변
낭즈를 인도ᄒ야 부모께 비알ᄒ게 ᄒ니 낭직 연보를 움직여 부모게 비알ᄒ
니 공의 부뷔 쳔만몽외에 이런 긔이흔 일을 당ᄒ야 낭즈를 살펴보니 화려흔
쳬모와 아리싸온 화용이 다시 인간에ᄂ 업ᄂ지라 불승즁이ᄒ야 침소를 동
별당에 졍ᄒ니라 싱이 낭즈로 더부러 금실지락을 닐우미 슈유불리ᄒ고 학
업을 젼폐ᄒ니 빅공이 민망이 녀겨ᄒᄂ 션군을 극히 이즁ᄒᄂ고로 바려두
니라 이러구러 셰월이 물흐르ᄂ 것 갓ᄒ야 님의 팔년이 된지라 지즈 일즈

일녀를 싱ᄒ니 녀ᄌ의 일홈은 츈잉이니 방년이 칠셰라 위인이 영혜총명ᄒ고 아들의 일홈은 동츈이니 ᄂ히 습셰라 부풍 모습ᄒ야 가ᄂᆡ 화긔가 가득ᄒ야 다시 그릴 거시 업ᄂ지라 이의 동편의 졍ᄌ를 짓고 화됴월셕에 량인이 산졍에 올나 칠현금을 희롱ᄒ고 노ᄅᆡ를 화답ᄒ야 셔로 질기며 풍류ᄒ야 쳥흥이 도도ᄒ ᄉᆡ 빅공 부뷔 이 거동을 보고 두굿기를 마지안야 왈 너의 량인의 평상연분이 비경토다 ᄒ고 싱을 불너 왈 금번에 알셩과를 뵌다ᄒ니 너ᄂ 모로미 응과ᄒᄆᆡ 맛당ᄒ도다 요ᄒᆡᆼ 참방홀진ᄃᆡ 네 부뫼

〈7〉

영화롭고 ᄯ흔 됴션을 빗ᄂᆡᄆᆡ 아니되랴 ᄒ며 길을 ᄌᆡ촉ᄒ니 션군왈 우리 젼답이 슈쳔셕 직이오 노비 쳔여 인이라 심지지쇼락과 이목지소호를 임의ᄃᆡ로 홀거시어늘 무슴 부죡ᄒ미 잇셔 급졔를 바라리잇고 만일 집을 ᄯ어ᄂ오면 낭ᄌ로 더부러 리별이 되깃ᄉ오니 ᄉᆞ졍이 졀박ᄒ여이다 ᄒ고 동별당에 이르러 부친과 문답ᄉᆞ를 이르니 낭ᄌᆡ 념용ᄃᆡ왈 낭군의 말이 그르도다 남이 츌셰ᄒᄆᆡ 닙신양명ᄒ야 이현부모ᄒᄆᆡ 썻썻훈 비어늘 이졔 랑군이 규즁쳐ᄌ를 권연ᄒ야 남아의 당당훈 일을 페코ᄌ ᄒ니 이ᄂ 불효될 ᄲᆞᆫ더러 타인의 ᄭᅮ지름이 맛ᄎᆞᆷᄂᆡ 쳡의게 도라오리니 바라건ᄃᆡ 낭군은 지슴 싱각ᄒ야 과ᄒᆡᆼ을 ᄇᆞ비 ᄎᆞ려 남의 우음을 취치 마르소셔 ᄒ고 반젼을 쥰비ᄒ야 쥬며 왈 낭군이 금번 과거를 못ᄒ고 도라오면 쳡이 ᄉᆞ지 못ᄒ리니 낭군은 조금도 다른 일을 괘럼치 말고 ᄇᆞ비 발ᄒᆡᆼᄒ소셔 ᄒ거늘 싱이 그 말을 드르ᄆᆡ 언언이 졀졀훈지라 마지못ᄒ야 부모게 하직ᄒ고 낭ᄌ를 도라보아 왈 그ᄃᆡᄂ 부모를 극진 봉양ᄒ야 나의 도라오기를 기다리라 ᄒ고 ᄯ어ᄂᆞᆯᄉᆡ 훈 거름에 셔고 두 거름에 도라보니 낭ᄌᆡ 즁문에 나와 원로에 보즁ᄒ믈 당부ᄒ며 비회를 금치 못ᄒ거늘 션군이 ᄯ흔 슈식이 만안ᄒ야 울기를 마지아니코 종일토록 힝ᄒ며 겨오 숨십리를 갓ᄂ지라 슉소를 뎡ᄒ고 셕반을 올니ᄆᆡ 오직 낭ᄌ를 싱각ᄒ니

음식이 들지 아니혼지라 부득이 두어 슐을 하져호고 즉시 물니거늘 하인이
민망이 너겨 닐오딕 식ᄉᆞ를 져럿타시 간략히 ᄒᆞ시고 엇지 쳔리원뎡을 득들
ᄒᆞ려 ᄒᆞ시ᄂᆞ잇고 싱이 닐오딕 아모리 진식코자 ᄒᆞ나 자연 그러ᄒᆞ도다 ᄒᆞ니
하인이 불승민망ᄒᆞ야 ᄒᆞ더라 싱이 ᄎᆞ시 격막혼 긱관에 잇셔 심신이

〈8〉

슈란ᄒᆞ야 낭자의 일신이 겻히 안진 듯ᄒᆞ여 견이불견이오 소ᄅᆡ 들니ᄂᆞᆫ 듯
ᄉᆞ쳥불쳥이라 여좌침셕ᄒᆞ야 마음을 뎡치 못ᄒᆞᄂᆞ지라 ᄎᆞ야 이경에 신발을
들메고 집에 도라와 가만니 쟝원을 넘어 낭ᄌᆞ방에 드러가니 낭ᄌᆡ 딕경 왈
이 닐이 엇진 일이니잇고 ᄒᆞ로 길을 힝치 아니ᄒᆞ니잇가 싱왈 종일 힝ᄒᆞ야
겨오 ᄉᆞ십 리를 가셔 슉소를 뎡ᄒᆞ고 다만 싱각ᄒᆞ니 그딕ᄲᅮᆫ이라 쳡쳡혼 비회
를 바야흐로 금치 못ᄒᆞ야 음식이 들지 아니ᄒᆞ니 힝혀 로즁에서 병이 늘가
져허ᄒᆞ야 그딕로 더브러 심회를 풀고ᄌᆞ ᄒᆞ야 왓노라 ᄒᆞ고 낭ᄌᆞ의 옥슈를
닛그러 와상에 나아가 금리에 목을 더져 낭자로 더브러 종야토록 즐겨 뎡회
를 푸ᄂᆞᆫ지라 이젹에 빅공이 아자를 경셩에 보닉고 집안에 도젹을 살피려
ᄒᆞ야 쳥녀쟝을 집고 쟝원 안흐로 도라단니며 동뎡을 살피려 ᄒᆞ다가 동별당
에 다다르니 문득 낭자의 방에 남자의 말소ᄅᆡ 은은이 들니거늘 빅공이 이윽
히 듯다가 가만니 헤오딕 낭자는 빙옥지심과 숑빅지졀이 잇거늘 엇지 외간
남자를 ᄉᆞ통ᄒᆞ야 음ᄒᆞ이지ᄉᆞ를 감심ᄒᆞ리오 그러나 셰상사를 측양치 못ᄒᆞ
리라 ᄒᆞ고 가만이 ᄉᆞ챵 압히 나아가 귀를 기우리고 들은즉 낭자 이윽히
말ᄒᆞ다가 닐오딕 싀부쎄셔 밧게 와 계신가 시브니 낭군은 몸을 금침에 감초
소셔 ᄒᆞ며 다시 아희를 들닉여 왈 너희 아바니는 쟝원급뎨ᄒᆞ야 녕화로미
도라오ᄂᆞ나라 ᄒᆞ고 아희를 어루만지거늘 빅공이 크게 의심ᄒᆞ야 급히 침소
로 도라오니라 ᄎᆞ시 낭자 빅공에 녓듯는 양을 발셔 아랏ᄂᆞᆫ지라 싱다려 일오
딕 존구 챵밧게셔 엿듯고 가셧스니 낭군이 도라온 줄 아라계신지라 낭군은

첩을 유련치 마르시고 경성에 올느가 셩불셩을 불계ㅎ고 과거를 보아 부모의 바라시는

〈9〉

마음을 져바리지 마르시고 첩으로 ㅎ야곰 불민혼 시비를 면케 ㅎ소셔 싱각건틱 낭군이 첩을 스렴ㅎ야 여러 번 츌입홀 마음을 두려ㅎ미라 만일 이러홀진틱 이는 군즈의 도리 아니오 쏘 부모 아르시면 결단코 첩의게 죄칙이 느릴 듯ㅎ오니 낭군은 빅번 싱각ㅎ스 급히 상경ㅎ소셔 ㅎ며 길을 직쵹ㅎ니 션군이 듯기를 다ㅎ믹 언즉시야러라 이의 결연ㅎ믈 억졔ㅎ야 낭자를 리별ㅎ고 그 슉소로 도라오니 하인이 아직 잠을 씨지 아니ㅎ얏더라 평명에 길에 써느 겨우 십리를 가 슉소를 졍ㅎ고 월명깁창에 젹막히 안졋스니 낭즈의 형용이 안젼에 삼삼ㅎ야 잠을 일우지 못ㅎ고 쳔만가지로 싱각ㅎ믹 쏘 울결ㅎ믈 것잡지 못ㅎ야 이에 표연이 집에 도라와 낭즈의 방에 드러가니 낭즈 놀나 글오틱 낭군이 첩의 간ㅎ는 말을 듯지 아니ㅎ시고 이럿탓 왕릭ㅎ시느잇가 쳔금귀체 긱즁에셔 병을 엇으시면 엇지 ㅎ려 ㅎ시느잇가 낭군이 만일 첩을 잇지 못ㅎ시거든 후일 첩이 낭군 슉소로 차져가리이다 싱왈 낭즈는 규즁녀즈라 엇지 도로 왕릭를 임의로 ㅎ리오 낭즈 홀일업셔 강잉틱왈 회포는 푸소셔 ㅎ고 화상을 주며 왈 이 화상은 첩의 용모니 힝즁에 가졋다가 만일 빗치 변ㅎ거든 첩이 편치 못ㅎ믈 아르소셔 ㅎ고 식로이 리별홀식 추시 빅공이 마음에 고이히 녀겨 다시 동별당에 가 귀를 기우려 드른즉 쏘 남즈의 소리 분명혼지라 빅공이 닉심에 헤오틱 고이코 고이ㅎ도다 닉집이 장원이 놉고 상하이복이 번다ㅎ믹 외인이 간틱로 츌입지 못홀거시어늘 엇지 수일을 두고 낭자의 방즁에셔 남즈의 말소릭 느는고 이는 반다시 흉악혼 놈이 잇셔 낭즈로 통간ㅎ미로다 ㅎ고 쳐소로 도라와 추탄왈 낭즈의 졍결노 이런 힝

<10>

실을 ㅎ니 일노 볼진디 옥셕을 분간키 어렵도다 ㅎ고 의혹이 만단ㅎ야 유예 미결이라 이에 부인을 불너 이 스연을 닐러 왈 그 진가를 아지 못ㅎ고 의외 의 만일 불미지스가 잇스면 장츳 엇지 ㅎ리오 부인왈 상공이 잘못 드러 계시도다 현부의 힝실은 빅옥갓ㅎ며 그러홀 일이 업스리이다 이런 말을 다시 마르소셔 공왈 나도 져 일을 심히 의아ㅎ는 바니 디져 져를 불너 힐문 홀 것이로디 내 져를 졍렬혼 녀즈로 알기로 지금 젹실치 못ㅎ미 잇슬가 ㅎ야 쥬져 ㅎ얏더니 금일은 단졍코 져를 불너 힐문ㅎ야 보스이다 ㅎ고 이에 장즈를 불너 문왈 이스이 집안이 젹젹ㅎ미 내 후졍을 두루 도라 네 방 근쳐 에 이른즉 방중에서 남즈의 음셩이 은은이 들이니 내 고이히 녁여 도라와 싱각ㅎ니 그러홀 리 만무혼 고로 그 잇튼날 쏘 가셔 들은즉 전과 갓치 남즈 의 말소리 랑즈ㅎ니 이 아니 고이ㅎ냐 스싱간 즉고ㅎ라 낭즈 변식 디왈 밤이 오면 츈잉 동츈 등을 다리고 미월노 더부러 말슴ㅎ얏습거니와 엇지 외간남즈 잇셔 말슴ㅎ얏스오릿가 이는 쳔만의외지스니이다 공이 드르미 모음을 잠간 미드나 일이 고이ㅎ야 미월을 즉시 불너 문왈 네 이스이 낭즈 방에 가 스환ㅎ얏나냐 미월이 엿즈오디 소녀의 몸이 곤ㅎ기로 낭즈 방에 가지 못ㅎ얏느이다 빅공이 쳥파에 더욱 슈상이 녀겨 미월을 불너 쑤지져 왈 이스이 고이혼 일이 잇기로 놀나고 의심되여 낭즈 다려 무른즉 널노 더부러 혼가지로 자며 슈작ㅎ얏다 ㅎ고 너다려 무르니 가지아니ㅎ얏다 ㅎ 야 두 말이 갓지 아니ㅎ니 이는 낭자의 외인상통ㅎ미 젹실혼지라 너는 모로 미 착실히 살펴 왕니ㅎ는 놈을 잡아 고ㅎ라 미월이 슈명ㅎ고 아모리 쥬야로 상직혼들 그림즈도 업는 도

<11>

젹을 엇지 잡으리오 이는 부졀업시 미월노 ㅎ야곰 간계를 발케ㅎ미라 미월

이 이에 싱각ᄒ되 소상공이 낭ᄌ로 더므러 작비ᄒᆫ 후로 나를 도라보지 아니
ᄒ니 엇지 이달지 아니ᄒ리오 내 맛당히 이ᄯᆷ를 타셔 낭ᄌ를 소졔ᄒ리라
ᄒ니 필경 엇지 된고 환히를 분셕ᄒ라

뎨삼회
미월의 음히로 도리를 동별당으로 인도ᄒ야 루명을 씨우다

ᄎ셜 미월이 본디 이 ᄯᆷ를 타 낭ᄌ를 소졔ᄒ야 결단코 나의 젹년 단장ᄒ던
원을 풀나라 ᄒ고 금은 슈쳔 양을 도젹ᄒ야 가지고 무뢰악소년을 모와 의론
왈 뉘 가히 나를 위ᄒ야 묘계를 힝ᄒ면 이 은ᄌ 슈쳔 양을 줄거시니 렬위즁
에 뉘 가히 힝ᄒ고 그 즁에 ᄒᆫ 놈이 팔을 쏩니며 내 당ᄒ리라 ᄒ니 셩명은
도리라 본디 셩졍이 흉완ᄒ고 가졍 호방ᄒᆫ 놈이러니 ᄎ언을 듯고 지물을
탐ᄒ야 쾌혜 응낙ᄒ고 니다른 비라 미월이 깃거 도리를 잇글고 죵용ᄒᆫ 곳으
로 가 닐오디 내 다른 ᄉ졍이 아니라 우리 쇼상공이 나를 소실노 두어 졍을
두터이 ᄒ더니 낭ᄌ로 더부러 작비ᄒᆫ 후로 이제 팔년이 되도록 ᄒᆫ 번도
도라보지 아니니 나의 ᄆᆞ음이 엇지 분연치 아니ᄒ리오 실노 낭ᄌ를 음히ᄒ
야 설치코ᄌ ᄒ나니 그디ᄂᆞᆫ 나의 말을 명심ᄒ야 나의 지휘디로 ᄒ라ᄒ니
도리 언언 응낙ᄒ거늘 미월이 ᄎ야에 도리를 다리고 동별당에 드러가 후문
을 열고 밧게 셰우며 왈 그디ᄂᆞᆫ 여긔 잇스라 니 상공 쳐소에 드러가 여ᄎ여
ᄎᄒ면 상공이 필연분로ᄒ야 그디를 잡으라 홀 거시니 그디ᄂᆞᆫ 낭ᄌ의 방즁
으로셔 나오ᄂᆞᆫ 쳬ᄒ고 문을 열고 나가되 부디 소홀이 말나 ᄒ고 급히 빅공게
나아가 고ᄒ되 상공이

⟨12⟩
소첩으로 ᄒ야금 동별당을 슈직ᄒ라 ᄒ시미 밤마다 살피옵더니 금야에 과

연 엇던 놈이 드러가 랑즈와 더부러 희락이 낭즈ᄒ옵기로 감히 아니 고치
못ᄒ오ᄆ 대강 들은듸로 고ᄒ오리이다 쇼첩이 고이ᄒ 긔식을 보고 진가를
알녀ᄒ야 낙함 뒤에 가 여어듯ᄉ온즉 낭지 그놈 다려 이르기를 쇼상공이
오시거든 즉시 죽인 후 직물를 도적ᄒ야 가지고 다라나 ᄒᄆ게 살즈 ᄒ온즉
듯기에 ᄒ 슴직ᄒ온지라 이런 말슴을 듯고 엇지 안져셔 참혹ᄒ온 광경을
보리잇고 이런 바 대강을 고ᄒ나이다 빅공이 듯기을 다 못ᄒ야 분긔딕발ᄒ
야 칼을 가지고 문을 열며 ᄂ다르니 과연 엇던 놈이 문득 낭즈ᄒ 방으로셔
문을 열고 쒸여 ᄂ다라 장원을 너머 도망ᄒ거늘 공이 불승대로ᄒ야 도적을
실포ᄒ고 ᄒ일업셔 쳐소로 도라와 밤을 시올ᄉᆡ 미명에 비복 등을 불너 좌우
에 셰우고 ᄎ례로 엄문ᄒ야 왈 내 집이 장원이 놉고 외인이 임의로 출입지
못ᄒ거늘 너희놈 중에 엇던 놈이 감히 낭즈와 ᄉ통ᄒ고 종실 직초ᄒ라 ᄒ며
랑자을 잡아오라 ᄒ니 미월이 먼져 ᄂ다라 동별당에 가 문을 열고 소리를
크게 질너 왈 랑즈는 무슴 잠을 깁히 드럿나뇨 지금 상공쎄셔 랑즈를 잡아오
라 ᄒ시니 밧비 가보쇼셔 랑즈 놀라 문왈 이 심야에 엇지 이리 요란이 구나
뇨 ᄒ고 문을 열고 보니 비복 등이 문밧게 가득ᄒ얏거늘 랑즈왈 무슴 일이
잇나냐 노복이 듸왈 랑즈는 엇던 놈과 통간ᄒᄂᆞᆫ가 임의ᄒ 우리 등으로 즁장
을 밧게 ᄒ나뇨 아등을 ᄭᅮ지람 들니지 말고 어셔 밧비 가ᄉᆡ다 ᄒ며 구박이
틱심ᄒ거늘 랑즈 쳔만 몽ᄆᆡ밧 이 말을 드르니 혼빅이 비월ᄒ고 간담이 셔늘
ᄒ야 엇지ᄒ 줄 모르는 중 직쵹이 와셩갓튼지라 급히 상공 압헤 나아가
복지쥬왈 쳡이

〈13〉

무슴 죄 잇습건듸 이 디경에 이르나니잇고 공이 대로왈 슈일 젼에 여ᄎ여ᄎ
슈상ᄒ 일이 잇기로 너다려 무른즉 네 말이 낭군이 ᄶᅥ는 후 젹막ᄒ기로
미월노 더부러 담화ᄒ얏다 ᄒᄆᆡ ᄂ 반신반의ᄒ야 미월을 불너 치문ᄒ즉

제 디답이 일졀 네 방에 가지 아니ᄒ얏다 ᄒ니 필연곡졀이 잇ᄂ 일이기로 ᄌ셰히 긔찰흔즉 엇던 놈이 여ᄎ여ᄎ ᄒ시 분명ᄒ거늘 네 무슴 낫츨 들고 감히 발명코ᄌ ᄒᄂ뇨 랑ᄌ 울며 발명ᄒ되 공이 엇지 무언을 고지 드르시나뇨 흔딕 공이 딕질왈 내 귀로 친히 듯고 눈으로 본 일이라 네 종시 긔망ᄒ니 엇지 통히치 아니ᄒ리오 량반의 집에 이런 일이 잇기ᄂ 큰 변이라 상통ᄒ든 놈의 셩명을 쎌니 고ᄒ라 ᄒ며 호령이 셔리갓흔지라 랑ᄌ 안식이 씩씩ᄒ야 왈 아모리 육례 빅량으로 맛지 못흔 며나리라 ᄒᄉ 이런 말슴을 ᄒ시나니잇가 발명 무로오나 셰셰히 통촉ᄒ야 보옵소셔 이 몸이 비록 인간에 잇ᄉ온들 쳡의 빙옥갓튼 졍졀로 더러온 말삼을 듯ᄒ오릿가 영쳔슈가 머러 귀를 씻지 못ᄒ오미 흔이 되옵ᄂ니 다만 죽어도 모르고ᄌ ᄒ옵ᄂ이다 공이 익익딕로 ᄒ야 계하에 안치니 그 경상이 참불인견이러라 공이 딕셩즐왈 네 죄상은 만ᄉ무셕이니 ᄉ통ᄒ던 놈을 밧비 이르라 ᄒ고 믹를 드러 치니 빅옥갓튼 귀밋히 흐르ᄂ니 눈물이오 옥ᄀᄐ 일신에 소ᄉᄂ니 류혈이라 랑ᄌ ᄎ시를 당ᄒ야 홀일업셔 졍신을 찰혀 왈 향ᄌ 낭군이 쳡을 잇지 못ᄒ야 발ᄒᆼᄒ든ᄂᆯ 겨오 삼십리를 가 숙소ᄒ고 밤에 도라와 단여간 후 쏘 이튼ᄂᆯ 밤에 왓습기로 쳡이 한ᄉᄒ고 간ᄒ야 보낼ᄉᆡ 어린 소견에ᄂ 혹 구고게 견칙이 잇슬

〈14〉

가 져허ᄒ야 낭군 거취를 은휘ᄒ야 낭보닛습더니 조물이 무이 녁이고 귀신이 싀기ᄒ야 가히 씻지 못ᄒ올 루명을 닙ᄉ오니 발명 무로오나 구만 리 명텬은 찰시ᄒ옵ᄂ니 통촉ᄒ옵소셔 빅공이 졈졈 딕로ᄒ야 집장노복을 호령ᄒ야 믹믹 고찰ᄒ야 칠 ᄉᆡ 낭ᄌ 홀일업셔 하늘을 우러닐 통곡왈 유유창텬은 무죄흔 이ᄂ 몸을 구버 살펴옵소셔 오월비상지원과 십년불우지원을 뉘라셔 푸러닉리오 ᄒ고 이의 업더져 긔식ᄒ거늘 죤고 졍시 그 형상을 보고 울며 빅공다려 왈 옛말에 일너스되 그릇셰 물을 업치고 다시 담지 못ᄒ온다

호오니 상공은 주세히 보지 못호고 빅옥무하흔 졀부를 무단이 음힝호다
호고 포박호미 여츠호시니 엇지 가히 후회지탄이 업수오리잇고 호고 나리
다라 랑주를 안고 딕셩통곡 왈 너의 슝빅지졀은 닉 아는 비라 오늘늘 이
경상은 몽믹에도 싱각지 못흔 일이니 엇지 지원극통치 아니리오 낭지 울며
딕왈 옛말에 음힝지셜은 신셜키 어렵다 호오니 동히슈룰 기우려 씻지 못홀
루명을 엇고 엇지 루루히 살기를 도모호리잇고 호고 통곡호기를 마지아니
호니 졍시 만단기유호되 낭지 종시 듯지 아니호고 문득 옥잠을 쌔혀 들고
하늘게 결호며 축왈 지공무스호신 황텬은 구버 살피소셔 쳡이 만일 외인으
로 통간흔 일이 잇거든 이 옥잠이 쳡의 가슴에 박히고 만일 익미호옵거든
옥잠이 셤돌에 박히소셔 호며 옥잠을 공즁에 더지고 업대엿더니 옥잠이
나려오며 셤돌에 박히는지라 그졔야 상히 다 대경실식호야 크게 신긔히
녁이며 낭주에 원억호믈 알더라 빅공이 추경을 보고 부지불각에 나리다라
낭주의 손을 잡고 비러왈 늙으니 지식이 업셔 착흔 며느리를 모로고 망녕된
거조를 호얏

〈15〉

스니 그 명졀을 모르고 니러틋 호미라 내 허물은 만번 죽어도 속지 못홀
빈니 바라건딕 현부는 나의 허물을 용셔호고 안심호라 낭주 이연 통곡왈
쳡이 가업는 루명을 싯고 셰상에 머므러 쓸딕업는지라 이졔 죽어 아황녀영
의 혼령을 줏치려 호느이다 호고 종시 살 뜻이 업셔 호거늘 빅공이 위로왈
주고로 현인군주 혹 참소를 맛나며 슉녀현부도 혹 루명을 엇느니 현부는
또흔 일시 운익이라 너무 고집지 말고 로부의 무류호믈 싱각호라 호니 졍시
낭주를 붓드러 동별당으로 가 위로홀시 낭지 흐르느니 눈물이오 지나니
한숨이라 이의 부인쎄 고왈 쳡갓튼 계집이라도 악명이 셰상에 낫타나고
엇지 붓그럽지 아니호리오 낭군이 도라오면 상딕홀 낫이 업수오리니 다만

죽어 셰샹을 모르고쟈 ᄒᆞ나이다 ᄒᆞ며 진쥬갓튼 눈물이 옷깃을 젹시거늘
부인이 그 참혹ᄒᆞᆫ 거동을 보고왈 낭직 죽다ᄒᆞ면 아지 결단코 쏘ᄒᆞᆫ 싸라
죽을 거시니 이런 답답ᄒᆞᆫ 일이 어듸 잇스리오 ᄒᆞ며 침소로 도라가니라 이
ᄯᅥ에 츈잉이 그 모친 형샹를 보고 울며 왈 모친은 죽지 말고 부친이 도라오
시거던 원통ᄒᆞᆫ 수정이나 ᄒᆞ고 죽으나 사나 ᄒᆞ옵소셔 모친이 불ᄒᆡᆼᄒᆞ면 동춘
을 엇지ᄒᆞ며 나ᄂᆞᆫ 누를 밋고 살나 ᄒᆞ오 모친의 손을 잡고 방으로 드러가기를
권ᄒᆞ니 낭직 마지못ᄒᆞ야 방으로 드러가 츈잉을 겻히 안치고 동춘을 졋먹이
며 치복을 ᄂᆡ여 닙고 슬허왈 츈잉아 나ᄂᆞᆫ 죽으리라 ᄒᆞ니 낭자의 수싱이
하여오 분셕ᄒᆞ라

〈16〉

뎨사회

낭자 루명을 씨스려 스스로 죽고 션군이 쟝원ᄒᆞᆫ 후 보모 젼샹셔ᄒᆞ다

ᄎᆞ셜 낭즈 슬허왈 츈잉아 나ᄂᆞᆫ 죽으리로다 너의 부친이 쳔리 밧게 잇셔
나 죽ᄂᆞᆫ 날을 모르니 속졀업시 나의 마음 둘듸업다 츈잉아 이 빅학션은
진짓 텬ᄒᆞ긔보라 치우면 더운 긔운이 나고 더우면 셔늘ᄒᆞᆫ 긔운이 나ᄂᆞ니
잘 간슈ᄒᆞ엿다가 동춘이 즈라거든 젼ᄒᆞ야라 슬프다 홍진비리와 고진감ᄅᆡ
ᄂᆞᆫ 셰간샹ᄉᆞ라 ᄒᆞ나 나의 팔즈 긔험ᄒᆞ야 쳔만몽미 밧 루명을 실고 너의
부친을 다시 보지 못ᄒᆞ며 황텬긱이 되니 엇지 눈을 감으리오 가련타 츈잉아
나 죽은 후 과도히 슬허 말고 동춘을 보호ᄒᆞ야 잘 잇스라 ᄒᆞ며 누쉬여우ᄒᆞ며
긔졀ᄒᆞᄂᆞᆫ지라 츈잉이 모친을 붓들고 낫츨 듸여 늣기며 ᄒᆞᄂᆞᆫ 말이 어머니
이 말슴이 왼말이오 어머니 우지마오 어머니 우ᄂᆞᆫ 소리의 ᄂᆡ 간쟝이 믜여지
오 어머니 우지마오 ᄒᆞ며 방셩듸곡ᄒᆞ다가 긔진ᄒᆞ야 잠을 들거늘 낭즈 지원
극통ᄒᆞᆷ믈 이긔지 못ᄒᆞ야 분긔흉즁에 가득ᄒᆞ민 아모리 싱각ᄒᆞ야도 죽어 구

텬지하에 도라가 루명을 씻는거시 올타 ᄒ고 ᄯᅩ 아ᄒᆡ드리 이러나면 분명
죽지 못ᄒ게 ᄒ리라 ᄒ고 가만히 츈잉을 어루만져 오라 불상ᄒ다 츈잉아
나를 그리워 어이 살니 가련ᄒ다 동춘아 늬 너의 량아를 두고 엇지 가리
ᄋᆡ들다 나 가는 십왕이나 가르쳐 주려무나 슬푸믈 니기지 못ᄒ야 금침을
도도고 셤셤옥슈로 드는 칼을 드러 가슴을 질너 죽으니 문득 틱양이 무광ᄒ
고 텬지 혼흑ᄒ며 천동소리 진동ᄒ거늘 츈잉이 놀나 ᄭᆡ여 보니 모친의 가슴
에 칼을 꼿고 누엇거늘 급히 소소로져 보고 되경실ᄉᆡᆨ ᄒ야 칼을 ᄲᅢ

〈17〉

히려 ᄒ니 ᄲᅢ지지 아니커늘 츈잉이 모친의 낫츨 다히고 방셩되곡왈 어머니
이러나오 이런 일도 ᄯᅩ 잇는가 하ᄂᆞ님도 무심ᄒ다 가련ᄒ다 어마니여 우리
남ᄆᆡ를 두고 어ᄃᆡ로 가시며 우리 남ᄆᆡ 누를 의지ᄒ야 살나ᄒ오 동츈이가
어마니를 ᄎᆞ즈면 무삼 말노 달닉리오 어마니는 참아 못ᄒᆞᆯ 노릇도 ᄒ오 ᄒ며
호텬고디ᄒ며 망극ᄋᆡ통ᄒ니 그 잔잉참졀ᄒᆫ 졍상을 볼진되 철셕 간장이라
도 눈물을 흘닐거시오 토목심장이라도 가히 슬허ᄒᆞᆯ 비라 빅공부쳐와 노복
등이 드러와 살펴본즉 낭지 가삼에 칼을 꼿고 누엇거늘 창황망조ᄒ야 칼을
ᄲᅢ히려 ᄒᆞᄂᆞ 죵시 ᄲᅢ지지 아니ᄒᄂᆞᆫ지라 아모리 ᄒᆞᆯ 줄 모로고 다만 곡셩이
진동ᄒ니 이 ᄯᆡ 동츈이 어미 죽으믈 모르고 졋만 먹으려 ᄒ고 몸을 흔들며
우니 츈잉이 달닉여 밥을 주어도 먹지 아니ᄒ고 졋만 먹으려 ᄒ거늘 츈잉이
동춘을 안고 울며 일르되 우리 남ᄆᆡ도 어마니와 ᄀᆞᆺ치 죽어 디하에 도라가ᄌᆞ
ᄒ고 ᄋᆡ호통곡ᄒ니 그 형상을 참아 보지 못ᄒᆞᆯ네라 삼ᄉᆞ일 후에 공의 부쳐
의론ᄒ되 낭ᄌᆞ 이럿타 참혹히 죽엇스니 아자 도라와 낭ᄌᆞ의 가삼을 보면
필경 우리 모ᄒᆡᄒ야 죽인줄노 알고 제 ᄯᅩᄒᆞᆫ 죽으려 ᄒᆞᆯ거시니 아ᄌᆞ 오기
젼에 낭ᄌᆞ의 신체나 밧비 영장ᄒ야 엄젹ᄒᆞ미 올타ᄒ고 공의 부쳐 낭ᄌᆞ 방에
드러가 쇼렴ᄒ려 ᄒᆞᆫ즉 ᄯᅩᄒᆞᆫ 이상ᄒ야 신체가 조금도 움직이지 아니ᄒ니

즁인이 다다드러 아모리 운동ᄒ려도 신톄 싸에 붓고 움직이지 아니ᄒ니 무가ᄂᆡ하라 빅공이 도로혀 우민ᄒ야 초조ᄒ더라 ᄎᆞ셜 션군이 낭ᄌᆞ의 간언으로 좃차 마음을 구지 잡아 경ᄉᆞ로 올나가 쥬인을 졍ᄒ고 과일을 기다려 당ᄒ니 팔도 션비 운집ᄒᆞᄂᆞᆫ지라 싱이 ᄯᅩ흔 시지를 엽헤 ᄭᅵ고 츈당ᄃᆡ에 드러가 현졔판을

〈18〉

바라본즉 글졔를 거럿ᄂᆞᆫ지라 일필휘지ᄒ야 션쟝ᄒ니 차시 샹이 수만 쟝 시젼을 드려보시다가 싱의 글에 다다라ᄂᆞᆫ 칭찬ᄒᆞ사 왈 차인의 글을 보니 무톄ᄂᆞᆫ 리빅이오 필법은 조밍보라 ᄒ시고 ᄌᆞᄌᆞ비졈에 귀귀관주를 주시며 쟝원을 식이시고 비봉을 ᄶᅥ이시니 경샹도 안동 거ᄂᆞᆫ 빅션군이라 ᄒᆞ얏거늘 샹이 신리를 직쵹ᄒᆞᄉᆞ 슈삼차 진퇴ᄒ시고 승졍원 쥬셔를 ᄒ이시니 니션군이 ᄉᆞ은슉비ᄒ고 졍원에 님직ᄒ얏더니 과거흔 긔별을 집에 젼흘 ᄲᆞᆫ더러 낭ᄌᆞ를 리별흔지 오리ᄆᆡ 회포간졀흔지라 밧비 노ᄌᆞ로 ᄒ야금 부모게 샹셔ᄒ고 낭ᄌᆞ에게 평셔를 붓치니 노ᄌᆞ 여러 날만에 본집에 이르러 글월을 올니니 빅공이 급히 ᄶᅥ히ᄆᆡ ᄒ얏ᄉᆞ되 소지 쳔은을 닙ᄉᆞ와 쟝원급졔ᄒ야 승졍원 쥬셔를 ᄒ와 방금 닙직ᄒ엿ᄉᆞ오니 감츅무디ᄒᆞ온지라 도문일ᄌᆞᄂᆞᆫ 금월 망간이 되올 거시오니 그리 아옵소셔 ᄒ얏고 낭ᄌᆞ에게 온 편지를 졍부인이 가지고 울며왈 츈잉 동츈아 이 편지ᄂᆞᆫ 네 아비가 네 어미에게 흔 편지니 갓다가 잘 간수ᄒ라 ᄒ고 방셩ᄃᆡ곡ᄒ니 츈잉이 편지를 가지고 빙소에 드러가 신쳬를 혼들며 편지를 펴들고 낫츨 다히고 울며 왈 어마니 이러나오 아바지게셔 편지 왓소 아바지가 쟝원ᄒ야 승졍원 쥬셔를 ᄒ얏다 ᄒ니 엇지 이러나 즐기지 아니ᄒ고 어마니가 아바지 쇼식을 몰ᄂᆞ 쥬야 근심ᄒ시더니 금일 편지 왓건마ᄂᆞᆫ 엇지 반기지 아니ᄒᆞ시ᄂᆞ니잇가 ᄂᆞᄂᆞᆫ 글을 못보기로 어마니 혼령 압헤셔 넑어 외지 못ᄒᆞ오니 답답ᄒᆞ야이다 ᄒ고 조모를 넛그러

왈 이 편지를 가지고 어마니 신령 압히셔 넑어 들니면 어마니 혼령이라도 감동홀 듯 ᄒ외다 ᄒ거늘 졍부인이 마지못ᄒ야 낭ᄌ 빈쇼에 가셔 편지를 넑으

니 기셔에 왈

쥬셔 빅션군은 흔 쟝 글월을 낭ᄌ 좌하에 붓치ᄂᆞ니 그 ᄉ이 량위 존당 뫼시고 평안ᄒ시며 츈잉 동츈도 무량ᄒ니잇가 복은다힝이 룡문에 올ᄂᆞ 일홈이 환조에 현달ᄒᆞ오니 텬은이 망극ᄒᆞ오ᄂᆞ 다만 그딕를 리별ᄒ고 쳔리 밧게 잇셔 ᄉ모ᄒᆞᄂᆞᆫ 마음 간결ᄒ도다 욕망이 란망ᄒ니 그딕의 용모 눈에 암암ᄒ고 불ᄉ이ᄌᄉᄒ니 그딕의 셩음이 귀에 징징ᄒ도다 월식이 만뎐ᄒ고 두견이 슬피 울 졔 출문ᄒᆞ야 고향을 바라보니 운산은 만즁이오 록슈ᄂᆞᆫ 쳔리로다 시벽둘 찬바람에 외기러기 울고 갈 제 반가온 낭ᄌ의 쇼식을 기다리더니 창망흔 구름 밧게 쇼슬흔 풍경쑨이로다 긱창의 실술이 살ᄂᆞ니 운우 양딕에 초곡도 소소ᄒ다 슬프다 홍진비 릭ᄂᆞᆫ 고금상ᄉ라 낭ᄌ의 화상이 이ᄉ이 날노 변식ᄒ니 무삼 연괴 잇스미라 좌불안셕이오 침식이 불편ᄒ니 이아니 가련ᄒ기 일각이 여삼츄ᄒᆞᄂᆞᆫ 환조의 믹인 몸이 뜻과 ᄀᆞᆺ지 못ᄒ도다 비쟝방의 션죽쟝을 어덧스면 됴셕 왕릭 ᄒ련마ᄂᆞᆫ 홀일업고 홀일업다 바라ᄂᆞ니 낭자로다 공방독 슉 셜워말고 안심ᄒ야 지닉면 몃날이 다 못되여셔 반가온 졍회를 그아 니 위로ᄒ랴 록양츈풍에 히ᄂᆞᆫ 어이 더듸 가ᄂᆞ 이닉 몸의 날기업셔 한이로다 언무진셜 무궁ᄒᆞᄂᆞᆫ 일필란긔ᄒ야 긋치노라 ᄒ얏더라

차시 졍부인이 보기를 다흔 후에 츈잉을 어루만져 대셩통곡 왈 슬프다 네

어미를 일코 어이 살고 네 어미 죽은 혼이라도 응당 슬워ᄒ리로다 츈잉이
울며 왈 어마니 아바니 편지 스

〈20〉

연 드르시고 엇지 아모 말슴을 아니ᄒ시ᄂ니잇가 우리 남민 살기 실스오니
밧비 다려가소셔 ᄒ며 슬워ᄒᄆᆯ 마지아니ᄒ더라 이ᄯᅥ 빅공부체 상의ᄒ야
왈 션군이 ᄂ려오면 결단코 죽으려 ᄒ리니 엇지ᄒ여야 장찻 됴ᄒ리오 ᄒ며
탄식ᄒᄆᆯ 마지아니ᄒ더니 노자 복이 이 긔식을 알고 엿ᄌ오ᄃᆡ 져 즈음에
쇼상공이 룡궁으로 가실 ᄯᅢ에 풍산외촉에 다다라ᄂ 쥬란화각에 치옥이 영
롱ᄒ고 지당에 연화만발ᄒ며 동산에 모란이 셩기ᄒ야 춘식을 자랑ᄒᄂ 곳
의 ᄒ 미인이 빅학으로 춤츄이미 그 동리 스람다려 무른즉 림진ᄉᄃᆡ 규슈로
라 ᄒ오니 쇼상공이 ᄒ번 바라보시고 흠모ᄒᄆᆯ 마지아니ᄉ 비회쥬저 ᄒ시
다가 도라오신 일이 잇스오니 소인의 쳔견에ᄂ 그딕과 셩혼ᄒ시면 쇼상공
이 소원이르믈 깃거ᄒᄉ 반다시 숙영낭자를 이즈실가 ᄒᄂ이다 빅공이 대
희왈 네 말이 가장 올토다 림진ᄉᄂ 늘과 친ᄒ지라 ᄂᆡ말을 괄시치 아닐
듯ᄒ고 션군이 닙신양명ᄒᄆᆯ 구혼ᄒ기 쉬우리라 ᄒ고 즉시 발힝ᄒ야 림진
ᄉ를 차져가니 하회를 분석ᄒ라

뎨오회
션군을 위로차로 림씨와 약혼ᄒ고 미월을 죽여 원슈를 갑다

차셜 빅공이 발힝ᄒ야 림진ᄉ를 차져가니 림진시 마져 영졉ᄒ야 한헌을
필ᄒᄆᆡ 션군의 득의ᄒᄆᆯ ᄒ례ᄒ고 쥬과를 ᄂᆡ여 ᄃᆡ졉ᄒ며 왈 형이 루디에
왕림ᄒ시니 감스ᄒ여이다 빅공왈 형의 말이 그르도다 친우심방이 의례ᄒ
일이어늘 루디라 닐커르시니 도로혀 불감ᄒ도다 ᄒ고 셔로 우으며 담소ᄒ

더니 문득 빅공이 글으디 소졔 감히 의논홀 말삼이 잇스

니 능히 응낙홀소냐 림진스 왈 들을만ᄒ면 들을 거시니 밧비 닐으라 빅공왈 다름이 아니라 자식이 숙영낭자로 연분을 미자 금슬지락이 비홀디 업셔 자식 남미를 두고 션이 과거를 보라 갓더니 그스이 낭자 홀연 득병ᄒ야 모월 모일에 불힝이 스ᄒ니 져 마음도 불상ᄒ기 측량업거니와 션군이 나려 와 죽은 줄 알면 반다시 병이 늘 듯 ᄒ기로 규수를 광구ᄒ더니 듯스온즉 귀틱에 어진 규수 잇다 ᄒ오미 소뎨의 몸이 비루홈을 싱각지 못ᄒ고 감히 귀틱으로써 구혼ᄒᄂ니 형이 물니치지 아닐가 바라ᄂ이다 림진시 듯기를 다ᄒ미 침음량구에 글으디 쳔ᄒ 녀식이 잇스나 족히 영낭의 건질을 밧드럼 즉지 아니ᄒ고 또 거년 칠월망일에 우연이 연낭을 보미 낭자와 월궁션녀 반도를 진상ᄒ 듯ᄒ던 비라 만일 소뎨 허혼ᄒ얏다가 영낭 ᄆ음에 불합ᄒ면 녀식의 신셰 그아니 가련ᄒ리오 빅공왈 그럴리 업ᄂ이다 ᄒ고 직삼 쳥ᄒ거 늘 림진시 마지못ᄒ야 허락ᄒ난지라 빅공이 불승대희ᄒ야 왈 금월 망일에 션군이 귀틱문젼으로 지늘거시니 그날 셩례ᄒ미 무방ᄒ니 형의여하오 림 진시 또한 무방타 ᄒ거늘 빅공이 스스에 심합ᄒ믈 대희ᄒ야 즉시 하직고 본부로 도라와 부인다려 이 스연을 젼ᄒ고 즉시 례물을 굿초아 납치ᄒ고 빅공부쳬 의론왈 낭자 죽으믈 션군이 모로고 나려올 거시오 드러와 낭자의 형상을 보면 그 곡졀을 믈을거시니 무어시라 ᄒ리오 빅공왈 그 일을 바로 일을 거시 업스오니 여차여차 ᄒ오미 묘토다 ᄒ고 셔로 약속을 졍ᄒ 후에 션군이 ᄂ려올 날을 기다려 풍산으로 가려ᄒ더라
각셜 이 찍 션군이 근친 슈유를 어더 옥폐에 하직ᄒ고 나려올시 어스복두에 쳥스관디를

닙고 우슈에 옥홀을 잡고 어스화 빗겨 좃고 직인창부와 리원풍악을 버려
셰우고 청홍기를 압셰우며 금안쥰마에 젼후츄죵이 옹위ㅎ야 대로상으로
헌거룹게 나려오니 도로 관광직 모다 칙칙 칭션ㅎ더라 이러탓 힝ㅎ야 삼스
일이 되민 장원이 자연 마음이 비창ㅎ야 잠간 쥬졈에셔 조으더니 믄득 낭자
몸에 피를 흘니고 완연이 문을 열고 드러와 자긔 겻히 안자 이연이 울며
왈 낭군이 입신양명ㅎ야 녕화로이 느려오시니 시하에 즐겁기 측량업거니
와 쳡은 시운이 불힝ㅎ야 셰상을 바리고 황텬긱이 되엿ᄂ지라 일젼에 낭군
에 편지 스연을 듯자온즉 낭군이 쳡의게 향ㅎᆫ 므음이 지극ㅎ오나 차싱 연분
이 쳔박ㅎ와 발셔 유명이 현수ㅎ얏시니 구텬의 혼빅이라도 유한이 되올지
라 그러나 쳡의 원통ㅎᆫ온 스연을 아못조록 신셜ㅎ옴을 낭군에게 부탁ㅎ옵
ᄂ니 바라건딕 낭군은 소홀이 아지 마르시고 이런 한을 푸러쥬시면 죽은
혼빅이라도 졍ᄒᆫ 귀신이 되오리라 ㅎ고 간딕업거늘 션군이 놀나 씨니 일신
에 한한이 가득ㅎ고 심신이 셔늘ㅎ야 진졍치 못홀지라 아모리 싱각ㅎ야도
그 곡졀을 예탁지 못홀지라 명효에 인마를 직쵹ㅎ야 쥬야 빅도 ㅎ야 여러날
만에 풍순촌에 이르러 숙소를 졍ㅎ고 식음을 젼폐ㅎ야 밤을 안져 기다리더
니 믄득 하인이 고ㅎ딕 대상공이 오신다ㅎ거늘 쥬셰 즉시 졈문에 나와 마자
문후ㅎ고 뫼셔 방으로 드러가 가ᄂᆫ 안부를 뭇자오니 공이 쥬져ㅎ며 혼실이
무량ㅎᆷ믈 이르고 션군의 과거ㅎ야 벼살ㅎᆫ 스연을 무러 깃거ㅎ며 이윽고
말삼ㅎ다가 션군다려 왈 남아 현둘ㅎ면 량쳐를 두미 고금상스라 닉 들으니
이곳 림진스의 쫄이 뇨조현숙다 ㅎ며 닉 림진스에게 허락을 바닷기로

납치ㅎ얏스니 이왕 이곳을 님ㅎ얏슨즉 명일에 아조 셩례ㅎ고 집으로 도라
가미 합당치 아니랴 ㅎ니 션군은 낭직 현몽ㅎᆷ믈 장신장의ㅎ야 심신을 졍치

못ᄒ든 차에 그 부친에 말삼을 듯고 헤오듸 낭직 죽을 시 분명ᄒ도다 반다시 이런 고로 나를 긔이고 림낭자로 혼취ᄒ야 날을 위로ᄒ미다 ᄒ고 이의 부친 게 고왈 이 말삼이 지당ᄒ시니 소자의 ᄆ음은 아직 급ᄒ지 아니ᄒ오니 닉두 를 보아 정혼ᄒ미 늣지 아니ᄒ오니 다시 이르지 마옵소셔 ᄒ거늘 공이 그 회심치 아님을 알고 다시 긔구치 못ᄒ고 밤을 지닐ᄉᆡ 계명에 션군이 인마를 직촉ᄒ야 길에 ᄶᅥ나 밧비 힝홀 ᄉᆡ 림진ᄉᆡ 션군이 갓가히 왓시믈 알고 션군의 하쳐로 나아오다가 길에서 만나 치하ᄒ며 슈어를 수작ᄒ고 분수ᄒᆫ 후 빅공 을 만나미 빅공이 션군의 ᄉ연을 닐너왈 ᄉ셰 여차ᄒ니 잠간 기다리라 ᄒ고 션군을 ᄶᅡ라오니라 차시 션군이 밧비 힝ᄒ니 ᄒ속등은 그 곡졀을 몰나 가장 의아ᄒᄂ지라 션군이 본집에 다다러서 부모님게 현알ᄒ고 기간존후를 뭇 잡고 낭자의 안부를 뭇거늘 정부인이 아자의 영화로이 도라오믈 도로혀 깃브미 업셔 아자의 뭇ᄂ 말을 ᄃᆡ답홀 길리 상박ᄒ야 쥬저ᄒᄂ지라 션군이 쳔만의아ᄒ야 냥자의 방에 드러가보니 낭직 가삼에 칼을 ᄭᅩᆺ고 누엇ᄂ지라 션군이 흉격이 막혀 울음을 닐우지 못ᄒ고 젼지도지 나올ᄉᆡ 츈잉이 동츈을 안고 울며 닉다라 션군의 옷자락을 붓들고 왈 아바니 엇지 ᄒ야 이졔야 오시오 어머니 ᄇᆞᆯ셔 죽어 염습도 못ᄒ고 지금 그저 잇스니 ᄎᆞ마 셜워 못살겟 소 ᄒ며 닛글고 낭자방으로 드러가며 어미니 니러나오 아바니 지금 왓소 그리 쥬야로 그리워ᄒ더니 엇지 안연무심이 누엇소 ᄒ고 셜어 울기를 마지

ᄋᆞ니ᄒ거늘 션군이 차경을 보고 불승춤연ᄒ야 일장통곡ᄒ다가 급히 졍당 의 나와 부모ᄭᅴ 그 곡졀을 뭇자오니 빅공이 오열ᄒ고 일ᄋᆞ듸 너 간지 오륙일 후 일일은 낭자의 형영이 업기로 우리 부쳬 고이 넉여 졔 방의 가본즉 져 모양으로 누엇스니 불승ᄃᆡ경ᄒ야 그 곡졀을 알 길 읍셔 헤ᄋᆞ리건듸 이 필열 엇던 놈이 너 업ᄂ 줄 알고 드러가 겁칙ᄒ려다가 칼로 낭자를 질너 죽인가

ᄒ야 칼을 ᄲᅢ히려 ᄒ니 ᄲᅢ지지 ᄋ니코 신톄를 움직일 길이 업셔 염습지
못ᄒ고 그저 두어 너를 기다리미오 네게 알게 못ᄒ기ᄂ 네 듯고 병이 늘가
ᄒ고 넘녀ᄒ야 림녀와 졍혼ᄒ미라 네 낭자의 죽음을 알기 젼에 슉녀를 어더
졍을 드리면 낭자의 죽으믈 알지라도 마음을 위로홀가 싱각이 이의 밋치미
라 너는 모로미 과상치 말고 넘습홀 도리나 싱각ᄒ라 션군이 차언을 드르미
의사 망연ᄒ다 엇지홀 줄 모르고 가장 우려 침음ᄒ고 빙소의 드러가 딕셩통
곡ᄒ더니 홀연 분긔딕발ᄒ야 이의 모든 로비를 일시에 결박ᄒ야 안치고
보니 미월도 역시 긔중의 든지라 션군이 ᄉ미를 것고 빙소의 드러가 이불을
헷치고 본즉 낭자의 용모와 일신이 산 ᄉ름 갓ᄎ야 조곰도 변ᄒ미 읍ᄂ지라
션군이 암축왈 이제 션군이 이르럿스니 이 칼이 ᄲᅢ지면 원수를 갑ᄒ 원혼를
위로ᄒ리라 ᄒ고 칼을 ᄲᅢ히미 그 칼이 믄득 ᄲᅢ지며 그 굼그로 쳥죠 ᄒ나히
나오며 울기를 미월일닉 미월일닉 셰 번 울고 나라가더니 ᄯᅩ 쳥조 ᄒ나히
나오며 미월일닉 미월일닉 ᄯᅩ 셰 번 울고 나라가거늘 그계야 션군이 미월의
소원 줄 알고 불승분로ᄒ야 급히 외당에 ᄂ와 형루를 버리고 모든 노복을
차례로 장문ᄒ니 소범 업ᄂ 비복이야 무슴 말노 승복ᄒ리오 이에 매월을
잡ᄋ 문초홀

시 간악ᄒ 년이 즉초를 ᄋ니ᄒ다가 일빅 장에 이르니 비록 쳘셕갓튼 혈육인
들 졔 엇지 능히 견딕리오 피육이 후란ᄒ고 유혈이 낭ᄌᄒᄂ지라 져도 홀일
업셔 긔긔 승복ᄒ며 울며 이르되 상공이 여차여차 ᄒ시기로 소비 맛춤 원통
ᄒ 마음이 잇든 차에 ᄯᅢ를 타셔 감히 간계를 힝홈이니 동모ᄒ던 놈은 도리로
소이다 션군이 노긔 츙쳔ᄒ야 도리를 ᄯᅩ 장문ᄒ니 도리 미월의 금을 밧고
그 지휘딕로 힝계ᄒ 밧게 다른 죄ᄂ 업노라 ᄒ며 긔긔 복초ᄒ거늘 션군이
이의 칼을 들고 나려와 미월을 ᄒ 칼에 머리를 버히고 빅를 ᄀᄂ 간을 내여

낭자 신체 압히 노코 두어 번 제문을 일그니 글왓스되

슬프다 셩인도 견욕ᄒ고 슉녀도 봉참ᄒᆞᆫ 고왕금내에 비비유지라 ᄒ
나 낭자ᄀᆞᆺᄒᆞᆫ 지원극통ᄒᆞᆫ 일이 세상에 ᄯᅩ 잇스리오 오호라 이 도시
셔군의 불찰이니 슈원수구리오 오늘늘 미월에 원수는 갑핫거니와 낭
자의 화용월틱를 어듸가 다시 보리오 다만 셔군이 죽어 디하에 도라가
낭자를 좃칠 거시니 부모에게 불효되나 나의 쳐디를 불고ᄒᆞ노라 ᄒᆞ엿
더라

셔군이 낡기를 맛치미 신체를 어로만져 일장을 통곡ᄒᆞᆫ 후 도리는 본읍에
보내여 졀도에 졍비ᄒᆞ니라 차간하회ᄒᆞ라

데륙회
셔군이 신원현몽ᄒᆞ야 낭지 회싱 샹디ᄒ다

지셜 이 ᄯᅥ에 빅공부체 셔군다려 실사를 이르지 ᄋᆞ니ᄒᆞ얏다가 일이 이ᄀᆞᆺ치
탈로ᄒᆞᆷᆯ 보

〈26〉

고 도로혀 무식ᄒᆞ야 ᄋᆞ모 말도 못ᄒᆞ거늘 셔군이 화안이셩으로 지슴 위로ᄒᆞ
고 념습졔구를 준비ᄒᆞ야 빙소로 드러가 빙념ᄒᆞ려홀 시 신체 요지부동이라
홀일업셔 가인을 다 물이치고 셔군이 홀노 빙소에셔 쵹을 밝히고 누어 장우
단탄ᄒᆞ다가 어언간 잠을 드러 혼몽ᄒᆞ엿더니 문득 낭지 화복셩식으로 완연
히 드러와 셔군계 스례왈 낭군의 도량으로 쳡의 원수를 갑하주시니 그 은혜
결초보은ᄒᆞ야도 갑지 못ᄒᆞ리로소이다 작일 옥계 됴회 바드실 시 쳡을 명초

ᄒᆞᄉ 싸지져 글ᄋᆞᆺᄃᆡ 네 션군과 ᄌᆞ연 만늘 긔흔이 잇거늘 능히 참지 못ᄒᆞ고
숨년을 젼긔ᄒᆞ야 인연을 ᄆᆡ잣ᄂᆞᆫ고로 인간에 ᄂᆞ려가 익미흔 일노 비명횡ᄉ
ᄒᆞ게 흠이니 장차 누를 흔ᄒᆞ리오 ᄒᆞ시ᄆᆡ 첩이 ᄉᆞ죄ᄒᆞ얏고 옥졔께 역명ᄒᆞ온
죄ᄂᆞᆫ 만ᄉᆞ무셕이오나 그런 익을 당ᄒᆞ오미 쥬중이 되고 ᄯᅩ 션군이 첩을 위ᄒᆞ
야 죽고ᄌᆞ ᄒᆞ오니 바라건ᄃᆡ 다시 첩을 셰상에 내여 보ᄂᆡᄉᆞ 션군과 미진흔
인연을 잇게 ᄒᆞ야 쥬옵소셔 쳔만이걸 ᄒᆞ온즉 옥졔 궁측이 녀기ᄉᆞ 디신다려
하교ᄒᆞᄉᆞ 왈 슉영의 죄ᄂᆞᆫ 그러ᄒᆞ여도 족히 중계될 거시니 다시 인간에 ᄂᆡ여
보ᄂᆡ여 미진흔 연분을 잇게ᄒᆞ라 ᄒᆞ시고 염나왕에게 하교ᄒᆞᄉᆞ 왈 슉영을
밧비 노화 환토인싱ᄒᆞ라 ᄒᆞ시니 염왕이 쥬왈 ᄒᆞ교지차ᄒᆞ시니 근수교명ᄒᆞ
려니와 슉영이 죽어 죄를 속홀 긔흔이 못되엿ᄉᆞ오니 이 일만 지ᄂᆡ오면 ᄂᆡ여
보ᄂᆡ오리이다 ᄒᆞ니 옥졔께옵셔 그리ᄒᆞ라 ᄒᆞ시고 ᄯᅩ 남극셩을 명초ᄒᆞᄉᆞ 수
한을 졍ᄒᆞ라 ᄒᆞ실ᄉᆡ 남극셩이 팔십을 졍ᄒᆞ여 숨인이 동일승텬ᄒᆞ게 ᄒᆞ시니
첩이 옥졔게 엿ᄌᆞ오ᄃᆡ 션군과 쳔첩 ᄲᅮᆫ이어늘 엇지 숨인이라 ᄒᆞ시나니잇고
옥졔 글ᄋᆞᄉᆞᄃᆡ 네 히ᄌᆞ 연삼인이 될거시니 텬긔를 누셜치 못

〈27〉

ᄒᆞ리라 ᄒᆞ시고 셕가여릭를 명ᄒᆞᄉᆞ ᄌᆞ식을 졈지ᄒᆞ라 ᄒᆞ신즉 여릿게셔 삼남
을 졍ᄒᆞ엿ᄉᆞ오니 낭군은 ᄋᆞ직 과상치 말고 ᄋᆞ즉 수일만 기다리소셔 ᄒᆞ고
문득 간ᄃᆡ업거늘 션군이 ᄭᆡ여 마음에 가장 창연ᄒᆞ나 그 몽ᄉᆞ를 싱각ᄒᆞ고
심ᄂᆡ에 옹망ᄒᆞ야 수일을 기다리더니 익일을 당ᄒᆞ야 션군이 맛참 밧게 나갓
다가 드러와 본즉 낭ᄌᆡ 도라 누엇거늘 션군이 놀나 신체를 만져본즉 온긔
완연ᄒᆞ야 싱긔 잇ᄂᆞᆫ지라 심중에 ᄃᆡ희ᄒᆞ야 일변부모를 쳥ᄒᆞ야 삼츠를 다려
입에 흘니며 수죡을 쥬무르니 이윽고 낭ᄌᆡ 눈을 ᄯᅥ 좌우를 도라보거늘 구고
와 션군의 즐거오믈 엇지 다 측량ᄒᆞ리오 차시 츈잉이 동츈을 안고 낭ᄌᆞ에
겻히 잇다가 그 회싱ᄒᆞ믈 보고 환텬희디ᄒᆞ야 모친을 붓들고 반가오미 넘쳐

늣기며 왈 어머니 날을 보시오 그수이 엇지ㅎ야 그리 오래 혼몽ㅎ엿소 낭ᄌ
츈잉의 손을 잡고 어린다시 뭇는 말이 너의 부친이 어디 가며 너의 남미도
잘 잇더냐 ㅎ며 몸을 움작여 이러 안즈니 샹히보는 지 뉘 ᄋ니 즐겨ㅎ리오
모든 ᄉ름이 이 말을 듯고 모다 이르러 치히 분분ㅎ니 이로 슈응키 어렵더라
니러구러 슈일이 지나미 잔치을 빅셜ㅎ고 친척을 다 쳥ㅎ야 크게 즐길시
지인을 불너 지됴를 보며 창부로 소래를 식이미 풍악 소래 운소에 ᄉ못더라
각셜 ᄎ시에 림진ᄉ 집에서 숙영낭자의 부싱ㅎ믈 듯고 납폐를 환퇴ㅎ고
둘니 구혼ㅎ려 하더니 림소졔 이 ᄉ연을 듯고 부모쎄 고왈 녀자 되여 의혼납
빙ㅎ야 례폐를 바덧스면 그 집 ᄉ람이 분명한지라 빅싱이 샹쳐한 줄 알고
부뫼 허락ㅎ엿더니 낭자 갱싱ㅎ엿슨즉 국법에 량쳐를 두지 못ㅎ면 결혼홀
의ᄉ를 두지 못ㅎ려니와 소녀의 졍ᄉ는 밍셰코 다른

〈28〉

가문으로는 가지 못ㅎ올 거시오니 그런 말삼은 다시 마르소셔 ㅎ거늘 림진
ᄉ 부쳬 이말을 듯고 어히 업셔 불통ㅎ믈 이르고 타문에 셔랑을 광구ㅎ더니
림소졔 듯고 부모게 고왈 이왕 도고ㅎ엿거니와 혼ᄉ 니러툿 산란ㅎ오니
도시 소녀의 팔지 긔박ㅎ온 년괴라 비록 녀자라도 일언이 즁쳔금이라 집심
이 금셕갓ᄉ오니 종시토록 부모 슬하에 잇셔 일싱을 안락ㅎ오면 소원일ᄀ
ㅎᄂ이다ㅎ고 ᄉ긔엄졀한지라 진ᄉ부쳬 이말을 드르미 쥬의를 잇지 못홀
줄 알고 타쳐의 의혼을 끗치다 일일은 림진ᄉ 빅공을 ᄎ져보고 낭자에 깅싱
ㅎ믈 치ㅎㅎ고 인ㅎ야 녀의 졍ᄉ를 닐으고 탄식ㅎ믈 마지ᄋ니ㅎ니 빅공
이 칭ᄉㅎ고 왈 ᄋ름답도다 규슈의 렬졀이여 우리로 하야금 져의 일싱이
폐인이 될진디 우리 음덕에 휴손ㅎ미 쏘흔 업지 ᄋ니 ㅎ리니 장차 엇지ㅎ리
오 ᄎ시 션군이 시립ㅎ야 수작ㅎ믈 다 듯고 이의 림진ᄉ를 디ㅎ야 왈 귀소져
의 금옥갓튼 말을 듯ㅎ온즉 고인에게 족히 붓그럽지 ᄋ니하나 기셰량난이

라 국법의 유쳐취쳐는 잇스오나 귀소져 엇지 질거 남의 부실이 되고즈 ᄒ오
리잇가 림진시 탄왈 부실을 엇지 스양ᄒ리오 ᄒ고 이윽이 한담ᄒ다가 도라
가니라

차셜 션군이 낭즈 침소의 드러가 림녀의 셜화로 젼ᄒ고 닐커르니 낭즈 ᄋ름
다이 녀겨 왈 져 규슈 집심이 여츳ᄒ니 우리 남의게 격악이 될지라 옥뎨쎄셔
우리 슴인이 동일승텬ᄒ리라 ᄒ엿시니 이 필연 림녀를 이르미라 ᄋ마 텬졍
을 응ᄒ미니 낭군은 우리집 젼후스연과 림녀의 젼후스연을 셩샹게 샹소ᄒ
오면 샹이 반다시 ᄒ혼ᄒ실 듯ᄒ오니 엇지 ᄋ름답

〈29〉

지 안이 ᄒ리오 한듸 션군이 즉시 응락ᄒ고 치힝 샹경ᄒ야 옥궐의 숙스ᄒ고
슈일이 지는 후의 림녀의 셜화를 베풀고 쏘한 낭즈의 젼후스를 셰셰히 베프
러 일봉소를 지어 올닌듸 샹이 어람ᄒ시고 칭찬ᄒ스 왈 장즈의 일은 쳔고의
희한흔 빈니 졍렬부인 직쳡을 주노라 ᄒ시고 림녀의 졀기 쏘흔 ᄋ름다오니
특이 빅션군과 결혼ᄒ게 ᄒ시고 숙렬부인 직쳡을 느리시니 션군이 텬은을
숙스ᄒ고 슈유를 어더 밧비 집으로 느려와 부모를 뵈온 후에 이 스연을
ᄀ초 고ᄒ고 낭즈를 보ᄋ 텬은이 여차ᄒ시믈 젼ᄒ니 일가 샹히 쏘흔 회열ᄒ
더라 이의 림진스 집의 차스를 통긔ᄒ니 진새 회출망외ᄒ야 틱일셩례홀
시 림시의 위의빅부의 니르니 그 화용월틱 진짓 뇨됴숙녀라 구고 환열무이
ᄒ고 션군의 금슬지졍이 비경ᄒ더라 신부 구가에 머무러 효봉구고ᄒ고 승
슌군즈ᄒ야 낭즈로 더부러 지긔샹합ᄒ야 일시라도 쩌느기를 앗기더라 빅
부에셔 츠후로 일가화락ᄒ야 그릴 거시 업시 셰월을 보늬더니 공의 부뷔
팔십향슈ᄒ야 긔후강건ᄒ더니 홀연득병ᄒ야 일됴에 셰샹를 바리니 싱의
부부 슴인이 익훼과도ᄒ야 녜로써 션산의 안장ᄒ고 싱이 슴년시묘ᄒ니라
니러구러 광음이 훌훌ᄒ야 졍렬은 스남일녀를 싱ᄒ고 숙렬은 슴남일녀을

싱ᄒ니 긔긔히 부풍모습ᄒ야 옥인군ᄌ 오현녀 슉낭이라 남가여혼ᄒ야 ᄌ손이 션션ᄒ고 가세요부ᄒ야 만셕군 일홈을 엇고 복녹이 무흠ᄒ더니 일일은 되연을 배셜ᄒ고 ᄌ녀부손을 다리고 슘일을 질기더니 홀연 샹운이 ᄉ면을 둘너 드러오며 룡의 소ᄅㅣ 진동ᄒᄂᆫ 곳에 일위 션관이 ᄂᆞ려와 불너 왈 션군은 인간자미 엇더ᄒ뇨 그되 슘인의 샹텬ᄒᆯ 긔약이 오날이니 밧비 가

〈30〉

자 ᄒ거늘 션군부부 슘인이 자녀의 손을 잡고 리별ᄒ고 일시에 샹텬ᄒ니 향년이 팔십이러라 자녀손드리 공중을 향ᄒ야 망극이통ᄒ고 의되로써 션산에 안장ᄒ니라 일이 하 긔이키로 되강 긔록ᄒ여 후셰에 견ᄒ노라

숙영낭ᄌ전 죵

四 숙영낭자전 가사

이조 세종년간 경상도 안동땅에 백진사라는 양반이 있어 아들 하나를 두었으되 천품

이 풍부하여 지혜와 도량이 활달하고 문필이 겸비하야 일찌기 명산 찾아 놀기를 좋아

하더니 천태산에 이르러 선녀 숙영과 아는 바 되어 자주 상종타 정이 들어 부부가

되었으나 백진사는 낭자가 산에서 왔다하여 세상 인간이 아니오 요귀라 하여 매양 그

의 행동을 주시하니 낭자는 효부의 도를 다하니 시모 홍씨의 총애는 각별하였겠다。

각설

이때 백진사 아들 백생이 서울로 과거길을 떠나매 청춘의 정을 메기 어려워 십리를

못가고 일모를 기다려 밤을 타서 낭자 방에 출입하니 이를 시기하는 몸종이 있어 백

진사에게 외간 남자 출입한다고 모함하니 백진사 놀람을 금치 못하고

(중머리)

초경 이경 삼사오경이 되어 그때에 백진사님 철죽장을 손에 들고 가만 가만 자주

걸어 후원으로 들어 가니 뜻밖에 어떤 사람이 낭자 방문 서 있다가 담장 뛰어 달아

나니 백진사 황급하야

「아 저게 웬 놈일고 고이한 일이로구

낭자를 급히 불러 묻는 만이

「너의 가장 이별한지 삼사일이 다 못되어 외간 남자 하였으니 계집의 칠거지악 중

박녹주 창본 〈숙영낭자전〉

　박녹주 창본 〈숙영낭자전〉은 1971년 11월에 발간된 『무형문화재조 사보고서』 제83호에 실린 것으로, 정화영이 채록하였다. 정화영의 보고에 따르면, 정정렬은 〈숙영낭자가〉를 스승인 전해종에게 배운 것이 아니라 재편곡해 불렀고, 박녹주 명창이 32세 때인 1933년에 스승인 정정렬 명창에게 숙영낭자전 한 바탕을 배웠다고 한다. 그리고 다음해에 동양극장에서 공연된 창극 숙영낭자전에서 박녹주가 숙영낭자 역을 맡았다고 한다. 현재 박녹주 창본 〈숙영낭자전〉은 이 창본을 제외하고, 박녹주 녹음테이프본(아세아레코드, 1989.)과 박송희 명창이 편찬한 창본(『박녹주 창본』, 집문당, 1988.)등 총 두 종의 창본을 더 확인해볼 수 있으며, 사설 내용은 대동소이하나 인물명이나 몇몇 대목이 추가, 삭제되는 정도의 차이가 있다. 이 창본에서는 소설본과 달리 선군의 이름이 백현진이며, 자녀들의 이름은 동춘과 동근, 상공은 백진사로, 그의 부인은 홍씨로 설정된다. 또한 백진사는 선군과 숙영낭자가 결연을 맺은 처음부터 '세상 인간 아니오 요귀라'며 낭자의 행동을 주시하고, 낭자를 모해하는 주체가 '시기하는 몸종'으로 설명될 뿐 매월의 이름이 거명되지 않는다. 또한 다른 창본과 마찬가지로 현진이가 천태산의 노승에게 찾아가 낭자를 구할 환생약을 구해 돌아오는 화소와 낭자가 그 약을 먹고 빈소에서 살아나는 화소가 추가되어 있으며 현진과 낭자가 팔십 장수 후에 승천하는 것으로 결말을 맺고 있다.

출처: 문화재관리국편, 『무형문화재조사보고서』 12집, 한국인문과학원, 1998,
　　423~430쪽.

이조 세종 년간 경상도 안동 땅에 백진사라는 양반이 있어 아들 하나를 두었으되 천품이 풍부하여 지혜와 도량이 활달하고 문필이 겸비하야 일찍이 명산 찾아 놀기를 좋아하더니 천태산에 이르러 선녀 숙영과 아는 바 되어 자주 상종타 정이 들어 부부가 되었으나 백진사는 낭자가 산에서 왔다 하여 세상 인간이 아니오, 요귀라 하여 매양 그의 행동을 주시하니 낭자는 효부의 도를 다하니 시모 홍씨의 총애는 각별하였겠다.

각설

이때 백진사 아들 백생이 서울로 과거 길을 떠나매 청춘의 정을 떼기 어려워 십리를 못 가고 일모를 기다려 밤을 타서 낭자 방에 출입하니 이를 시기하는 몸종이 있어 백진사에게 외간 남자 출입한다고 모함하니 백진사 놀람을 금치 못하고,

〈중머리〉

초경 이경 삼사오경이 되어 그때에 백진사님 철죽장을 손에 들고 가만가만 자주 걸어 후원으로 들어가니 뜻밖에 어떤 사람이 낭자 방문 서 있다가 담장 뛰어 달아나니 백진사 황급하야

「아 저게 웬 놈일고 고이한 일이로구」

낭자를 급히 불러 묻는 말이

「너의 가장 이별한 지 삼사 일이 다 못되어 외간 남자 하였으니 계집의 칠거지악 중에 천하 대죄를 졌으니 당장 쫓아낼 것이나 너의 가장 내려오면 낱낱이 죄목을 아아 죽기를 면치 못하리라」

낭자 듣고 기가 맥혀 두 눈이 캄캄하고 정신이 삭망하여 아무런 줄 모르고 우두머니 서 있다가 겨우 정신을 차려

「아이고 시부 이게 웬 말씀이오. 철석 간장 이내 마음 일분인들 변하리요, 그런 말씀 부디 마오.」

〈아니리〉

구박이 자심하니 절개 높은 숙영낭자 애매한 음간사 듣고 살 길 바이없어
죽기로 작정을 하는데,

〈진양조〉

적적한 심야 간에 동춘 동근을 끌어안고
「아이고 불쌍한 내 새끼들아 너의 남매 죽지를 말고 부디부디 잘 자라라
전생에 무삼 죄로 이생 와 모 되어 영이별이 웬일이냐 내 딸 동춘아 나
죽은 후에라도 어린 동생 동근이 울거던 밥을 주고 젖 찾거든 물을 먹이고
나를 찾아 나오거든 하마하마 오마더라 안고 업고 달래여라. 동기는 일심이
니 어미 잃은 생각을 말고 각별히 우애를 하여 치지 말고 잘 키워라. 너의
부친 날 사랑을 유달리 하시는데 가면 다시 못 오는 길, 원통이 죽어가니
죽는 나도 원이 되고 너의 부친 눈물지니 생사 간에 유원이로구나. 언제
다시 맞나 볼고 볼 날이 막연허구나.」
이렇듯이 앉아 홀적홀적 울음을 우니,

〈중머리〉

동춘 듣고 정신없이 모친에게 안기면서,
「아이고 어머니 어쩌려고 이러시오, 아버지 오시면 애매한 그 허물은 자연
변명이 될 것이니 분함을 참으시고 아버지를 기다리오, 어머니 돌아가시면
우리 남매를 어쩌려고 죽으려고 하시니까.」
낭자 더욱 기가 막혀 동춘을 달래여 잠을 드려놓고 이미 먹은 마음이니
지체를 하여 무엇하리, 원앙침을 돋우어 베고 칼을 빼어 버쩍 들어 가슴에
콱 찔러 놓으니 원통한 이 죽음을 어느 뉘가 만류를 하리.

〈중중머리〉

그때에 동춘이 잠을 깨어 일어앉아 모친을 바라보며,

「아이고 우리 어머니 죽었네」

와락 뛰어 달려들어 가슴에 박힌 칼을 두 손으로 빼랴 하니 박힌 칼이 아니 빼여지고 시체가 땅에 붙어 떨어지지 아니하니 밖으로 우루루 뛰어 나오면서,

「아이고 할머니 어미가 죽었오 어미를 살려주오.」

동근이도 잠을 깨어 시체로 달려들어 젖을 물고 울음 울고, 홍씨 부인 이 말 듣고 뗬다 철격 떨어져 허둥 걸어서 들어오며 죽은 낭자 목을 안고,

「아이고 이게 웬 말이냐 에이 천하 무상한 사람아 그리 말라 일렀더니 생죽음이 웬 일이냐 애매한 말 들을 지야 분하기 측량없을 테나 노망한 시부 말을 조금도 가려 말고 날 같은 시모 하나 네가 부디 생각하라 천만 번이나 일렀더니 어린 자식 두 남매를 어쩌자고 죽었느냐 효순하던 그 마음 착한 사람 너 일러니 언제나 다시 보며 너를 잃고 어졸이 없어 나도 살 길 전혀 없고 너의 가장 내려오면 그 형상을 어이 보리 너고 나도 같이 죽자.」

이렇다 울음을 울며 동춘이도 울음을 울며 죽은 낭자 목을 안고,

「아이고 어머니 이 죽음이 웬 일이요 서울 가신 아버지가 장원급제 높히 하여 외방으로 나가실 제 쌍교를 타고 가신다고 평생에 말하더니마는 소방산 대뜰 상여를 쌍교 삼아서 가시려고 이 죽음을 하시니까, 아이고 이를 어쩔거나, 하나님도 무심하고 귀신도 야속하지 가련한 우리 어머니 황천이 어데라고 날 버리고 간단 말이오 철모르는 우리 남매 뉘를 의지하며 외로히 산단 말이오, 동근이가 어머니를 찾으면 무슨 말로 달래리요.」

내리 둥굴 치덩굴며 매목지버질을 죽기로만 드는구나.

〈아니리〉

현진이 서울로 올라가 과거를 보일 제,

〈단머리〉

그때에 백현진 만권시서 흉중에 가득이 품고 장중 들어가 장전을 살펴보니 백설 같은 구름차일 보게 위어다 높이 치고 시백목 설포장을 구름같이 둘렀는데 어탑을 바라보니 홍일산 호양산 봉미선이 완연쿠나、시위를 볼작시면 병조판서 봉명기와 도총관 비룡금과 승사 각신이 늘어서 선상의 훈련대장 후상에 어영대장 중앙의 금위대장 총융사 별군직과 좌우 포장에 도감중군 일대장 이대장 금군 칠백 명 늘어서 억조창생 관민선배 일시에 사례할 제 어전 풍악 떡궁쳐 앵무새가 춤추는 듯 대제학이 택출하여 어제를 나리시니 도승지가 모셔내어 포장 위에 번 듯 춘당춘생고금동이라 둥드럿이 걸렸거늘 시제를 펼쳐 놓고 해제를 생각하여 용연에 먹을 갈아 호황모 일필휘지하여 일천에다 선장허니 상시관이 글을 보시고 자자이 비점이오 귀귀 관주라、상시관에 등을 맥여 한림학사를 내였구나、

〈아니리〉

어주 삼 배 먹은 후에 사은숙배하고 본댁으로 내려오니 낭자 자살하였거날 빈소에 들어가 정신없이 칼을 빼고 통곡하며 철야하다 이윽고 잠이 들어 꿈 하나 얻은 후에、

〈중머리〉

백 한림 현진이는 숙영낭자 살리려고 낭자의 유서와 부작이며 글 지은 것 가지고 천태산을 찾아갈 제 옥류동을 지내여 옥대관을 들어가니 옛집은 있다마는 주인은 어데 간고、그 산을 넘어가니 망망한 창해 간두에 빈 배 하나 매였거늘 그 배 위에 올라앉아 부작 내어 뱃머리에 부치노니 빠르기가 풍운 같다. 가는 대로 노아 가니 망망한 창해이며 탕탕한 물결이라、백빈주 갈매기는 홍요로 날아들고 삼상에 기러기는 한수로 돌아든다. 양양연을 들어가니 어떠한 고은 처자 삼삼오오 배를 매고 채련곡을 노래한다. 동남으로 바라보니 창오산 높은 봉은 악양루 그아니며 눈앞에 보이는 수풀은 소상 반죽이 아니냐. 한 곳을 당도하니 어떠한 늙은 어옹 일엽편주로 흘리 져어 돛대 치며 하는 소리,

「세상에 약도 많고 드는 칼도 많건만은 정 베일 칼이 없고 임 살릴 약이 없네. 임 살릴 약이 있는 곳에는 천태산인가 하노매라.」

한림이 반겨 듣고,

「저기 가는 저 노인네 천태산 가는 길이 어데쯤 있나이까.」

소리쳐 묻건만은 창랑가 어적소리 못 들은 체하는구나. 한 곳을 당도하니 물 가운데 있는 산이 하늘을 고였난 듯 그곳에 배를 매고 산에 올라 군담하되,

「이곳에가 천태산인가」

높은 산 험한 길에 정처 없이 가노라니 부용자각 행번가는 천태산과 같도같다. 어떠한 두 어 동자 무슨 풀을 캐며 자지곡 노래한다. 한림이 반겨 물어,

「너희는 어데 살며 캐는 풀은 무엇이냐.」

「우리는 아침에 강한전에 조회하고 낮이면 구주산 자하동에 있아온데 사모님의 명령으로 숙영낭자 살릴려고 반호행을 캐나이다.」

말이 맞지 못하야 인홀불견하였구나.

한림이 허망하여 무한이 생각할 제 풍편에 종경소리가 귀에 번듯 들리거늘 그곳을 찾아가니 조그만한 암자 하나 별우천지 세계로다 동문을 열고 들어서니,

〈엇머리〉

노승 하나 일어서 읍하며 하는 말이,

「소승이 이곳에 있는 지 요지벽도 세 번 피었으되 속객을 보지 못하였는데

어떠하신 귀객이오.」

한림이 살펴보니 신장은 구 척이요 눈은 소상강 물결 같고 서리 같은 두 눈썹은 왼 얼굴을 덮어 있고 크다란 두 귀밥은 양 어깨에 청처져 학의 골격이오 봉의 정신이라. 한림이 황급하야 노승 앞에 엎드려 낭자의 글을 올리거늘 노승이 받아보고,

「귀객이 오실 줄은 내가 이미 알았으나 인생 일생은 제왕도 면하지 못하는데 귀객은 낭자와 인연이 부족하였기로 낭자의 그 죽음은 하늘이 주신 배라 액효를 어찌 면하리오 옥황상제 분부에는 낭자의 맥줄 안고 다시 명을 거나시면 이 약을 보내 주시나이다. 백옥뜨기 붉은 해는 낭자님의 사은모요, 백옥병에 담은 물은 숙영낭자 입에 넣으면 다시 환생하오리다.」

〈중머리〉

그때에 백한림은 약을 받아 손에 들고 노승 앞에 허리를 굽혀 공손이 여짜오되

「대사님의 무궁 조화 상통전문 하달지리하사 불로초 불사약을 주어 소생의 애처를 살려 주니 은혜 백공지난망이오.」

백배 치사를 한 연후에 하직을 하고 물러가니 노승이 합장배례를 하며,

「뒤를 돌아보지 말고 어서 급히 나가시사 낭자를 구하소서.」

한림이 반겨 듣고 동문을 열고 나서보니 일락서산에 황혼이 되어 갈 길은 천리만리 남고 사면이 검어오니 원산에 잔나비는 자식 찾는 슬픈 소리 장부 간장을 회심거늘 오던 길을 돌아들 제 노독 나 촌보 할 길 전혀 없어 잠간 앉어 진정을 한 연후 그 산을 겨우 넘어 강두에 다다르니 오던 배 매였거늘 배에 선듯 올라 앉아 돌아들어 망월당 들어서니 낭자 자는 듯이 누었거늘 한림이 약을 급히 내어 낭자 입에 흘리어 동정을 살필 적에 상군 부인이 은은히 불러

「유명이 노소 없고 현우가 자별하니 오래 지체 못할지라.」
여동을 재촉하니 동방의 실솔성은 시륵시륵 일장 호접이 펄펄 깜짝 놀라
깨달으니 남가일몽이라.
「아이고 허망하네 황룡묘는 어데 가고 이거 나의 초당이로구나.」

〈엇중머리〉

그때에 백한림 천태산 들어가 노승에게 약을 얻어 낭자를 살리시니 백진사
도 대희하여 일가동락 태평하고 팔십 장수를 하느니마는 하루는 낭자 숙영
이 한림의 손을 잡고 백운 타고 하늘에 오르니 그 뒤야 뉘 알겠느냐.

숙영낭자가淑英娘子歌

[아니리]

이조 세종 연간 경상도 안동 땅에 한 선비가 있었는디 성은 백이요, 이름은 상군이었다.

부인 홍씨와 이십년을 지냈으되, 슬하膝下에 자녀 없어 항상 슬퍼하다 명산대천名山大川에 기도하여 아들 하나를 두었으되, 이름을 성군이라 하고, 자를 현진이라 지었것다.

점점 자라매 용모가 준수俊秀하고, 성품이 온유하며 문필文筆 하였다.

백 상군 부부는 아들에게 알맞은 배필을 얻어 슬하에 재미를 보려고 혼처를 구하였으나, 알맞은 규수 없어 항상 근심중에 지낼 적에, 때는 벌써 성군나이 이팔이었다. 이때 춘풍가절春風佳節[1] 서당에서 글을 읽다 몸이 노곤하여 (잠간) 조을 적에

박송희 창본 〈숙영낭자가〉

박송희 창본 〈숙영낭자가〉는 박록주 창본을 바탕으로 하되, 소설본 〈숙영낭자전〉을 참고하여 개작한 것이다. 박송희 명창은 소설본을 참고하여 전반부에 상군과 부인 홍씨의 기자치성과 현진의 탄생, 숙영낭자의 현몽과 적강 내력 설화, 현진의 상사병과 옥연동 방문 등의 내용을 추가하였다. 또한 후반부에 등장하는 선군의 구약 여행 대목과 팔십수를 누리고 승천하는 대목은 박록주 창본의 내용을 그대로 따랐으며, 전체적으로 독백과 대화를 넣어 장면을 확대하였다.

출처: 채수정 엮음, 『박록주 박송희 창본집』, 민속원, 2010, 233~250쪽.

〈아니리〉

이조 세종 연간 경상도 안동 땅에 한 선비가 있었는디 성은 백이요, 이름은 상군이었다.

부인 홍씨와 이십년을 지냈으되, 슬하(膝下)에 자녀 없어 항상 슬퍼하다 명산대천(名山大川)에 기도하여 아들 하나를 두었으되, 이름을 성군이라 하고, 자를 현진이라 지었것다.

점점 자라매 용모가 준수(俊秀)하고, 성품이 온유하며 문필(文筆) 하였다. 백 상군 부부는 아들에게 알맞은 배필을 얻어 슬하에 재미를 보려고 혼처를 구하였으나, 알맞은 규수 없어 항상 근심 중에 지낼 적에, 때는 벌써 성군나이 이팔이었다. 이때 춘풍가절(春風佳節) 서당에서 글을 읽다 몸이 노곤하여 (잠깐) 조을 적에

〈중머리〉

꿈 가운데 어떤 선녀 푸른 저고리 붉은 치마 입은 낭자(娘子)가 문을 반만 열고 들어와 앉더니마는, 도련님 저는 숙영(淑英)인디 도련님과 저와는 하늘이 맺어주신 연분(緣墳)이라 찾아왔소.

성군이 하는 말이 나는 속세(俗世) 인간이요, 낭자는 하늘에 사는 선녀(仙女)인디, 나와 어찌 인연이 되오리까.

낭자가 공손히 여짜오되, 도련님은 본디 하날에서 비내리는 선관(仙官)이요, 어느 때 비를 잘못 내리신 죄로 인간으로 귀양(歸養)을 허셨지만, 저와 상봉(相逢)할 날이 있을 것이니 그리 짐작하옵소서.

말을 마친 후에 인홀불견 간 곳이 없다. 성군이 깜짝 놀래 깨고 보니 꿈이로구나.

〈아니리〉

낭자는 간 곳 없고 향취(香臭)만 남았구나. 꿈속에 본 낭자 눈에 삼삼하고 그 음성 귀에 쟁쟁 남아있어 앉었는 듯, 누웠는 듯, 눈감으면 곁에 있고 눈뜨면 간 곳 없으니 시름시름 병이 드는디, 이것이 바로 상사병(相思病)이라는 것이었다.

〈창조〉

아무리 생각해도 꿈속에 본 낭자를 잊을 길 바이없어

〈진양조〉

그 때여 성군은 낭자를 잊을 길 바이없어 술에 취한 듯, 미친 듯이 지낼 적에 온 몸이 초췌해지고 몸에서 땀이 주루루루 흘러 가슴이 벌렁벌렁 겨우겨우 정신을 차려 서당으로 물러나와 고요히 누웠으나 낭자 생각뿐이로구나.

이때에 낭자가 나타나서, 도련님, 저 때문에 병들었으니 어찌 마음 편하리까. 도련님을 위로헐 양으로 저의 화상(畵像)과 금동자(金童子) 한 쌍을 가져 왔으니 밤이면 화상(畵像)을 안고 자고 낮이면 병풍 위에 걸어두고 저 본듯이 보옵소서.

성군이 반기 여겨 낭자를 바라보더니마는 낭자 손을 부여잡고 만단정회(萬端情懷) 풀랴할 제 인홀불견 간 곳이 없다.

〈아니리〉

깨고 본즉 꿈이라. 화상(畵像)과 금동자(金童子) 놓였거늘 성군이 괴히 여겨 금동자는 상 위에 앉히고 화상은 병풍 위에 걸어 두고 주야로 옆을 떠나지 않을 적에, 이때 각도 각읍 사람들은 이 소문을 듣고, 성군집에 선녀가 갖다 준 신기한 보배가 있다 하고 제각기 채단(綵緞)을 갖다 화상과 금동자 앞에 놓고 구경을 왔는디 구경이라기보다 제각기 복을 비는 치성꾼들과 같았다.

백성군의 집은 형편이 점점 늘어 부유하게 되었으나 성군은 낭자를 사모하는 생각 골수(骨髓)에 박혔구나. 성군부모는 백가지 천가지 약을 써도 효험이 없어 눈물로 세월을 보낼 적에 성군도 하루는 벽에 기대 앉아 자탄(自歎)을 허는디

〈중머리〉

어쩔거나 어쩔거나 이 놈의 노릇을 어쩔거나 보고지고 보고지고 숙영낭자 보고지고 월명공산(月明空山)에 잔나비 울음소리, 안암산 노송정에 쌍비쌍쌍(雙飛雙雙) 저 뻐꾹새 소리. 이리로 가면서 뻐꾹 뻐뻐꾹 저리로 가면 뻐꾹 뻐뻐꾹 울음 우니 장부(丈夫) 간장(肝臟)이 다 녹는다. 식불감미(食不甘味) 밥 못 먹고 침불안석(寢不安席) 잠 못자니 이게 모두다 낭자 그린 탓이로구나. 앉어 생각 누워 생각 생각 그칠 날이 전혀 없이 모진 간장(肝臟) 불에 탄 들 어느 물로 이 불을 끌거나. 아이고 이 일을 어쩔거나 일은 장차 어쩔거나 혼자 앉어 탄식(歎息)한다.

〈아니리〉

아무리 잊으랴 해도 잊을 길 없고 죽게 되었구나. 이때 낭자가 성군 꿈에 나타나서 도련님 저와는 때가 멀었으니 이 일을 장차 어찌하오리까. 정 그러시다면 저 대신 시녀(侍女) 매월이를 방수(防守)를 정하시어 쓸쓸한 심회(心懷)를 푸옵소서. 말을 마치고 사라지자 성군은 낭자 말대로 매월을 신첩(臣妾)삼아 우울한 심정을 풀었으나 낭자 생각 더욱 더욱 나니 성군은 하릴 없이 죽게 되었것다.

이때 낭자가 또 나타나더니, 도련님 저를 만나시려거든 옥연동(玉淵洞)으로 찾아오소서. 말을 마치고 사라지자 성군은 황홀한 마음 어쩔 줄을 모르다가 기운을 내여 부모님 앞에 꿇어 앉어 옥연동(玉淵洞)은 산천 경치가 뛰어난다 하오니 며칠 구경이나 하고 돌아올까 하옵니다.

부모님은 깜짝 놀래 그런 몸으로 어찌 문밖출입을 한단 말이냐. 굳이 말려도 성군은 소매를 뿌리치고 일필청려를 타고 일개 소동을 다리고 옥연동(玉淵洞)을 향하여 길을 떠났으나 워낙 산이 험한 고로 옥연동(玉淵洞)은 쉽게 찾을 수 없었다. 성군은 하늘을 우러러 호소하여 밝으신 하늘은 저의 정성을 굽어 살펴 옥연동(玉淵洞) 가는 길을 인도하소서.

〈진양조〉

이윽고, 한 곳을 다다르니 낙조(落潮)가 온 산을 물들였는디 바위틈으로 솟아오르는 숲이 울창하여 장엄하기 그지없다. 산은 첩첩 높고, 깊었는디 큰 골짜기 작은 골짝에 맑게 흐르는 시냇물은 여러 굽이를 이루고 있다. 한편 연못가의 연꽃이 만발하고, 모란꽃도 한창인디 꽃 사이에 춤추는 나비는 펄펄 날고 버들 위에 날으는 꾀꼬리는 조각조각 금이었다. 명사청계(名沙淸溪) 걸린 돌다리는 오작교를 방불케 하였다. 성군이 이런 경계(境界)를 보고 산 속으로 들어가니 유달은 천지요 인간세상은 아니로구나. 마음이 자연 상쾌하고 신선이 되여 올라가는 듯 같구나. 성군이 좋아라고 산을 등지고 한 곳을 바라보니 현판에 금자로 새기기를 옥연동(玉淵洞)이라 하였구나.

〈단중머리〉

성군이 기쁨을 이기지 못하여 당위로 뛰여 올라가니 동자 하나 나서면서 그대는 속세에 인간으로 신선이 사는 곳을 범한 것이니 어서 빨리 물러가라.

성군이 공손히 여짜오되 나는 유산객(遊山客)으로 산천풍경을 탐하다가 선경(仙境)인 줄을 모르고 범한 것이니 용서하소서. 목숨이 아깝거든 어서 빨리 물러가라. 성군이 동자에게 쫓겨나와 곰곰이 생각허니 여기가 분명 옥연동(玉淵洞)인디 내가 만일 때를 잃으면 어찌 낭자를 만나리요. 기운을 북돋우어 안으로 들어가서 자리를 잡고 앉인 후에 추상(秋霜)같이 호령한다.

〈아니리〉

낭자는 나를 괄세하시요? 물음에는 대답하지 않고 방문을 닫고 안으로 들어가니 성군 하릴없이 하직하고 내려서니 낭자가 그제서야 방문 열고 쌍긋 웃고 허는 말이 도련님은 가시지 마시고 제 말씀을 들으시요 아무리 천정연분(天定連墳)이라 한 들 어찌 말 한마디에 대답하오리까? 당으로 오르기를 청하였다. 성군이 좋아라고 당 위에 올라가 낭자를 살펴보니

〈세마치〉

꿈 속에서 보던 낭자 생시에 만나보니 아름답고 어여쁘다. 낭자의 고운 자태 구름 속의 달도 같고 한 송이 모란화가 아침이슬을 머금은 듯 두 눈 속에 흐르는 추파 새벽별 같이 맑고 맑아 천고(千古)에 무쌍(無雙)이요 절대가인(絶代佳人)이 분명허구나.

〈아니리〉

성군 도령 정신없이 바라보다가 겨우 입을 열어 오늘 이렇게 선녀를 대하고 보니 오늘밤에 죽어도 한이 없소이다. 낭자 대답허되, 소녀로 하여금 도련님이 병이 들어 저렇듯 수척하셨으니 죄송하고 황송하오나 우리 두 사람 연분은 아직 삼년이 남았으니, 그 때가 오면 파랑새로 중매삼아 육례(六禮)를

갖춘 후로 백년해로 하오리다만은, 만약에 도련님께 수청(소청)을 들으면 은 천기를 누설한 죄를 받아 도련님을 뵙지 못헐 테오니 도련님은 초조한 정념(情念)을 참으시고 삼년 동안만 기다려 주옵소서.

〈중중머리〉

성군 도령 그 말 듣고, 일각(一刻)이 여삼추(如三秋)라, 한시인들 어찌 참으리까. 이 몸이 그저 돌아가면 목숨살이 어렵삽고 상사병으로 죽을텐디, 낭자인들 어찌 편타하리요. 낭자는 나를 생각허여 죽을 목숨을 살려주오, 낭자도 하릴없어 옥같은 그 얼굴에 미소를 띠었구나. 성군도령이 좋아라고 낭자 손을 꼭 잡으니 낭자도 좋아라고 성군 품으로 가만히 안기니 성군 도령 거동보소. 낭자를 답숙안고 침실로 들어가서 이리 둥글 저리 둥글 만단회포(萬端懷抱)를 풀었구나.

〈아니리〉

낭자가 하는 말이 저의 몸이 깨끗지 못하여 이 곳에 머무르지 못할 터이니 낭군을 따라가오리다. 청노새를 끌어내 옥련 꽃에 올라 앉히고, 성군이 나란히 동행하야 집에 돌아오니 백공부부는 성군을 보내고 눈물로 지내다가 성군이 한 미인을 데리고 돌아와 부모님께 뵈오니 부모님이 깜짝 놀래 물은 즉, 성군이 전후 사연을 고하였다. 부모님도 좋아라고 동별당에 정하여 금슬에 낙원을 이루게 하였더라.

〈진양조〉

세월이 여류(如流)하여 어느덧 팔년을 지냈구나. 성군 도령 숙영낭자와 서로서로 사랑하여 꽃 같은 남매를 두었는디 맏딸은 동춘이요, 일곱 살이 되어있고 아들은 동근이라 세 살이 되었는디 동춘이는 모친 닮고 동근이는 부친 닮아 집안이 화평하여 그리울 것 바이 없다. 성군 도령 숙영 낭자는 누각으로 올라가서 사랑가를 불러가며 거문고를 슬기둥 둘덩 타면서 사랑 가를 즐기는디 사랑이야 내 사랑이로구나. 사랑이로구나. 어허어허 내 사랑 이야. 어허 둥둥 내 사랑이야.

〈아니리〉

이렇다시 사랑가로 세월을 보낼적에 호사화로다. 시화연풍(時化連豐)하고 국태민안(國泰民安)하니 나라에서 알성과를 보이는구나. 백진사는 아들을 불러들여 과거에 응시하라 분부를 하여노니 성군 하릴없어 부모님전 하직 하고 숙영낭자와 작별 후 한양으로 과거길을 떠났것다. 성군은 낭자를 잊지 못해 십리도 못가고 밤이면 낭자방에 출입을 하니 이를 시기하는 시녀 매월 이가 백진사에게 달려가 낭자방에 외간 남자 출입한다 모함하니 백진사는 놀람을 금치 못하고

〈중머리〉

초경 이경 삼사 오경이 되니 그때여 백진사님 철쭉장을 손에 들고 가만가만 자주 걸어 후원을 들어가니 뜻밖에 웬 사람이 낭자방문 서있다가 담장 뛰어 달아나니 백진사 황겁하야 아 저게 웬 놈일꼬 고이한 일이로구나. 낭자를 급히 불러 묻난 말이 너희 가장 이별한지 삼사일이 다 못되야 외간남자 허였으니 계집의 칠거지악(七去之惡)중에 천하대죄(天下大罪) 지은 배라 당장 쫓아낼 것이나 너희 가장 내려오면 낱낱이 죄목을 알아 죽기를 면치 못하리라. 낭자 듣고 기가 막혀 두 눈이 깜깜하고 정신이 상망(喪亡)허여 아무런줄 모르고 우두머니 서있다가 겨우 정신차려 아이고 아버님 이게 웬 말씀이요 철썩(鐵石) 간장 이내 마음 일분인들 변(變)하리요 그런 말씀 마옵소서.

〈아니리〉

닥치어라 내 눈으로 본 일을 속이려고 하는거냐. 하인들을 불러 동별당을 감시하라 분부 내려노니 숙영낭자 어찌 되었을꼬. 절개(節介) 높은 숙영낭자 애매한 음간사(淫奸事) 듣고 살 길 바이없어 죽기로 작정(作定)을 하는구나.

〈진양조〉

적적(寂寂)한 심야간(深夜間)에 동춘 동근을 끌어안고 아이고 불쌍한 내 새끼들아 너희 남매 죽지를 말고 부대부대 잘 살어라. 전생에 무삼 죄로 이승 와서 모자(母子)가 되어 영 이별이 웬일이냐. 내 딸 동춘아 나 죽은 후에라도 어린 동생 동근이 울거든 밥을 주고 젖찾거든 물 먹이고 나를 찾어 나오거든 하마하마 오마들아 안고 업고 달래어라. 동기는 일신(一身)이니 어미 일은 생각을 말고 각별히 우애(友愛)를 하여 치지말고 잘 키워라. 너희 부친 날 사랑을 유달리 허시는데 가면 다시 못오난 길을 원통히 죽어가니 죽난 나도 원이 되고 너의 부친 눈물지니 생사간(生死間)에 유원이로구나. 언제 다시 만나보며 볼날이 막연쿠나. 이렇다시 앉어서 훌쩍훌쩍 울음을 운다.

〈중머리〉

동춘 듣고 정신없어 모친에게 안기면서 아이고 어머니 어쩔라고 이러시오 아버지 오시면은 애매한 그 허물을 자연 변명이 될 것이니 분함을 참으시고 아버지를 기다리오. 어머니 돌아가시면 우리 남매를 어쩔라고 죽을라고 하시니까. 낭자 더욱 기가막혀 동춘을 겨우 달래야 잠을 들여놓고 이미 먹은 마음이니 지체를 허야 무엇허리. 원앙침(鴛鴦枕)을 도도베고 칼을 빼어 번쩍 들어 가삼에다 꽉 찔러노니 원통한 이 죽음을 어느 누구라서 만류허리.

〈중중머리〉

그때여 동춘이 잠을 깨어 일어앉어 모친을 바라보며 아이고 우리 어머니
죽었네. 와락 뛰어 달려들어 가삼에 박힌 칼을 두손으로 빼려 하니 박힌
칼이 아니 빼어지고 시체가 땅에 붙어 떨어지지 아니허니 밖으로 우르르르
뛰어 나오면서 아이고 할머니 어미가 죽었소. 어미를 살려주오. 동근이도
잠을 깨어 시체께로 달려들어 젖을 물고 울음 울고 홍씨 부인 이말 듣고
폈다 절꺽 떨어져 허둥거러서 들어오며 죽은 낭자 목을 안고 아이고 이게
웬일이냐. 에이 천하무상(天下無常)한 사람아. 그리 마라 일렀드니 생죽음
이 웬일이냐 애매한 말 들을제야 분하기가 측량(測量)없을테나 노망(老妄)
한 시부(媤父)를 조금도 가렴(葭簾)말고 날같은 시모하나 니가 부디 생각
하라 천만번이나 일렀드니 어린 자식 두 남매를 어쩌자고 죽었느냐. 효순
(孝順)하든 그 마음 착하운 사람아 너일러니 언제나 다시 보며 너를 잃고
어졸이 없어. 나도 살 길 전혀 없고 너희 가장 내려오면 그 형상(形狀)을
어이보리. 너고 나고 같이 죽자. 이렇다시 울음을 울제 동춘이도 울음 울며
죽은 낭자 목을 안고 아이고 어머니 이 죽음이 웬일이오 서울가신 아버지가
장원급제(壯元及第)를 높이하여 외방(外方)으로 나가실제 쌍교(雙轎)를
타고 가신다고 평생에 말하드니만은 소방상(小方牀) 댓돌 위에 쌍교 삼아
서 가시려고 이 죽음을 허시니까 아이고 이를 어쩔끄나. 하나님도 무심허고
귀신도 야속하지 가련한 우리 어머니 황천(荒天)이 어디라고 날 바리고
간단 말이요. 철모르는 우리 남매 뉘를 의지하며 외로히 산단 말이요 동근
이가 어머니를 찾으면 무슨 말로 달래리요 내리둥글 치둥글며 목재비질을
덜꺽덜꺽 죽기로 만드는 구나.

〈아니리〉

그때여 현진이 서울로 돌아가 과거를 볼제

〈단머리〉

그때에 백현진 만권시서(萬卷詩書) 흉중(胸中)에 가득이 품고 장중(場中) 들어가 장전 살펴보니 백설(白雪)같은 구름 채일(遮日) 보개 우에다 높이치고 시백목 설포장을 구름같이 둘렀난데 어탑(御榻)을 바라보니 홍일산(紅日傘) 홍양산(紅陽繖) 봉미선(鳳尾扇)이 완연쿠나. 시위(侍衛)를 볼작시면 병조판서(兵曹判書) 봉명기(奉命記)와 도총관(都摠管) 별련군(別輦軍)과 승사각신(承史閣臣) 늘어섰다. 선상(先廂)에 훈련대장(訓練大將) 후상(後廂)에 어영대장(御營大將) 유진의 금우대장(禁衛大將) 총융사(摠戎使) 별군직(別軍職)과 좌우포장(左右捕將)에 도감(都監)중근(中軍) 일대장 이대장 금군(禁軍) 칠백명 늘어서 억조창생(億兆蒼生) 만민(萬民) 선비 일시(一時)에 하례(賀禮)할제 어전풍악(御前風樂) 떡 궁 처 앵무새가 춤추난 듯 대제학(大提學)이 택출(擇出)하여 어제(御題)를 나리시니 도승지(都承知)가 모셔내어 포장위에 번 듯 춘당춘색(春塘春色) 고금동(古今同)이라 둥두렷이 걸었거날 시제(試題)를 펼쳐놓고 해제(解題)를 생각하여 초연에 먹을 갈아 호황모 무심필(無心筆) 일필휘지(一筆揮之)하여 일천(一天)에다가 선장(先場)허니 상시관(上試官)이 글을 보시고 자자(字字) 비점(批點)이요 귀귀(句句)마다 관주(貫珠)로다. 상시관이 등(等)을 매겨 한림학사(翰林學士)를 내였구나.

〈아니리〉

어주(御酒) 삼배(三杯) 먹은 후에 어전(御前)에 사은숙배(謝恩肅拜)ㅎ허고 본댁(本宅)으로 내려오니 낭자 자살(自殺)하였거날 빈소(殯所)에 들어

가 정신없이 칼을 빼고 통곡할제

〈진양조〉

아이고 낭자 숙영낭자 그대가 이것이 웬일이요 우리둘이 옥련동에서 만날 적에 무엇이라 말하였소 죽지마자고 백년언약 하날같이 믿었더니마는 이 지경이 웬일이오 자식도 나는 귀찮고 살기도 나는 귀찮소. 날 다려가오 나를 잡어가오. 여보 낭자 날 다려가오.

〈아니리〉

이렇게 통곡하다 이여코 잠이 들어 꿈을 꾸는디

〈중머리〉

백한림(白翰林) 현진이는 숙영낭자 살리려고 낭자의 유서(遺書)와 부작이며 글 지은 것 가지고 천태산(天台山)을 찾아갈 제 옥유동(玉流洞)을 지내여 옥대간을 들어가니 옛집은 있다만은 주인은 어데 간고 그 산을 넘어가니 망망(茫茫)한 창해(蒼海) 강두(江頭)에 빈 배하나 매었거날 그 배위에 올라앉어 부작내어 뱃머리에 붙여노니 빠르기가 풍운(風雲)같다. 가는대로 노아가니 망망한 창해이며 탕탕한 물결이라. 백빈주(白鬢鴉) 갈매기는 홍유로 날아들고 삼산(三山)에 기러기는 한수(旱水)로 돌아든다. 양양연을 들어가니 어떠한 고운 처자 삼삼오오 베를 매고 채련곡(採鍊曲)을 노래헌다. 동남으로 바라보니 창우산 높은 봉은 악양루 그 아니며 눈앞에 보이는 수풀은 소상반죽 이 아니냐 한곳을 당도하니 어떠한 늙은 어옹 일엽편주(一葉片舟)로 홀이처어 돛대치며 허는 소리 세상에 약도 많고 드는 칼도 많건만은 정 베일 칼이 없고 님 살릴 약이 없네. 님 살릴 약이 있는 곳에는 천태산인가 하노메라. 한림이 반겨듣고 저기 가는 저 노인네 천태산 가는 길이 어디쯤이나이까. 소리쳐 묻건마는 창랑가 어적소리 못들은 체허는구나. 한곳을 당도허니 물가운데 있는 산이 하날을 고였난듯 그 곳에 배를 매고 산에 올라 군담하되 이곳이 천태산인가 높은 산 험한 길을 정처없이 가노메라니 부용자각 행번가는 천태산도 같도같다. 어떠한 두어동자 무슨 풀을 캐며 자리곡 노래한다. 한림이 반겨 물어 너희는 어데 살며 캐는 풀은 무엇이냐. 우리는 아침에 강한전에 조회하고 낮이면 구주산(九州山) 차하동에 있사온데 사모님에 명령으로 숙영낭자 살리려고 반호행을 캐나이다. 말이 맞지 못하야 인홀불견 하였구나 한림이 허망하야 무한히 생각할제 풍편(風便)에 종경(鐘磬)소리가 귀에 번뜻 들리거날 그곳을 찾아가니 조그마한 암자하나 별유천지(別有天地) 세계로다. 동문을 열고 들어서니.

〈엇머리〉

노승 하나 일어서 읍하며 하는 말이 소승이 이곳에 있는제 요지벽도(瑤池白桃) 세 번 피었으되 속객(俗客)을 보지 못하였는데 어떠하신 귀객(貴客)이요 한림이 살펴보니 신장(身長)은 구척(九尺)이요 눈은 소상강 물결같고 서리같은 두 눈섭은 왼얼굴을 덮어 있고 크나큰 두 귓밥은 양어깨에 척 처져 학(鶴)의 골격 봉(鳳)의 정신이라. 한림이 황급하야 노승앞에 엎드려 낭자의 글을 올리거날 노승이 바라보고 귀객이 오실줄은 이미 알았으나 인생일생(人生一生)은 제왕(帝王)도 면(免)치 못하는데 귀객은 낭자와 인연이 부족하였기로 낭자의 그 죽음은 하날이 주신 병이니 약효를 어찌 면하리오. 옥황상제(玉皇上帝) 분부(分付)에는 낭자님의 맥줄 안고 다시 명을 권하시며 이 약을 보내 주시나니다. 백옥(白玉)뜨기 불근해는 낭자님의 사은모요 백옥병에 담은 물은 숙영낭자 입에 넣으면 다시 환생(還生) 하오리다.

〈중머리〉

그때에 백한림은 약을 받아 손에 들고 노승 앞에 허리를 굽히고 공손(恭遜)히 여짜오되 대사님의 무궁조화(無窮造化) 상통천문(上通天門) 하달지리(下達地理)허사 불노초(不怒草) 불사약(不死藥) 주시어 소생의 애처(愛妻)를 살리시니 은혜 백골지난망(白骨之難忘)이오 백배치사(百拜致賀)를 한 연후에 하직(下直)을 허고 물러서니 노승이 합장배례(合掌拜禮)를 하여 뒤를 돌아보지 말고 어서 급히 나가시사 낭자를 구하소서. 한림이 반겨 듣고 동문을 열고 나서보니 일낙서산(日落西山)이 황혼이 되어 갈길은 천리만리 남고 사면이 검어오니 원산에 잔나비는 자식 찾는 슬픈 소리 장부(丈夫) 간장(肝臟)을 회심(悔心)커날 오든 길을 돌아들 제 뜻밖에 노독(路毒)나 촌 고향길 전혀 없어 잠깐 앉어 진정을 헌 연후에 그 산을 게우 넘어들어 강두(江頭)에 다다르니 오든 배 매었거날 배에 선뜻 올라앉어 치잡고 뱃머리 돌려 떠날 제 옥류동(玉流洞)을 지내여 이화촌(梨花村) 돌아들어 매월당 들어서니 낭자 자는 듯이 누웠거날 한림이 약을 급히 내여 낭자 입에 흘리어 동정(動靜)을 살필 적에 상공부인이 은은히 불러 유명(遺命)이 노소거날 현우가 자별하니 오래 지체 못할지니 여동을 재촉하야 동방의 실솔선은 실르르르 일장호접(一場胡蝶)이 펄펄 깜짝 놀래 깨달으니 남가일몽(楠柯一夢)이라. 아이고 허망허네 황능묘(黃陵墓)는 어데 가고 이것이 나의 초당(草堂)이로구나.

〈아니리〉

백한림이 곰곰히 생각하니 숙영낭자와 삼년을 못참은 죄로 이런 재난을 당하였구나.

〈엇중머리〉

그때에 백한림이 꿈에 지시한대로 천태산 들어가 노승에게 약을 얻어 낭자를 살리니 백진사도 대희(大喜)하야 일가동락(一家同樂) 태평(太平)허고 팔십장수를 한 연후에 하루는 낭자가 한림의 손을 잡고 백운(白雲)타고 하날에 오르니 그 뒤야 뉘 알리오. 더질더질.

숙영낭자전

박 동진 (소리)

아니리

이조 세종대왕 때에 경상도 안동 땅에 한 선비가 살았으니, 성은 수원 백씨요, 이름은 상공이라. 소년시절 진사를 하여 안동에 살며, 부인 정씨와는 이십여 년간 살았으나 슬하에 자식이 없는 고로 매양 슬퍼하더니, 명산대찰에 불공 드려 아들 하나를 낳았으니, 이름을 신선 선자 임금 군자, 선군이라고 지었는데,

진양

연광은 십육 세고 얼굴은 관옥이며 풍채는 두목지라. 어느덧 약관하여 상공부부는 좋아라고, 아들의 배필을 구하시어 슬하에 두어 두고 말년 재미를 보려 하고, 사방으로 구혼을 하였지만 당처가 없어서 한탄을 하더라.

아니리

그때에 선군 도령은 춘풍가절에 초당에서 글을 읽다가 잠깐 동안 졸더니만, 비몽사몽간 어떤 선녀가 하늘에서 내려와서 두 번 절하고 하는 말이,

중중몰이

도련님 듣조시오. 도련님은 저를 몰라 보십니까. 제가 여길 찾어온 건 다른 일이 아니오라, 도련님과 소녀와는 천정배필 되었기로, 도련님을 보이고저 당돌하게 찾아왔오. 어여삐 여기소서. 선군 듣고 하는 말이, 낭자는 천상의 선녀요, 이 몸은 지상에서 속객(俗客)이라. 천상과 지상이 멀었으니 어찌 연분이 되오리까. 낭자가 듣고 대답한다. 도련님은 하늘에서 비를 내리는 선관으로, 모년·모월·모일·모시 비를 잘못 내렸기로, 하느님께 득죄하와 인간으로 내쳤으되, 세월이 흘러가서 삼 년만 지나가면 도련님과 소녀와는 백년가약을 하오리다.

중몰이

선군 듣고 반겨라고 낭자 손을 잡으려다가, 깜짝 놀라 잠을 깨니 낭자는

박동진 창본 〈숙영낭자전〉

　　박동진 창본 〈숙영낭자전〉은 박동진 명창이 1980년대 새로이 작창한 것이다. 기존의 구활자본 내용에 장단을 붙여 새로이 불렀다. 원래 〈숙영낭자가〉는 일제강점기 정정렬 명창이 만든 것으로 알려져 있는데, 이를 박록주, 박송희 등이 이었다. 그러나 박동진은 자신의 스타일로 다시 소리를 짜서 불렀다. 기존의 소설 내용을 판소리 문체로 바꾸고 간단한 삽입가요를 활용하여 짠 것이다. 여기 실린 이본은 이국자 교수가 1980년대에 채록한 사설이다. 이 창본의 결말은 승천이 나타나지 않고 백선군과 숙영낭자, 임소저가 함께 팔십까지 복락을 누리는 것으로 되어있다.

출처: 이국자, 『판소리연구』, 정음사, 1986, 383~407쪽.

〈아니리〉

이조 세종대왕 때에 경상도 안동 땅에 한 선비가 살았으니, 성은 수원 백씨요, 이름은 상공이라. 소년시절 진사를 하여 안동에 살며, 부인 정씨와는 이십여 년간 살았으나 슬하에 자식이 없는 고로 매양 슬퍼하더니, 명산대찰에 불공 드려 아들 하나를 낳았으니, 이름을 신선 선자 임금 군자, 선군이라고 지었는데,

〈진양〉

연광은 십육 세고 얼굴은 관옥이며 풍채는 두목지라. 어느덧 약관하여 상공 부부는 좋아라고, 아들의 배필을 구하시어 슬하에 두어 두고 말년 재미를 보려 하고, 사방으로 구혼을 하였지만 당처가 없어서 한탄을 하더라.

〈아니리〉

그 때에 선군 도령은 춘풍가절에 초당에서 글을 읽다가 잠깐 동안 졸더니만, 비몽사몽간 어떤 선녀가 하늘에서 내려와서 두번 절하고 하는 말이,

〈중중몰이〉

도련님 듣조시오. 도련님은 저를 몰라 보십니까. 제가 여길 찾어온 건 다른 일이 아니오라, 도련님과 소녀와는 천정배필 되었기로, 도련님을 보이고저 당돌하게 찾아왔소. 어여삐 여기소서. 선군 듣고 하는 말이, 낭자는 천상의 선녀요, 이 몸은 지상에서 속객(俗客)이라. 천상과 지상이 멀었으니 어찌 연분이 되오리까. 낭자가 듣고 대답한다. 도련님은 하늘에서 비를 내리는 선관으로, 모년, 모월, 모일, 모시 비를 잘못 내렸기로, 하느님께 득죄하와 인간으로 내쳤으되, 세월이 흘러가서 삼 년만 지나가면 도련님과 소녀와는 백년가약을 하오리다.

〈중몰이〉

선군 듣고 반겨라고 낭자 손을 잡으려다가, 깜짝 놀라 잠을 깨니 낭자는 간 곳 없고 향취만이 남았구나. 꿈속에서 보던 낭자, 눈에 삼삼 귀에 쟁쟁, 앉았는 듯 누었는 듯 눈 감으면 곁에 앉고 눈을 뜨면 간 곳 없네. 시름상사 병이 들어 전전반측 잠 못자고 식불감미 밥 못먹으니, 어린 창자 끊어지고 일촌간장 다 녹는다.

〈아니리〉

말 못하고 우황 든 암소 앓듯 하니, 이것이 바로 상사병이라는 것이었다. 선군 부모님은 아들을 보아노니, 꼭 중병 앓는 사람 같은지라. 아들 불러 물어보나, 선군은 부모님전 차마 그런 말씀을 할 수가 없는지라, 별로 소회 없나이다. 이렇듯 말씀을 사룁고 책방으로 돌아와서, 낭자만 생각하며 밤을 반짝반짝 세우는데, 하루는 낭자가 홀연히 나타나서 옆에 앉아 하는 말이,

〈진양〉

도련님이 이 몸을 생각하여 이토록 되었으니, 제 마음이 편하리까. 도련님을 위로코저 이 몸의 화상을 드리오니, 이 화상을 침실에다 두시옵고, 밤이면은 안고 자고, 낮에는 병풍에다 걸어 놓으면 도련님 소회를 푸시리다. 선군 듣고 반겨하여 낭자 손을 잡으려다 깜짝 놀라 잠을 깨니, 낭자는 간 곳 없고 화상만이 놓였더라. 선군 보고 기이하여 화상을 걸어놓고, 주야로 사랑 할 제 밤이면은 안고 자고, 낮에는 병풍에다 걸어 놓고 그리운 회포를 풀어 본들 걷잡을 수 없는 정염 참을 길이 전혀 없어, 하릴없이 죽게 되네.

〈중몰이〉

하룻밤은 천상낭자 홀연하게 들어와서 손목 잡고 하는 말이, 도련님이 소녀

를 생각하여 병이 골수에 드셨으니 제 마음이 슬프지만, 하느님이 주신 연분 아직 때가 멀었으니 소녀인들 어찌하리. 그동안에 도련님은 소녀를 대신하여, 시녀 매월을 시첩 삼고 잠시 동안 방수하와, 울적한 심회를 푸옵소서. 선군 도령 잠을 깨어 매월이를 시첩 삼아 울적한 회포를 풀었으나, 일편단심 애정이야 변할 리가 있겠는가.

〈아니리〉

선군 병은 골수에 깊이 박혀 고칠 수가 바이 없고, 하릴 없이 죽게 되었구나. 그날 밤에 낭자가 현몽하는데, 도련님은 저를 보시려면, 태백산 옥연동(玉淵洞)으로 오시옵소서. 그러하오나 우리 연분은 아직도 삼 년이 남았으니, 그동안 만일 서로 몸을 범하면은 하나님께 큰 벌을 받을 터이오니 각별 조심하옵소서. 홀연히 간 곳 없다. 선군은 잠을 깨어 부모님전 아리는데, 소자 요새 마음과 몸이 편치 못하오니 명산대찰 찾어 유람이나 하겠네다. 부모님은 말렸으나 선군은 행장을 수습하여 길을 떠나, 태백산 옥연동으로 찾아갔것다.

〈중중몰이〉

산은 첩첩 천봉이요, 물은 잔잔 백곡(百曲)이라. 한 곳을 당도하여 눈을 들어 살펴보니 연당 안에 연꽃들은 만발하게 피어있고, 모란꽃과 두견화도 사방으로 피었구나. 나비는 훨훨 춤을 추고, 산새들은 노래하고, 수양버들 가지 위에 황금 같은 꾀꼬리는 고운 목으로 노래한다. 층암절벽 걸린 폭포 은하수를 휘여낸 듯, 명사청계(明沙淸溪) 걸린 다리 오작교가 방불하다. 별유천지 비인간이라. 선군도령 봐라. 좋은 풍경 구경하다 한 곳을 가만히 바라보니, 주란화각(珠欄畵閣)이 반공에 가 떠있는데, 황금대자(黃金大字)로 새겼으되 만고절승 태백산 옥연동이라 등두렷이 붙어있다. 선군도령 좋아라고 당상으로 올라가서 좌우로 살피는데, 꿈에 보던 천상낭자 주렴 새로 나오면서 정색하고 하는 말이, 그대는 누구인데 감히 선경을 범하는고, 그 목숨이 아까우면 어서 급히 물러가오. 추상 같은 호령소리 옥연동이 떠나간다.

〈중몰이〉

선군도령 바라보고 그 자리에 엎드리어 애근사정 하는 말이, 나는 본시 승지 찾아 유산(遊山)하던 과객으로, 풍경을 구경하다 길을 잃고 방황하다, 여기가 천상인지 여기가 지상인지 분간조차 모르옵고, 선경을 범했으니 용서하여 주옵소서. 낭자 듣고 하는 말이, 그대 목숨이 아까우면 어서 급히 물러가오. 선군이 생각하니 여기가 분명 옥연동인데, 만약 그저 물러가면 낭자 만날 가망 없네. 이렇듯이 생각하며 정색하고 하는 말이, 꽃을 본 나비요, 물을 본 기러기라. 죽고 사는 일이 모두 낭자에게 달려 있소. 이렇듯이 말을 하며 안으로 들어가더니만 자리잡고 앉았구나. 낭자가 그제서야 단순호치(丹脣皓齒) 반만 열고, 옥면화안(玉面花顔) 하는 말이, 도련님과 소녀와는 천정배필되었지만, 처녀의 몸인지라 어찌 몸을 허하리요. 통촉하여 주옵소서.

〈진양〉

선군도령 그 말 듣고, 꿈속에만 보던 낭자 생시에 만나보니 아름답고 어여쁘다. 낭자의 고운 모습 구름 속의 달도 같고 한 송이 모란화가 아침이슬을 머금은 듯, 두 눈 속에 흐르는 추파 새벽별같이 맑고 맑아, 천고에 무쌍이요, 절대가인 분명하네.

〈아니리〉

선군도령 정신없이 바라보다가 겨우 입을 열어 하는 말이, 낭자 같은 선녀를
오늘날 만나오니 이 자리에 죽사온들 아무 한도 없나이다. 낭자가 답례한다.
소녀로 하여 도련님 병이 들어 저렇듯 수척하셨으니 죄송하고 황송하오나,
우리 두 사람 연분은 아직도 삼 년이 남았사오니, 그 때가 오면은 파랑새로
중매 삼아 육례를 갖춘 후로 백년해로 하오리다만, 만약에 도련님께 소청을
들으면은, 천기를 누설한 죄를 받아 선경에 머물러 있어, 다시는 인간 세상
에 내려가서 도련님과 만나보질 못할 것이오니, 도련님은 오늘의 초조한
정염을 참으시고 삼 년 동안만 기다려주옵소서.

〈중중몰이〉

선군도령 그 말 듣고, 선군도령 그 말 듣고, 일각이 여삼추라 한신들 어찌
참으리오 이 몸이 그저 돌아가면 목숨 살기 어렵삽고, 상사병으로 죽을테니
죽어 황천 돌아가서 낭자를 원망할 것이라. 낭자의 일신인들 어찌 편타
하오리까. 낭자는 이 몸을 불쌍하게 여기시와 죽을 사람을 살려주오 낭자도
마음이 동하는 듯 옥안에 미소를 띠었구나. 꽃같은 그 얼굴에 붉으락푸르락
하여 어찌할 바 모르는데 선군도령 거동 봐라. 낭자 손목 덥석 잡고 이규이
규 끌어놓으니, 낭자 역시 좋아라고 선군도령이 하는대로 못이기는 듯 따르
는 듯, 선군도령 하는 대로 백선군의 품속으로 가만히 안기더니, 얼굴을
대고 낯 비비고 침실로만 들어가더니, 상하의복 훨훨 벗고 둘이 끼고 누웠으
니 좋을 호자 그 아니가.

〈아니리〉

둘이 서로 한을 푸니 그 절절하고 상쾌한 맛, 무슨 말로 다할소냐. 숙영낭자
하는 말이, 이미 몸이 부정하였사오니 선경에는 있을 수도 없는지라. 낭군따

라 가오리다. 청노새를 끌어내어 둘이 서로 나란히 타고서 집으로 돌아오는
데, 그 때에 선군 부모님은 쇠약한 아들을 유람 보내고 마음을 놓지 못하더
니, 뜻밖에 아들이 꽃같은 낭자를 데리고 청노새를 나고서 왔는지라. 양주
서로 맞아들였으나, 부모 승낙없이 낭자를 맞아들인 것은 예의에도 어긋나
고, 또한 낭자의 자태가 너무도 어여쁘니, 아들이 삼대독자라 혹시 여우가
둔갑하여 아들을 홀리느라고 이런 재변이 생겼는가 하고 매양 경계하다가,
할 수 없이 동별당을 소세하고 아들과 낭자가 거처하게 하였더라.

〈중몰이〉

세월이 여류하여 어느덧 팔 년이 지냈구나. 선군도령 숙영낭자가 서로 서로
사랑하여 꽃같은 남매를 두었는데, 맏딸의 이름은 동순(東順)이요 일곱
살이 되어 있고, 아들은 동춘(東春)이라 세 살이 되었는데, 동순이는 모친
닮고 동춘이는 부친 닮아, 집 안에 화기가 애애하여 그리울 것이 바이없다.
젊은 부부 거동 봐라. 누각으로 올라가서 사랑가를 불러가며 칠현금을 스르
렁둥덩 희롱할 제, 화답가를 불러가며 풍류세월 보내더라.

〈아니리〉

한참 이리 즐기는데 호사다마로다. 백진사 부부는 선군이 낭자에게 혹한
바 되어 공부에 뜻이 없는 것을 한탄할 제, 시화연풍하고 국태민안 하니
나라에서 알성과를 보이는구나. 아들을 불러들여 과거에 응시하라 분부를
하여노니, 선군이 하는 말이, 과거라고 하는 것은 헛된 욕심이 분명하오며,
우리집으로 말씀하면, 수만 석 받는 전답이 사방으로 있사오며 남녀비복이
수십 명인바, 무슨 복이 부족하여 과거급제하고 벼슬아치가 되오리까, 처분
하여 주옵소서. 이렇듯 말씀을 사뢰옵고 별당으로 들어와서 낭자 보고 전후
말을 하여노니, 숙영낭자 그 말 듣고 정색하여 하는 말이, 낭군께서 과거를

안보려고 하시는 것은 잘못이로소이다. 남아가 세상에 나서 입신양명하는 것은, 부모와 나라를 위하는 길이오며, 한낱 아녀자로 인하여 과거를 안본다는 것은 불효이고 불충하는 것이며, 남들이 들으면은 욕이 먼저 첩에게로 돌아갑니다. 어서 행장을 준비하여 한양으로 떠나소서. 선군도 그 말 듣고 절절이 옳은지라, 부모님전 하직하고 서울로 올라갈 제,

〈중몰이〉

선군이 행장을 수습하여 숙영낭자를 작별할 제, 범연한 말로 하지마는 가슴이 모도 미어진다. 한 걸음에 멈춰서고 두걸음에 돌아보며, 연연한 정 생각하니 발길마저 안떨어진다. 숙영낭자도 울음을 울며 중문 밖에 나오더니, 눈물로 하직을 하는구나. 백선군 거동 봐라. 한양으로 올라갈 제, 온종일을 길을 갔으나 삼십 리 밖에 못갔더리, 숙소를 정한 후에 저녁상을 받았지만, 낭자 생각 간절하여 음식 맛도 전혀 없네. 저녁상을 물리치고 적막한 빈 방안에 더진 듯이 앉았으니, 숙영낭자 고운 자태 눈에 삼삼 귀에 쟁쟁, 실신한 사람같이 우두머니 앉았는데, 밤은 점점 깊어간다.

〈자진몰이〉

선군이 참다 못해, 벌떡 일어 나오더니 하인들이 잠을 자자, 가만가만 빠져 나와 신발을 모아 쥐고 달음질로 달리는데, 천방지축 달려온다. 집으로 돌아오니 밤은 적적 삼경인데, 부모님이 아실세라, 높은 담을 훌쩍 넘어 별당으로 들어가니, 숙영낭자 누웠다가 깜짝 놀라 일어나며, 낭군께서 이 밤중에 이 모양이 웬일이며, 한양으로 가시더니 하루도 못가시고 어디 가서 숨었다가 이 모양으로 오십니까.

〈중몰이〉

선군 보고 하는 말이, 온종일 길을 걸어 숙소를 정하고서 자리하고 누웠는데, 낭자 생각 간절하여 병이 될까 염려되어, 낭자를 한번 보고 그리운 정을 풀려고 삼십리를 달려왔소. 숙영낭자 손을 잡고 금침 속으로 들어가더니 만단정회를 푸는구나.

〈아니리〉

그 때에 선군 부친 백진사는 아들을 한양으로 보내 놓으니, 집안이 텅 빈 듯하여 집 안을 살피는데,

〈엇몰이〉

백진사 거동 봐라. 백진사 거동 봐라. 청려장을 반만 짚고 집 안을 두루 살피는데, 동별당을 당도하여 동정을 살필 적에, 뜻밖에 낭자 방에서 남자 음성이 들리거늘, 백진사가 깜짝 놀라 이게 무슨 재변인고, 아들 없는 며느리 방에 남자 음성이 나는 것은 해괴하고 고이하다. 가만가만 들어가서 귀를 대고 들어본들 의심할 바 전혀 없네. 백진사 기가 막혀 문을 열고 들어가려다 다시 돌려 생각한즉, 숙영낭자 빙옥지심(氷玉之心) 송죽같이 굳은지라 그럴 리가 없으리라. 그럴 리가 없으리라. 이렇듯이 생각하고 마음을 돌리는데,

〈아니리〉

그 때에 숙영낭자는 문밖에 시아버지가 오셨는 줄 알고서, 선군을 보고 당신은 이불 속으로 들어가시오 밖에 아버님이 오시었소 선군은 황급하여 이불 속으로 들어가니, 숙영낭자는 자고 있는 딸과 아들을 달래는 듯 자장가를 부르것다.

〈중중몰이〉

둥둥둥 내 아들아. 어허둥둥 우리 아가. 착하고도 착하도다. 어서어서 잘 자거라. 너의 부친 한양 가서 대과급제 하여 오면, 우리집은 꽃이 피고, 너희들도 영화롭고, 조부모님 양주분도 춤을 추며 즐기신다. 아가 아가 우리 아가 어서어서 잘 자거라.

〈아니리〉

백진사는 한참 동안 엿을 듣다가, 만가지로 생각하고 이리 궁리 저리 궁리 하며, 일로 하여 은연 중 며느리를 의심하는데, 백진사는 그날 밤에 자기 방으로 돌아갔것다. 숙영낭자는 남편을 독촉하여 날이 밝기 전에 선군을 보내 놓으니, 선군이 하릴없이 옷을 찾아 급히 입고 도망하여 달아나니, 왕복 육십 리를 걸었지만 다리 아픈 줄도 모르더라. 주막집을 당도하니 하인들은 아직까지 코를 골고 자는구나.

〈중몰이〉

날이 점점 밝아오니, 길을 걸어 올라갈 제 발걸음이 천근이라. 그날 역시 길을 걸어 십 리쯤은 가더니만, 숙소를 정하고서 혼자 우뚝 앉았으니, 달은 밝아 명랑하고 두견새만 슬피 운다. 낭자 모습 생각하니 눈이 캄캄 기막힌 다. 잠을 잘 수 전혀 없네. 미친 듯이 일어나서 집으로만 달려가서 담을 넘어 들어가니, 숙영낭자 정색하고, 낭군님께 지난 밤에 간곡한 말씀으로 신신당부 하였는데, 그 말씀을 아니 듣고 오늘밤도 또 왔으니, 이러시다 병이 나면 어쩔라고 이러시요 선군 듣고 하는 말이 낸들 그걸 모르리요만, 낭자를 못보면은 미칠 것만 같은지라, 내 마음을 내 마음대로 못하오니 답답하고 답답하오 숙영낭자 그 말 듣고 화상을 급히 그려 선군에게 내어 주며, 이 화상을 간직했다 나를 보고 싶으실 때 종종 내어 보시옵고, 이 화상 빛이 변하오면 소첩 몸이 불편한 줄 미리 먼저 아시옵소서. 이렇듯이 말을 하며 밤 가는 줄을 모르는구나.

〈아니리〉

그 때에 백진사는, 어젯밤에 며느리 방에서 남자 음성이 나는 것을 듣고, 의심이 바짝 나서 오늘밤도 가서 보리라 하고, 들창 밑으로 바싹 붙어서서 엿을 듣는데, 며느리 음성이 들리다가 또 남자 음성이 들리는지라. 이런 고약하고 망칙한 일이 또 있는가. 우리 집은 담장이 높고 상하이목이 번다한데, 외간 남자가 아들 없는 틈을 타서 밤마다 며느리 방을 출입하는 것은, 연놈이 배가 맞아서 간통하는 것이 분명하구나. 방문을 열고 들어가려다 떨리는 마음을 진정하고, 자기 방으로 들어가서 혼자 자탄하는구나.

〈진양〉

숙영이가 며느리로 부모전에 효도하고, 남편에게 남과 달리 유정하고 알뜰한데, 이런 변이 또 있는가. 모를네라, 모를네라. 사람의 맘을 모를네라. 만일에 이런 소문이 담장 밖을 나가면은, 양반의 집안에서 행세하고 지내다가 이런 창피가 어디 있나. 어쩔거나, 어찌를 할까. 이놈의 노릇을 어쩔거나. 아무도 모르게 슬피 운다.

〈아니리〉

한참 이리 탄식할 제, 그 때에 선군은 숙영낭자 말을 듣고 화상을 간직하고 한양으로 올라갔것다. 백진사는 할 수 없이 부인 정씨를 불러들여 전후사 말을 한즉, 부인은 그 말 듣고 냉소하고 하는 말이,

〈엇중몰이〉

영감님은 듣조시오. 영감의 잘못 생각이오. 우리 며느리 숙영이는 그런 사람 아니외다. 공연한 의심을 품고 며느리를 미워하니 그게 무슨 망령이오. 그리 마오, 그리 마오. 그럴 리가 없소이다. 마오마오 그리 마오. 착하고 어진 며느리를 어찌 그리 의심하오.

〈아니리〉

백진사 그 말 듣고, 나도 그걸 믿고 싶지는 않지만, 내 귀로 두 번씩이나 들었으니 며느리를 불러들여 한번 물어보는 게 어떠하오. 정씨 부인은 말렸지만, 백진사가 고집부려 하녀를 불러들여 며느리를 불렀것다. 숙영낭자는 시부모 앞에 공손히 절을 하고, 아버님 불러 계시옵니까.

〈중몰이〉

백진사가 거동 봐라. 며느리를 대하더니 꾸짖듯이 하는 말이, 선군이 집을 떠나 한양으로 올라간 후, 집안이 적적하여 내가 손수 후원을 돌아 네 방 옆을 당도하니, 네 방에서 남자 음성이 은은하게 들리는지라. 곰곰히 생각하니 해괴하고 망칙하여 문을 열고 보려다가, 차마 그리 할 수 없어 참고 돌아왔더니만, 오늘밤도 네 방에서 남자 음성이 들리는지라. 이게 도시 무슨 일인지, 너를 내가 의심하는 것은 도리가 아닌 줄은 나도 응당 알지마는, 내 귀로 들었으니 속임없이 말을 해라.

〈아니리〉

숙영낭자는 속으로 놀랬으나, 마음을 진정하고 천연히 여짜오되, 동순이와 동춘이가 애비를 생각하고 잠을 아니 자는고로, 그것들을 데리고서 밤이 깊도록 이야기를 하느라고 말을 했으나, 제 방에 어찌 감히 외간 남자 말소리가 나오리까. 그런 일은 없사오니 통촉하여 주옵소서. 백진사는 의심을 품고 말을 했지마는, 며느리의 말을 듣고 더이상 묻지 않고 며느리를 별당으로 보낸 후로, 시녀 매월이를 불러들여 분부를 하는데, 그저께 밤과 어젯밤에 아씨 방에서 시중을 들었느냐. 매월이가 여쭈오되, 쇤네는 몸이 불편하여 아씨방을 가 보지 못하였내다. 백진사 그 말 듣고 더욱 의심이 나는구나. 사실이 그러하면은 필유곡절이다. 아마도 아씨가 외간남자와 사통함이 분명하다. 너는 앞으로 잘 살펴 아씨 방을 넘나드는 놈을 잡아 대령하라.

〈중몰이〉

매월이가 분부 듣고 주주야야로 살피지만, 외간 남자는 고사하고 개미새끼한 마리도 나타나질 않는구나. 매월이가 생각한즉, 숙영낭자가 들어와서 정부인이 된 연후로 옛일을 생각하니, 백선군은 매월이를 시첩으로 대한 것을, 요망스런 매월이는 제 손수 생각기를, 숙영낭자 들어와서 시종으로만 부려먹고, 백선군은 다정하게 말 한 마디 없는 것을 투기하고 시기하여, 수 년 동안 이를 갈다, 백진사가 의심 품고 선군은 한양으로 과거 보러 올라갔으니 천재일우라 생각하고, 숙영이를 모해해서 자결하여 죽게 하면, 이 원수를 갚으리라. 이렇듯이 생각하고 천가지로 음모하고 만가지로 꾀를 부려, 죄도 없는 숙영낭자를 간통죄로 몰려고 갖은 수단을 다 부린다.

〈아니리〉

요사스런 매월이가 수십 냥 돈을 모아, 동네 불량배들을 매수하여 제 몸도 주고 돈도 주며, 숙영낭자의 간부로 종용할 제, 한 놈이 팔을 걷고 나서면서, 내가 한번 하오리다 하면서 나서는데, 니놈 이름이 돌이라고 하는 놈인데, 이놈은 술 잘먹고, 싸움 잘하고, 기운 세고, 심술 많고, 욕 잘하고, 모질고, 독한 놈이라. 동네에서도 망난이 노릇을 하는 놈인데, 매월이가 그놈을 붙들고 사정을 하것다.

〈중몰이〉

다른 사정 그만 두고 백진사댁 서방님이 나를 소첩 삼은 후로, 전에는 들며 날며 정을 두고 지내더니, 숙영이가 들어와서 본실부인 된 연후로, 팔년 동안 긴긴 세월 다정스런 말 한 마디도 이 몸에게 한 바 없고, 소 부리듯 부려 먹으니, 그 원한이 사무쳐서 골수에가 맺힌지라. 분하고도 원통하여 이 원수를 갚으려고 주주야야 생각더니, 서방님은 한양으로 과거 보러 가신 지라. 숙영이를 모함하여 자결하고 죽게 한 후, 서방님이 돌아오면 감쪽같이 죽여 버리고, 백진사의 많은 재물 둘이 서로 도적하여, 멀리멀리 도망가서 알뜰살뜰 사옵시다.

〈아니리〉

돌이란 놈 하는 말이, 매월의 일이 내 일인데 돈까지 많이 받고, 또 우리는 이제 부부가 되었으니 무슨 일을 못하겠소. 걱정마소, 걱정말아. 감쪽같이 해치울 테니. 이렇듯 상약하고 매월이는 그날 밤에 별당으로 들어가서 문을 가만히 열어 주고, 돌이란 놈을 불러들여 소근소근 하는 말이, 당신은 여기 있다가, 내가 진사님 처소로 들어가서 적당히 말을 하면, 영감이 분을 내어 당신을 숙영낭자 간부로 알고서 잡으로 올테니, 당신은 그때쯤 해서 영감 눈에 보이도록 낭자 방에서 나가는 듯, 담을 넘어 도망가되 부디 조심하란 말이여. 돌이란 놈 껄껄 웃고, 이거 참말로 진짜 간부가 아니라서 좀 성겁지마는, 가짜로는 멋지게 할 터잉께 걱정마소. 매월이는 돌이란 놈을 단속하고, 영감 방으로 달려가서 호들갑을 떠는데,

〈잦은몰이〉

마님 마님 영감마님, 큰일 났소, 야단 났소. 영감마님 분부 듣고 동별당을 지키더니, 오늘밤에 어떤 놈이 얼굴에다 복면하고 낭자 방으로 들어가서, 낭자와 서로 잡고 추잡한 짓 하옵기로 가만가만 엿을 들으니 낭자가 그놈을 보고 다정하게 하는 말이, 서방님은 윗 영으로 과거 보러 갔지마는, 낙방거사 될 것이라. 서방님이 돌아오면 감쪽같이 죽여버리고, 이 댁 재산 도적하여 멀리멀리 도망가서 알뜰살뜰 살아보자. 도란도란 하는 소리를 이 귀로 다 똑똑히 들었내다. 어쩌면은 어여쁘고 아름다운 탈을 쓰고 그럴 수가 있으리까. 영감마님 현명하사 그 징조를 미리 알고, 쇤네에게 분부하사 천만 번 다행한 중, 저 연놈들을 두었다가 서방님이 돌아오면 참변을 당할 테니, 저 연놈들을 잡아내서 능지처참 하여 주오. 백진사가 그 말 듣고, 노기가 등등하여 칼을 뽑아 높이 들고, 후원으로 달려가니 낭자 방에서 문을 열고 괴한의 그림자가 놀랜 토끼 달아나듯, 높은 담장 훌쩍 넘어 멀리멀리 도망간다. 백진사가 쫓아가나 붙들지를 못하고서 가쁜 숨을 몰아쉬며 처소로 돌아오더니, 노기가 대발하여 하인들을 불러 놓고 추상같이 호령한다.

〈중몰이〉

우리집은 문단속이 엄중하고 든든하여 외인출입을 못하더니, 동별당을 어떤 놈이 밤중마다 왕래하니, 너희놈들 가운데에 낭자와 간통하는 놈을 문을 가만히 열어 주고, 왕래하게 하는 자가 있는지라. 사실대로 말을 하면 죽기를 면하지만, 만약 속여 은휘하면 당장 모두 죽일 테니, 떼주검이 나기 전에 어서 급히 말을 하라.

〈아니리〉

비복들이 천만 뜻밖에 이 말을 듣고 정신이 어리둥절하여, 서로 바라보고 묵묵부답이라. 백진사 호령한다. 네 이놈들, 당장 낭자를 잡아 대령하라. 추상같이 호령하니, 매월이란 년이 신이 나서 별당으로 우루루루 달려가서, 낭자 방문을 벼락치듯 후닥딱 열뜨리고, 여보 낭자, 무슨 잠을 이리 자오. 영감마님이 낭자를 잡아오라 하니, 어서 급히 일어나오 숙영낭자 깜짝 놀라 방문 밖을 바라보니, 달려온 비복들이 퉁명스런 말소리로, 낭자는 어떤 놈과 간통하고서 우리들만 죽게 하오. 어서 가서 영감 마님한테 바른대로 말을 하오 숙영낭자는 천만 뜻밖에 비복들한테 이런 모욕을 당하고 나니, 간담이 서늘하고 어안이 벙벙한데, 비복들이 달려들어 등밀거니 옆밀거니 성화같이 재촉한다. 숙영낭자 하릴없어 옷맵시를 다시 하고 시부모전 당도하여 공손히 묻는 말이, 아버님, 지가 무슨 죄가 있어 이 밤중에 잡아오라 분부시오며, 무슨 분부 계시오니까.

〈중몰이〉

백진사가 대노하여 소리 높여 꾸짖는데, 수상하고 해괴한 일 내 눈으로 보았기로 너를 보고 묻는 말이니 속임없이 말을 하라. 선군이 집을 떠나 한양으로 떠난 후로, 집안이 적막하여 내가 손수 밤중마다 후원으로 두루 돌아 동별당을 당도하니, 밤중마다 네 방에서 남자 음성이 들리더니, 오늘밤은 네 방에서 어떠한 사내놈이 얼굴에다 복면하고 방문 열고 도망하기로, 내가 달려 쫓아갔으나 붙들지를 못하였다. 너의 행실 부정함을 내가 이미 알았으니, 무슨 낯을 추켜들고 나를 대면하려는고.

〈성음〉

숙영낭자 그 말 듣고 정신이 막막하여, 아버님 어이하여 그런 말씀을 노비들 앞에서 하시오 없소이다, 없소이다. 그런 일이 없소이다. 닥치어라. 내 귀로 듣고 내 눈으로 본 일을 속이려고 하는 것은 죄를 더욱 범하는구나. 잔말

말고 너와 간통한 놈 이름을 대라. 숙영낭자 안색이 변치 않고 시아버님전 아뢰는데,

〈중몰이〉

아버님 듣조시오. 아무리 부모님이 간택하지 안했지만, 그러한 끔찍한 말 제게다가 하옵시오 백옥같은 이 몸이오 그런 분부 듣사오니 영천수가 없는 지라 귀를 씻지 못하오며, 만번을 죽사온들 그런 일이 없소이다. 백진사 대노하여, 노비들을 호령하여 숙영낭자 끌어내려 뜰 아래에 꿇려 놓으니, 단정하고 곱던 모습 학대 받는 죄인일세.

〈진양〉

숙영낭자 거동 보소. 하늘을 우러러 보며, 창천은 살피소서. 오월비상지원한 (五月飛霜之怨恨)과 십년불우지원(十年不遇之怨)을 누가 있어 풀어주리. 원통하고 억울함을 살아 있어 무엇하야. 그 자리에 꺼꾸러져 기절하고 마는구나.

〈중중몰이〉

정씨부인 거동 봐라. 며느리가 기절하니 떳다 절컥 주저앉아, 치둥그러져 들어오며 숙영낭자 목을 안고, 아이고 내 자식아, 이 지경이 웬일인가. 여보 영감. 사실도 모르면서, 백옥같은 며느리를 억울한 누명 씌워 이게 무슨 망신이요. 정절 높은 우리 아기 음양작죄 지은 듯이 포박하고 잡아내려 이 지경을 당케 하오. 우리 아기 결백함을 일후에 알고 보면 무슨 면목 낯을 들고 며느리를 대할라오. 숙영낭사 목을 안고, 송죽 같은 너의 절개 나는 이미 알고 있다. 오늘날 이런 일은 꿈에라도 생각하이. 아가 아가, 우리 아가, 정신차려라. 이렇듯 슬피 우니, 상하노비 남녀들도 말못하고

돌아서서 훌쩍훌쩍 우는구나.

〈중몰이〉

숙영낭자 정신차려, 아이고 어머니. 옛말에 하였으되, 음행의 추한 소문 씻지 못한다 하였으니, 동해(東海)수를 기울여도 씻지 못할 이 누명을 제가 쓰고 어찌 사오. 이리 한참 울음 울다, 우수로 옥비녀을 쑥 **빼**어서 번쩍 들고, 하늘을 향하더니 소리 높여 하는 말이, 창천이여 살피소서. 소첩이 만일 더러운 죄를 범했으면, 손에 든 옥비녀가 이 가슴을 찔러내여 이 자리 에 죽게 하고, 만약 애매하옵시면 저 섬돌에가 박히도록 영험을 보게 하옵소 서. 손에 들은 옥비녀를 허공으로 던져 놓으니, 떳다 봐라, 옥비녀가 쏜살같 이 내려오며, 섬돌에가 푹 박히어 발발 떨고 마는구나.

〈아니리〉

숙영낭자는 비녀를 던져 놓고 기절했는데, 공중에 떴던 옥비녀는 섬돌에가 박혀 놓으니, 명천하신 하나님이 아시옵고 심판을 내리심이라. 백진사가 이 모양을 보아노니, 간담이 서늘하고 정신이 아찔하여 한참 동안을 벙벙하 게 서서 있다가, 며느리 숙영낭자가 억울한 것을 알았던지, 뜰 아래로 내려 와서, 며느리의 손을 잡고,

〈진양〉

애비가 눈이 멀고, 귀머거리 늙은 것이 주책을 부리노라, 이런 망령을 부렸 구나. 늙은 애비를 용서해라. 늙은 애비를 용서해라. 자고로 영웅절사, 충신 열녀, 효자들이 고생 없는 사람 없다. 우지 말고 정신차려 늙은 아비를 용서 해라.

〈아니리〉

숙영낭자 그 말 듣고, 저같은 계집이 더러운 소문이 세상에 퍼졌으니, 만일 낭군이 돌아와서 그 소문을 듣고 보면, 무슨 면목으로 낭군을 대하리오. 차라리 죽어져서 저 세상으로 가겠내다. 이렇듯 슬피 우니 백진사 부부가 생각하니, 만약에 며느리가 죽고 보면 아들이 돌아와서 살아 있지 않으리라. 이렇듯 생각하고 이런 답답한 일이 또 어디 있는가. 이렇듯 근심하고 숙영낭자를 별당으로 돌려보내고 백진사는 사랑으로 돌아갔겠다. 별당으로 돌아온 숙영낭자는 동순이를 끌어안고 죽기로만 작정하는데,

〈진양〉

동순아 내 딸이야. 에미 말을 들어 봐라. 아무리 생각한들 이 누명을 쓰고서는 살아 있지 못하겠다. 전생차생(前生此生) 무슨 죄로 이 세상에 생겨나서, 너희들과 모녀되어 영영 이별을 하는구나. 너희 부친은 천리 밖에 과거 보러 올라갔으니, 나 죽는 줄을 모르리라. 내 평생에 먹은 마음 너희 남매 잘 길러서, 남혼여가(男婚女嫁) 보갔더니, 어미 팔자 기박하여 누명쓰고 죽을 테나, 내가 만일 죽거드면 너무 슬퍼하지 말고, 동춘이가 울거드면 밥도 주고 물도 주고, 업어 주고 안아 주고 울지 말라 달래어라. 불쌍한 내 자식들아. 어미 하나 죽고보면 너희 남매 어미를 부르며, 자진복통을 할 터이니, 어찌 잊고 가드란 말이냐. 한참 이리 통곡을 한다.

〈중몰이〉

동순이가 달려들어 어머니를 부여잡고, 아이고 어머니, 죽는단 말이 웬말이오. 어머니는 죽지 말고 아버지가 돌아오면, 억울하고 원통한 사정 낱낱이 말을 하고 죽든지 살든지 하옵소서. 만일에 어머니가 이 세상을 떠나면은, 동생 동춘을 어쩌하며 나는 뉘를 믿고 사오리까. 어머니의 목을 안고 퍼버리

고 울음을 운다.

<아니리>

한참 이리 슬피 울다 동순이는 기운이 지쳐서 모친 무릎을 비더니마는 잠이 곤히 들었구나. 숙영낭자 정신차려 동순이를 바라보니 잠이 곤히 들었구나. 잠든 딸이 깨고 보면 자결하지 못하리라. 가만가만 일어나서 동순 남매를 어루만지며, 내가 만일 죽어 놓으면, 너희 남매 자진복통 할 것이라. 차마 어찌 눈을 감고 저 세상을 가랴마는, 이 누명을 쓰고서는 살아 있지 못하겠다.

<휘몰이>

금침 내어 깔아놓고, 그 자리에 꿇어앉아, 명천은 굽어 살피소서. 속으로 암축하고 비수를 번쩍 들고서 가슴을 푹 찔러 놓으니, 그 자리에 드러누어 숨이 끊어지는구나. 천둥소리 요란하니 동순이가 잠을 자다 깜짝 놀라 깨어 보니, 어머니의 가슴에가 칼이 꽂혀 발발 떤다. 유혈이 낭자하고 음운(陰雲)이 일어난다. 어머니는 금침 위에 자는 듯이 죽었구나. 대경실색 소리치며, 어머니 가슴 위에 꽂혀 있는 칼을 잡고 아무리 빼려 한들 빠지지를 않는구나. 동순이가 황급하여 닫은 방문 펄쩍 열고 안방으로 달려가며, 아이고 할머니, 어미가 죽었내다. 가슴에다 칼을 꽂고 원통하게 죽었내다. 백진사 내외분이 대경실색 달려오고, 상하노비 남녀들이 울며 불며 쫓아올 제 동순이 거동 봐라. 별당으로 우루루루 달려가서 모친 목을 부여잡고 실성통곡 우는구나.

<중중몰이>

허허 이게 웬말인가. 어머니가 돌아가시다니, 이를 장차 어쩔거나. 하느님도 무심하고 귀신도 야속하오 불쌍한 우리 남매 그 누구를 의지하며 원통해서

어찌 살꼬. 불쌍하신 우리 모친 가시고야 말았구나. 어린 동생 동춘이가 어머니를 찾거드면 무엇으로 달래이며, 서울 가신 아버지가 과거 보고 돌아오면, 모친 없는 이 집안에 실성통곡 하실 적에 무슨 말로 위로할까. 만일에 가실 테면 우리 남매 다려가오. 황천이 어디라고 그리 쉽게 가시오며 서러워서 어쩔거나. 아이고 할아버지 불쌍한 우리 어미 저희 남매 남겨 두고 세상을 떠나셨소. 무슨 벌을 못주시어 이 지경이 웬일이오. 호천통곡 슬피 우니 아무리 목석인들 감동 아니 되올쏜가. 상하남녀 노비들도 목을 놓고 통곡할 제, 동순이 거동 봐라. 동춘이를 끌어안고, 아이고 불쌍한 내 동생아 어머니는 죽었단다. 어머니를 찾거드면 무엇으로 달래이나. 어쩔거나 어쩔거나 떴다 절컥 주저 앉어 가슴 치고 발 구르며 발동동 구른다.

〈아니리〉

한참 이리 슬피 우니, 백진사 양주분이 창황망조하는구나. 낭자 가슴에 박힌 칼을 뽑으려 아무리 잡아 **뺀들** 빠지지를 않는구나. 그 때에 어린 동춘이는 어머니가 죽은 줄도 모르고서 잠을 자다 일어나서 젖달라고 우는구나. 밥을 줘도 아니 듣고 물을 줘도 아니 듣네. 동순이 거동 봐라. 우는 동생 동춘이를 끌어안고 슬피울 제,

〈진양〉

불쌍하다. 내 동생아. 어머니는 가셨으니 장차 뉘를 의지할까. 차라리 모친 따라 우리들도 마저 죽어, 황천으로 들어가서 어머니를 보고지고 불쌍하신 우리 모친, 동순 동춘 두 남매를 어찌 잊고 가시었소. 부친 없고 모친 잃고 어이 살아가오리까. 데려가오, 데려가오. 우리 남매도 데려가오.

〈아니리〉

한참 이리 통곡하니, 온 집안이 울음 바다가 되었겠다. 백진사 내외가 생각
한즉, 며느리가 가슴에다 칼을 꽂고 죽었으니 아들 선군이 돌아와서 보면,
부모들이 시집살이를 시켜 죽은 줄 알고 저도 따라 죽으리니, 아들이 돌아오
기 전에 출상을 치루리라. 이렇듯 공론하고,

〈잦은몰이〉

백진사 거동 봐라. 하인들을 앞세우고 별당으로 들어가서, 시체 염을 하려
하고 숙영낭자 가슴 위에 박혀 있는 칼을 뽑으려, 아무리 애를 쓴들 빠지지
를 않는구나. 빌어 보면 될 줄 알고, 무당 불러 굿도 하고, 봉사 불러 점도
치고, 점쟁이 불러 경도 읽고, 중을 불러 염불하고, 백가지로 주선하고 만가
지로 애걸한들, 숙영낭자 죽은 시체 꼼짝달싹 않는구나. 백진사가 생각하니,
하느님의 조화이요, 귀신의 재주로다. 아들이 돌아올 때까지는 그대로 둘
수밖에 별다른 도리가 없는지라.

〈아니리〉

시체 방문 닫아걸고 초상도 못치르고서 상청은 대청에다 차렸구나. 불쌍한
동순 남매 어머니를 잃었으니, 날마다 날마다 눈물로 세월을 보내더라. 그
때에 선군은 낭자를 잊지 못하고 연연한 마음으로 서울로 올라가서, 겨우
마음을 진정하고 숙소를 정한 후에 과거날만 기다릴 제, 하루 가고 이틀
가니 과거날이 되었구나.

〈잦은몰이〉

팔도에서 모인 선비 구름같이 모여들어, 과거를 보려고 과거장으로 들어간
다. 그 때에 백선군은 서책을 품에 품고 장중으로 들어간다. 동인사촉 강목

우면 말장목 갖추 묶어 구종(驅從)지여 앞세우고 장중으로 들어가서, 현제판(懸題板) 밑에다가 장막을 친 연후로 어전을 바라보니 위의가 엄숙하다. 홍일산(紅日傘) 홍양산(紅陽傘)은 봉미선(鳳尾扇)이 완연하고, 사위를 볼 짝시면 병조판서 봉명기(奉命旗)며 도총관 별운검(別雲劍) 승사각신(承司閣臣) 늘어섰다. 금관조복 해제하고 쌍학총학 총총한데 학군복 매동개는 상시관(上試官)이 분명하다. 선상(先廂)에 훈련대장, 중앙에는 금군별장, 후상(後廂)에는 어영대장 총융사 별군직과 좌우포장이 늘어섰다. 사위를 정한 후에 시관이 받아쓰니 글제에 하였으되, 춘당춘색고금동(春塘春色古今同)이라, 둥두렷이 걸려 있다. 수만 다수 선비들이 글제가 줄에 저서 상고맥맥하는구나. 그 때에 백선군은 용연(龍硯)에다 먹을 갈아 호황모(胡黃毛) 무심필(無心筆)로 일필휘지 하여 놓으니, 문불가점이로구나. 일천(一薦)에 선정하니 상시관이 글을 보고 이런 글 이런 글귀 고금에는 처음이라. 상지상(上之上)에 등(等)을 달아 휘장(揮場)하여 내뜨리니, 장원급제 하였구나. 상전탁봉한 연후로 봉서(封書)를 대독한다. 유학신 백선군을 특히 사랑하시고서 부수찬으로 제수하니, 승지가 초지 들고 전교를 써내린다. 경상도 안동 땅에 백선군 백선군.

〈아니리〉

이렇듯 백선군은 장원급제 하였것다. 상감께서 친히 선군을 불러 보시고, 승정원에 주서 벼슬을 시켜 놓으니, 선군은 사은하고 처소로 돌아와서, 안동 본가로 기쁜 소식을 전하려고 편지를 써서 하인에게 급히 보내니, 하인놈은 서간을 갖고 주야로 길을 걸어, 안동에 당도하여 백진사께 서간 내어 올려놓으니, 진사의 급한 마음 편지를 본즉, 소자는 천은이 망극하와 과거에 급제하여 승정원에 주서로다 입작(入爵)하였으니, 감축무지(感祝無地) 하옵니다. 그러나 하행하여 부모님을 뵈올 날은, 금월 보름께나 되겠사오니 하념치 마옵소서, 하였더라. 그랬는디 받어볼 사람이 없는 숙영낭자에게 편지를 보냈구나. 정씨부인이 편지를 받어들고 손주딸 동순이에게 하는 말이, 동순아 너의 애비가 어미에게 편지를 보냈으니 이 편지를 잘 간수하여라, 하며 통곡하니,

〈진양〉

동순이 거동 봐라. 편지를 받어들고 별당으로 들어가서 모친 시체 앞에 꺼꾸러져, 아이고 어머니, 어서어서 일어나서 이 편지를 읽어 보오. 아버지 장원급제하여 반가운 편지를 하시었소. 아버지의 소식 몰라 주야 궁금하시더니 어머니는 어찌하여 모른 체하고 누워 있소. 불쌍하신 우리 어머니 혼이라도 있사오면, 우리 남매 데려가오. 할머니를 부여잡고, 아이고 할머니, 불쌍한 우리 어미 시체 옆에 앉으시어, 편지 사연을 읽어 주오. 할머니를 부여잡고 실성통곡 울음을 운다.

〈아니리〉

정씨부인 하릴없어 며느리 시체 옆에 정중하게 꿇어앉어 편지를 읽는구나. 선군은 한 장 글을 낭자 전에 부치노리 양위존당 모시옵고 평안하시며, 동순 동춘 두 남매도 잘 있는가 궁금하오. 나는 다행히 용문(龍門)에 올라 입신양명하였으니 천은이 망극하오나, 다만 그대와 잠시 동안 이별하고 천리 밖에 있으니 사모하는 마음이 간절하오. 낭자도 독수공방 서러 말고 기다리면 멀지 않어 서로 만날 날이 있을지라. 그 때에 서로 만나 만단정회 하옵시다. 그러나 그대가 준 화상이 날로 퇴색하여 가니 궁금하고 답답하오 할 말은 태산 같지만 이만 붓을 놓나이다. 정씨 부인이 편지를 읽더니만,

〈중몰이〉

동순 동춘 부여 안고 슬피 울며 하는 말이, 불쌍하다 내 자식들아. 어미를 잃었으니 그 얼마나 애통하랴. 야속하다 너희 어미, 너희 둘을 남겨 놓고 죽단 말이 웬말이냐. 어미 영혼이 있다면은, 애처로워 울 것이요, 허공 중천 떠서 있어 너희들을 볼 것이니 부디부디 잘 자라라.

〈아니리〉

한참 이리 슬피 울 제, 진사 부부가 생각을 한즉, 선군이 장원급제하였으니 한편은 반가웁고 또 한편은 걱정이다. 선군이 집으로 돌아와서 낭자가 죽은 것을 보아 놓으면, 저도 응당 따라서 죽을 것이다. 이놈의 노릇을 어찌할꼬, 날마다 걱정하는데, 선군을 따라서 한양으로 올라갔던 하인 한 놈이 하는 말이,

〈중몰이〉

영감마님 들조시오. 전번에 소인놈이 서방님을 뫼시옵고 한양으로 가는 도중 풍산땅을 당도하니, 주란화각이 반공에 솟았는데 음운이 일어나고 채운이 영롱한데, 연못가에 연꽃은 만발하게 피어 있고, 동산에 모란꽃도 여기저기 피었는데, 어떠한 미인 하나가 백학과 춤추는 듯 선연히 나타나니, 서방님이 바라보고 정신이 몽롱하여 걸음을 멈추시고 한참 동안 보시다가, 동리 사람께 묻는 말씀, 저 규수가 누구인가, 자세히도 물어보니, 임진사댁 규수라고 동리 사람이 일러 주니, 서방님이 그 미인을 한 번 보시고 흠모하고 배회하다 돌아오신 일이 있사오니, 소인놈의 생각으로는 임진사댁 규수와 성혼을 하시오면, 서방님도 기뻐하시고 숙영낭자를 영원토록 잊으실까 하옵니다.

〈아니리〉

네 말을 듣고 보니 그런 일이 있었다면, 임진사는 나와 동문 수학하던 사람이라, 내 말을 괄시 못허리라. 또한 선군이 입신양명하여 있고, 숙영낭자가 세상을 떠났으니, 계처(繼妻)로 맞이하려는 내가 좀 미안하지만 사세(事勢) 부득하다. 임진사 집을 찾아가자.

〈진양〉

백진사 거동 보소. 의관을 정제하고 풍산땅을 당도하여 진사집을 다다르니, 임진사는 영문을 모르고서 백진사를 반갑게 맞아들여, 임진사가 하례한다. 백선군은 입신양명하였으니 영감댁의 영화옵고 나라의 영광이오. 백진사가 답을 하고, 예필좌정한 연후로 술상을 정케 차려 양진사가 서로 주고받고 하는데, 백진사가 술잔 들고 한숨을 쉬고 눈물이 앞을 가려 말을 차마 못하는구나. 임진사가 깜짝 놀래 두손 모으고 하는 말이, 무슨 슬픈 일이 있어 이다지도 비감(悲感)하오.

〈중몰이〉

백진사가 대답한다. 자식 선군이 벼슬하니 내마음이 좋았더니, 고진감래 흥진비래라. 옛말에도 있지마는 자식 선군이 숙영낭자와 인연맺어 금실지락 극진하여 자식까지 남매를 두었더니, 선군이 과거보랴 한양으로 올라간 후, 숙영낭자가 우연히 병이 들어 백약이 무효로다. 약도 쓰고, 굿도하고, 점도 치고, 침도 놓고 백가지로 서둘지만, 죽기로서 든 병이야 인력으로 할 수 없어 세상을 떠나노니, 불쌍한 남매를 안고 실성통곡 하였으나 별무 신통한 일 없어, 선군이 집으로 돌아오면 낭자를 생각하고 병들어서 죽을 테라. 일을 장차 어찌하리오.

마음 낭군님께 호소하여 원정을 갚아 달라고, 소첩이 현몽하여 이런 꼴로 낭군을 뵈오니 죄송하고 부끄러우나, 전에 낭군 편지 사연을 보오니, 낭군께서 소첩에게 향한 마음이 애련하고 간절하나, 이것 역시 저의 연분 천박하여, 벌써 유명을 달리하여 구천 혼백이 한스럽고 분하여라. 그러나, 저의 원통한 이 죽엄을 아무쪼록 풀어주시기를 낭군에게 호소합니다. 낭군은 소홀히 아시지 말고 소첩의 억울한 누명을 풀어 주시면, 첩이 죽어 혼이라도 깨끗한 귀신이 될까 하옵니다. 이렇듯이 유언하더니 홀연히 간 곳 없다.

〈중몰이〉

백선군이 놀래 깨니, 전신에 찬 땀이 쭉 흘러서 가슴 속이 벌렁벌렁, 육신이 벌벌 떨리고, 안절부절 마음을 진정 못하겠네. 아무리 생각하여도 숙영낭자 하던 말이, 곡절을 몰라 답답하다.

〈잦은몰이〉

그 이튿날 새벽녘에 일어나서 인마를 재촉하여, 급급하게 길을 떠나 안동으로 내려간다. 선군의 급한 마음 날개 없어 한이로다. 주야로 길을 달려 여러 날이 걸렸구나. 풍산땅에 당도하여 숙소를 정한 후로, 음식을 전폐하고 좌불안석 밤을 새며 걱정으로 있을 적에, 하인 하나 들어서며 문안을 드리더니, 대상공님 오십니다. 이렇듯 아뢰는지라. 백진사는 미리부터 숙소를 정하여 선군을 기다리다, 선군이 온 줄 알고 숙소로다 찾아왔네. 선군이 촉망 중에 부친전 문안드리니, 백진사가 반겨할 제, 선군의 거동 봐라. 부친전에 혼솔이 다 무사하시냐고 여쭈었더니마는, 백진사는 다 무사하다고 거짓으로 대답한다. 선군이 장원하여 높은 벼슬을 하였으니 그런 사연 저런 사연을 물으면서 억지로다 기뻐하는 기색을 보였구나.

〈아니리〉

백진사 거동 봐라. 선군에게 은근한 말로, 장부가 현달(顯達)하면 양처(兩妻)를 두는 것은 고금의 상례(常例)로다. 자세히 들어보니, 풍산땅 임진사의 딸이 매우 현숙하다기로, 내가 이미 구혼하여 납채까지 보냈으니, 이왕에 여기에 왔는지라, 내일 아주 성례(成禮)하고 집으로 돌아가자.

〈성음〉

선군이 생각하니, 숙영낭자가 현몽하여 자기 불행을 호소하고, 원수를 갚아달라 간곡히 말했는데, 부친의 말을 듣고 반신반의 하는 마음 측량하기 어렵더니, 부친의 부실(副室) 말씀 들어보니, 숙영이가 죽었음이 분명하구나. 그래서 나를 속이고 임낭자를 취하여서 잠시 위로코져 하시는구나. 속으로 울음 울고,

〈아니리〉

아버님 처분은 지당하옵시나, 제 마음은 급한 일이 아니오라, 후일 성혼하겠내다. 백진사 아들 고집 아는지라, 다시 권치 못하고서 그 밤을 지냈구나.

〈중몰이〉

첫 닭이 울자마자, 선군은 인마를 재촉하여 안동으로 내려가고, 임진사가 생각하니, 선군이 풍산에 당도하여 임소저를 재취로다 맞을 줄을 알았더니, 선군은 고향으로 가버렸네. 임진사는 허망하게 집으로 들어가서 부인과 딸을 보고, 그 사실을 전한 후에, 선군이 고향 가서 성례할 줄로 생각하고 주주야야를 기다린다.

〈아니리〉

선군은 안동 본댁 당도하여 모친 전에 절을 하고 문안을 드린 후에, 숙영낭자 안부를 물어 놓으니, 그 모친 정씨 부인 말도 못하고 울음만 우는구나. 선군이 의아하여 아내 방을 들어가니, 숙영낭자는 천만뜻밖에 가슴에다 칼을 박고 자는 듯이 누웠구나. 선군은 가슴이 막혀서 울 수도 없고, 경풍 들린 사람같이 벌벌 떨고 앉었는데,

〈잦은몰이〉

동순 동춘 거동봐라. 부친 옷을 부여잡고, 아이고 아버지. 어찌 그리 더디 왔소. 어머니는 벌써 죽어 저 지경이 되어 있어 출상도 못했는데, 아버지는 왜 늦으셨소. 불쌍한 우리 어머니, 아버지를 기다리다가 저 모양이 되시었 소. 모친의 목을 안고 아이고 어머니. 어머니 어서어서 일어나서 아버지가 오셨으니 반가웁게 맞으시오. 그렇게도 아버지를 주주야야 기다렸는데, 아 버지가 오시어도 가슴에 칼 꽂고 모르는 체 누워 있소. 어서 일어나오. 남매 서로 부여 안고 실성통곡 하는구나.

〈진양〉

선군이 기가 막혀 동춘 동순 부여안고, 불쌍한 자식들아. 애비 없고 어미 없는 섧고 설운 이 세상을 어찌 살아 왔단 말가. 애비가 멀리 있어 너희 모친 죽은 것을 까마득히 몰랐으니 이런 불행 어찌 있느냐. 너희 모친 죽은 일을 너희 남매 알리로다. 어서어서 말을 해라. 불쌍한 너의 모친 원혼이나 풀어주자. 어서어서 말을 해라.

〈아니리〉

선군이 통곡하고 부모 앞으로 달려가서, 숙영낭자가 처참하게 죽은 원인을

말씀하라고 아무리 졸랐지만, 부모님들은 말도 못하고 우시기만 하는구나. 이윽고 부친 백진사가 하는 말이, 네가 상경한 연후로 삼사일 기척이 없기로, 이상히 여기고서 방문 열고 들어가니 저러한 참혹한 모습이다. 그 곡절을 알 량으로 백방으로 애썼지마는, 아직도 자세한 곡절은 모르고 다만 추측하여 보니, 어떤 놈이 네가 집에 없는 틈에 밤중에 침입하여 겁탈을 하려다가 제마음대로 되지 않자, 칼로 찔러 죽이고서 도망한 줄 생각하고,

〈중몰이〉

우선 염습을 할 량으로 칼을 빼랴 하지마는 빠지지를 아니하고, 신체 염습하려하되 조금도 움직이지를 아니하니, 그런 대로 버려두고 너 오기만 기다리며 오늘까지 내려왔다. 이런 불행을 네가 알면 병이 될까 염려되어, 미리 임진사 딸과 혼인하면 그 정을 잊을까 하고, 너의 마음 위로코저 그런 일을 시작했다. 기왕 낭자 죽은지라, 마음을 진정하고 너무 상심하지 말고, 장례 지낼 일을 생각하여라.

〈진양〉

선군이 그 말 듣고 넋을 잃고 앉았다가, 다시 낭자 방으로 가서 낭자 목을 끌어안고 실성통곡 슬피 운다. 슬프고도 애석하다. 낭자와 서로 만나 백년 동거 하자드니, 불행히 중도에서 비명횡사 당했으니, 불쌍하고 가련한 말을 어디다가 다 하리오. 하늘 해가 밝아있고 두 눈이 있지마는, 낭자의 죽은 원인을 못보고 못들었으니 이런 일이 또 있을까. 낭자 혼이 있거드면 억울하게 죽은 원혼 내 갚아 드리리다. 부디부디 선몽하오.

〈아니리〉

이리 앉어 설리 울다 선군의 노한 마음 비복들 불러들여 차례로 문초하는데,

그 중에는 매월이도 있는지라. 선군이 소매를 걷고 방으로 들어가서 양팔을 걷어붙이고, 이제는 내가 왔으니 가슴에 백힌 칼이 빠지면은 그 칼로 원수를 갚으리다. 이렇듯 말하고,

〈잦은몰이〉

칼을 잡고 당겨노니, 숙영낭자 가슴 깊이깊이 박히였던 그 칼이 가볍게도 빠지는데, 그 칼이 빠지면서, 파랑새 한 마리가 날라와서 지저귄다. 매월이다, 매월이다, 매월이다, 세번 울고 날아간다. 그 뒤에도 파랑새 한 마리가 날아와서 우는구나. 매월이다, 매월이다, 매월이다, 또 세 번 울고 간다. 그제서야 선군이 생각하니, 매월이가 질투하여 숙영낭자 죽였구나. 이렇듯이 단정하고 선군의 분한 마음 형구를 갖추고서, 매월이를 잡아내려 매를 되게 때리어도, 간악스런 매월이는 자백을 않는구나. 그렇지만 매가 백도 넘어가니, 옛말에 이르기를, 매 위에는 장사 없네, 독함도 쓸데없다.

〈중몰이〉

매월이가 하릴없이 개개 빌며 자백할 제, 숙영낭자 들어와서 선군은 자기를 돌보지 아니하고 낭자만 사랑하니, 원통한 맘 풀려하고 그런 간계로다 누명을 씌워가지고 이리이리 하였다는, 그동안의 경과를 사실대로 자백하네. 선군의 거동봐라. 공모한 불량소년 돌이를 잡아다가 문초를 하여보니, 매월이의 꼬임으로 금전에 매수되어 숙영낭자 방에 드나드는 간부로 가정하고, 백진사의 의심을 사게 했고, 그로 인하여 숙영낭자는 억울한 누명 쓰고 살길이 바이 없어, 가슴에 칼을 꽂고 자결하게 되었다고, 세세한 자백을 하는구나.

〈아니리〉

선군의 분한 마음, 그 칼로 매월이의 목을 베고 제문(祭文)을 읽는데, 슬프고 애닲도다. 성인도 욕을 보고 숙녀도 참변을 당함은 고왕금래(古往今來)에 없지 않은 불행이나, 숙영낭자같이 지원지통하온 일이 세상에 어디 있겠소. 이것이 다 나의 불찰이라 누구를 원망하리오. 오늘 매월이 원수는 갚았지만, 한번 죽은 낭자의 화용월태 어디 가서 만나리오. 나도 마땅히 죽어져서 지하에까지 낭자를 따르겠지만, 부모에게 끼치는 불효를 용서하여 주옵소서.

〈아니리〉

선군이 제문을 읽고 낭자의 시체 안고 통곡하였것다. 불량배 돌이는 관가로 넘겨서 처분을 기다리라 하고, 정신없이 슬퍼하는데, 그 때에 선군의 부모들은 자부의 불행한 것을 내내 속이다가, 사실이 탄로되자 자식 보기 미안하여 아무말도 못하더라. 그렇지만 효성이 지극한 선군은 부모님전 그런 내색 아니하고, 양친을 위로하고 빈소로다 들어가서 염을 하려고 하였지만, 여전히 시체는 요지부동 하는구나.

〈진양〉

선군 혼자 빈소를 지킬 적에, 촛불을 밝히고서 혼자 빈소에 앉았는데, 문득 잠이 들었더라. 숙영낭자가 화려한 옷을 입고 완연히 들어오며 사례하고 허는 말이, 낭군의 도량으로 내 원수를 갚아주니, 그 은혜는 결초보은 하더라도 한량이 없소이다. 소첩이 어제 하늘의 하나님을 뵈었는데, 소첩을 꾸짖으며 말씀하시되, 숙영아 말들어라. 너는 선군과 만날 날을 삼년 기한 어기고서 선군과 만났으니, 그러한 결과로서 애매한 일로 비명횡사 하였으니 그 누구를 원망하랴.

〈중몰이〉

소첩이 애걸하여, 하나님의 명령을 어기옵고 선군과 미리 만나 백년가약 맺었삽고, 자식까지 둘을 나아 평화롭게 사온 것은 만사무석 하온 일이오라, 만번 죽어 마땅하지만, 선군도 따라 죽고저 하옵니다. 만약 선군이 죽어노면, 불쌍한 어린 자식 어미 없고 애비 없는 가련한 두 목숨을 측은하게 생각하여, 저의 죄를 용서하옵고 다시 환생하게 하오면, 선군은 선군이지만 불쌍한 어린 두 남매의 어미로서 양육하고, 초라하신 양친부모 봉양할까 하옵내다. 살려지이다. 살려지이다. 하나님 덕으로 살려지이다.

〈아니리〉

이렇듯 애걸하니, 하나님이 측은히 아시옵고 시신에게 분부하시는데, 숙영낭자를 빨리 놓아 환생하게 하고, 또 염라대왕께 하교하사, 숙영낭자를 혼을 주어 세상으로 인도하라 이르시며, 남극성을 불러들여 저의 수(壽)를 정하라 하시니, 팔십 수를 정하시며, 우리 부부 삼인이 한 날 한 시에 승천하라 하시기로, 소첩이 하나님께 여쭙기를, 삼인이 누구누구냐고 물었더니, 너희들 부부가 자연 삼인이 될 것이다. 천기를 누설 못하느니라 하옵시며,

〈중몰이〉

석가여래를 불러들여 자식을 점지하라 하옵시니, 석가여래 하신 말씀 삼남매를 정하셨소 낭군은 소첩이 죽었다고 너무 슬퍼마시옵고 삼일만 기다리면, 그리웁던 낭군을 만나 만단정회 하오리다. 이렇듯이 말을 하고 연기같이 사라진다. 선군이 잠을 자다 깜짝 놀래 잠을 깨니 마음이 후련하고 기분이 상쾌하다. 반신반의 하는 중에 수일이 지냈더라.

〈아니리〉

하루는 선군께서 잠시 자리를 비웠다가 방안으로 들어와 보니, 요지부동하던 숙영낭자의 시체가 돌아누워 있는지라. 선군이 깜짝 놀라 시체를 만져보니 온기가 돋아나고 생기가 있는지라.

〈잦은몰이〉

선군이 신기하여 부모님을 모셔들여 그 사실을 알리옵고, 인삼차를 급히 다려 낭자 입에 흘려 넣으며, 수족을 주무르고 코를 빨고 전신을 주무르니, 이윽고 숙영낭자 두 눈을 바스스 뜨더니만 사방을 둘러보고 한숨을 후유 쉬고, 선군과 부모님을 번갈아 바라본다. 선군과 부모님은 숙영낭자를 부르면서 일희일비(一喜一悲)하는 모양 처음 맞는 기쁨이네.

〈중중몰이〉

그 때에 동순 동춘 모친 시체 옆에 앉아 있다가 모친이 살아나니 모친의 목을 안고 아이고 어머니, 아이고 어머니가 살아났네. 어머니, 어머니, 나를 보오. 어찌 그리 오래 혼몽하여 할머니와 아버지가 자진복통 하는 것도 모르는 체 하시었소. 불쌍한 저희 남매 애끓는 울음소리 들리지도 않더이까. 이렇듯이 울어노니 숙영낭자 거동 봐라. 딸과 아들 끌어안고 일희일비하는 중에, 죽은 사람 다시 살아 움직이고 말을 하니 이런 영광 또 있는가. 이런 기적 어디 있나. 일가 노소 친척이며 치하하여 춤을 추니 기사회생이 좋을씨고.

〈중몰이〉

그렁저렁 수일되니, 큰 소 잡고 섬 쌀로다 술을 담가 동리 남녀 노소 없이 잔치를 치뤄노니, 이런 경사 또 있으며 이런 일도 있더니라.

〈아니리〉

그 때에 선군과 정혼한 임진사댁의 임진사는 숙영낭자가 살아났다는 소문을 듣고, 받았던 납채를 돌려보내고 다른 곳으로 구혼하려고 하자, 임낭자가 그 기색을 알고 부모에게 하는 말이,

〈중몰이〉

부모님전 아룁니다. 여자로 태어나서 한번 혼사를 정했었고 예물까지 받았으면 그 집 사람이 분명한데, 이제 상처하였던 줄로 알았던 숙영낭자가 다시 살아났다 하여, 그 혼사를 파하시고 다른 가문으로 시집가면 예절에도 어긋나오. 국법에도 엄연하게 양처를 두지 못하도록 금했으면 모르려니와, 그러하지 않은 바에, 소녀 팔자 타고 난 숙명 하나님이 정한 배필이라. 부모님 걱정 말으시고 선군에게 시집가면 백년해로 하지마는 다른 가문으로 출가를 하면, 불효한 말씀이나 자결하여 죽것내다.

〈아니리〉

임진사 부부가 딸의 말을 듣고, 옳게 여겨 안동으로 임진사가 찾아가서, 숙영낭자 회생한 축하를 드린 후에, 자기 딸의 높은 정조와 굳은 결의를 말을 하니, 백진사 탄식하고 아들 불러 의논하니, 선군 그 말 듣고 초당으로 돌아가 숙영낭자께 그 사실 말을 하니,

〈엇중몰이〉

숙영낭자 넓은 도량 웃는 얼굴로 말을 한다. 임소저 뜻이 장하오이다. 만일 낭군이 부실로다 받지 않으면 여자의 일생을 망치옵고, 그 죄악은 낭군 죄악이라. 낭군 죄악이 내 죄악이라. 낭군은 잔말 말고 임낭자의 깊은 뜻을 받어들여 우리 삼인 백년동락 길이길이 사옵시다. 이 모두가 하나님의 뜻이

리라. 선군이 허락하고 좋은 날을 가리어서 가례를 지낸 후로, 삼부부가
불평없이 해로백년 하올 적에 숙영낭자 삼남매요, 임낭자도 삼남매를 낳아
노니, 삼부부 팔십수 부귀공명 하였더라. 그 뒤야 뉘 알쏘냐. 더질 더질.

저자 소개

김선현
숙명여자대학교 대학원 국어국문학과 박사과정 수료
논저 : 「〈화충선싱전〉의 인물 형상과 그 의미」, 2012
　　　「〈숙영낭자전〉에 나타난 여성 해방 공간, 옥연동」, 2011외 다수

최혜진
현 목원대학교 교양교육원 조교수
숙명여자대학교 국어국문학과 및 동대학원 졸업. 문학박사
논저 : 『판소리 유파의 전승 연구』, 민속원, 2012
　　　『고전서사문학의 문화론적 인식』, 박이정, 2009 외 다수

이문성
현 고려대학교 인문대학 교양교직 초빙교수
고려대학교 국어국문학과 및 동대학원 졸업. 문학박사
논저 : 『조선후기 막장 드라마 강릉매화타령』, 지성인, 2012
　　　「판소리계 소설의 해외 영문번역 현황과 전망」, 2011 외 다수

이유경
현 숙명여대, 경희대, 목원대 강사
숙명여자대학교 국어국문학과 및 동대학원 졸업. 문학박사
논저 : 『고전문학 속의 여성영웅 형상 연구』, 보고사, 2012
　　　「〈숙향전〉의 여성성장담적 성격과 그 과정에서 나타나는 환상의 기능과 의미」, 2011
　　　외 다수

서유석
현 한라대학교 교직과정부 조교수
경희대학교 국어국문학과 및 동대학원 졸업. 문학박사
논저 : 『일상속의 몸』, 쿠북, 2009
　　　「실전 판소리의 그로테스크Grotesque적 성향과 그 미학」, 2011 외 다수

숙영낭자전의 작품세계 3

2014년 1월 31일 초판 1쇄 펴냄

엮은이 김선현 · 최혜진 · 이문성 · 이유경 · 서유석
펴낸이 김흥국
펴낸곳 도서출판 보고사

책임편집 권송이
표지디자인 황효은

등록 1990년 12월 13일 제6-0429호
주소 서울특별시 성북구 보문동7가 11번지 2층
전화 922-5120~1(편집), 922-2246(영업)
팩스 922-6990
메일 kanapub3@naver.com
http://www.bogosabooks.co.kr

ISBN 979-11-5516-246-0 94810
        979-11-5516-208-8 94810(세트)
ⓒ 김선현 외, 2014

정가 20,000원